De vriendschap

CONNIE PALMEN

De vriendschap

1995 Prometheus Amsterdam

© 1995 Connie Palmen
Omslagontwerp Marten Jongema
Foto achterplat Rineke Dijkstra
ISBN 90 5333 348 7 (geb.)
ISBN 90 5333 347 9 (pap.)

Eerste druk februari 1995 (gebonden)
Tweede druk februari 1995 (paperback)
Derde druk maart 1995

Soep op het vuur
is
als
een goede vriend in huis
extra lekkere soep
is
als nieuwe familie

Ischa Meijer
1943-1995

I

DINGEN EN WOORDEN

1

Het schoolplein was afgebakend met een lage, stenen muur en daar stond zij tegenaan geleund. Het was een uitzonderlijk warme lente, enkele weken voor het einde van het schooljaar 1965-1966 en we waren onrustig en opgewonden door het mooie weer en het vooruitzicht van de zomervakantie. Om kwart voor elf luidde een van de meisjes uit de zesde klas de bel voor het speelkwartier en toen ik naar buiten rende, zag ik haar. Ze droeg een zwarte wollen winterjas, die tot op haar enkels reikte. Het liep tegen de twintig graden.

Ze stond er op een manier, zoals ik nog nooit iemand had zien staan, met een soevereine nonchalance: uitdagend, trots en onverschillig. De speelplaats was nagenoeg leeg en zij heerste over deze leegte. Ik bleef stilstaan om naar haar te kunnen kijken en ook omdat ik het opeens kinderachtig vond om met de anderen uit de klas een spel te gaan spelen.

Eigenlijk is het muurtje de verzamelplaats van de slome meisjes. Er staan er altijd een paar uit de vijfde en de zesde en van onze klas is Josien Driessen bijvoorbeeld een slome.

Niemand haalt het in zijn hoofd om haar vrijwillig te kiezen voor een ploeg, wanneer we trefbal willen spelen of tikbal. Als je haar erbij hebt, dan kun je er wel zeker van zijn dat je verliest, want ze is te harkerig om de ene voet voor de andere te zetten. Ze kan niet rennen en ze kan ook geen fatsoenlijke bal gooien, laat staan een harde. In de gymnastiekles moet je haar soms wel nemen, of je dat nu wilt of niet, want als zij als enige overblijft, komt ze automatisch bij de ploeg die de laatste keuzebeurt heeft. Zo heb je toch minstens vijftig procent kans op Josien, behalve als Margriet Seuren aan de beurt is om een ploeg te kiezen, want dan zijn je kansen totaal verkeken. Die wil volgens mij heilig worden, want ze kiest Josien zo ongeveer als eerste uit, wat ik vreselijk schijnheilig vind, want als je niet wilt winnen, moet je geen spel spelen, vind ik, en waarom zou je dan opzettelijk kiezen voor een spelbreker?

Josien is dus zo iemand die altijd tegen het muurtje aanplakt in het speelkwartier. Van onze klas staat er verder niemand, behalve Diny van Helden, maar die hangt er rond met twee meisjes uit de vijfde. Zij is vorig jaar blijven zitten, kwam toen pas bij ons in de klas en hoort nog niet echt bij ons. Dat is haar eigen schuld. Ze doet alsof wij wel twintig jaar jonger zijn dan zij, ze hangt de dame uit. Die uit de vijfde met wie zij optrekt, doen allemaal zo ouwelijk en belegen. Laatst had een van hen nylonkousen aan, in plaats van dikke maillots, zoals wij. Het was geen gezicht en ik denk ook dat dit valt onder wat mijn moeder bedoelt als ze het over ordinair heeft, een kind met nylonkousen. Wat ik wel jammer vind is dat Mies Luyten de laatste tijd zoveel met die Diny loopt, want Mies is daar veel te goed voor. Ze is heel verlegen en volgens mij komt dat omdat ze zo lang is, echt abnormaal lang. Ik weet nooit wat ik tegen haar moet zeggen, maar ze tilt me heel vaak op en dat vind ik het lekkerste wat er is, als iemand me in de lucht tilt. Ik ben zelf de kleinste van de klas en dat vind ik niet erg, want daardoor kunnen grotere meisjes je gemakkelijk optillen en rondzwaaien en zowat de hele school is groter dan ik, waardoor ik een enorm aanbod heb. Niet iedereen vindt het even prettig om besprongen te worden, maar bij Mies kan ik altijd terecht. Ze verdraagt het zelfs als ik onverwacht achter op haar rug spring, of onaangekondigd met een rotvaart op haar afstorm, zodat ze me wel op moet vangen als ik tegen haar aanspring. Dan lacht ze.

Mies is echt een goed iemand, echt.

Terwijl ik haar vanaf een afstand gadesloeg, wist ik dat de vreemdelinge niet thuishoorde bij het muurtje, maar dat het, vanaf het moment dat zij er was gaan staan, haar terrein was en dat zij de betekenis ervan definitief voor mij zou veranderen. Hoewel haar houding iets looms uitstraalde, had dit niks te maken met de sloomheid van de muurmeisjes. Wat bij de anderen oubollige namaakvolwassenheid was, een soort make-up, was bij haar echt.

Ze was al een vrouw en ze was nooit anders geweest, ze was als een vrouw geboren.

Wat ze met haar lange winterjas probeerde te verhullen, tekende zich eens te meer af, een immens groot lichaam, met een omtrek van ruwweg twee meter. Boven de egale, bijna sculptuurachtige volheid van wat dit lichaam moest zijn, stak een lange, ranke nek tussen de opgeslagen kraag uit en het hoofd dat daarop prijkte, vloeide er als vanzelf uit voort. Het was lang, hoekig en omkranst door kort, glanzend, pikzwart haar met een lichte slag.

Ze heeft het mooiste gezicht dat ik ooit gezien heb.

Naar mijn schatting moest zij zeker een zesde-klasser zijn, maar wat had ze hier dan te zoeken? Het schooljaar was bijna afgelopen en die van de zesde waren bezig met hun voorbereiding voor de toelatingsexamens van de middelbare scholen. Het dorp werd in die jaren regelmatig uitgebreid met nieuwbouwwijken, dus het was niet ongewoon om kennis te maken met nieuwelingen en met kinderen van wie je de familie niet van oudsher kende, maar het tijdstip waarop zij verscheen was vreemd en onverklaarbaar. Met een stijgend gevoel van spanning bedacht ik dat ze hondsbrutaal was, een onhandelbaar karakter had, dat niemand het met haar kon vinden en dat zij om die redenen was weggestuurd van al haar vorige scholen. Ze kreeg op onze school een laatste kans om haar gedrag te verbeteren, zodat ze alsnog voorbereidingen kon treffen voor haar toelatingsexamens.

Ik kon me alles voorstellen, behalve dat ze in een lagere klas zat dan de zesde en dat ze iemand was die zou blijven. Ze had nog nooit in haar leven een echte vriendin gehad, meende ik en ik werd bevangen door een diep gevoel van spijt, omdat ze ouder was dan ik en onbereikbaar en omdat ik haar had gezien, maar zij zo gauw weer uit mijn leven moest verdwijnen.

Ik besloot me niet aan haar te hechten, al wist ik niet hoe ik dat aan moest leggen. Het was mij op dat moment vooral duidelijk dat dit nu typisch een situatie was waarop het advies van mijn moeder betrekking had en dat ik moest opvolgen, omdat ik nu het gevaar liep de fout te begaan waarvoor zij mij al zo vaak had gewaarschuwd.

Ze had het tegen me gezegd na het voorval met onze Morris. Op een woensdagmiddag, ongeveer een jaar voordat ik de vreemdelinge voor het eerst zag, bleek mijn vader thuis te zijn. Omdat dit zeer ongebruikelijk was, vroeg ik hem naar de reden van zijn aanwezigheid. Hij legde uit dat in de loop van de middag een nieuwe auto bezorgd werd, een prachtige Fiat.

'En de oude dan?' vroeg ik.

Zo onaangedaan mogelijk zei hij dat die werd ingeruild, dat de mannen van de garage de Morris mee zouden nemen. Ik was verbijsterd. Het ontging mij niet dat het mijn vader ook iets deed, maar dat hij tot zo veel trouweloze wreedheid in staat was, dat sloeg alles.

'Helemaal weg?' vroeg ik, terwijl ik dat wel zeker wist.

'Ja,' zei hij. 'Erg, hè?' probeerde hij nog, maar ik was al op weg naar buiten. In de keuken passeerde ik mijn moeder, die haar nuchterheid op mij uitprobeerde, maar ik wist wel dat ik op dit gebied bij haar mijn gram niet hoefde te halen.

'Het ding is helemaal versleten,' hoorde ik haar nog zeggen. Voor mijn moeder is niks heilig.

Het was onze eerste auto, een grijsgroene Morris. Hij stond geparkeerd voor het huis. Ik opende het portier en gleed naar binnen. Omdat ik niet wist hoe ik het moest doen, afscheid nemen van een auto, zoende ik alles, de grijze bekleding van skai, het dashboard, het stuur, de pook.

'Bedankt,' zei ik. Bedankt, bedankt, bedankt.

De achterbank was het domein geweest van mijn broers en mij en dat was de plek waar ik uitgestrekt ging liggen, zodat ik bij de Morris zou zijn en hij de laatste uren niet in eenzaamheid hoefde door te brengen. Eerst huilde ik nog, omdat ik er niks van begreep en het werkelijk te verschrikkelijk vond om waar te zijn dat iets van waarde, iets dat voor jou gezorgd had, afgedankt, afgevoerd en ingewisseld werd, zomaar, zonder enige consideratie. Dat had ik nog nooit meegemaakt en ik wist niet dat zoiets gebeurde in het leven.

Ik dacht dat ik het mijn vader onmogelijk zou kunnen vergeven en van die gedachte werd het me nog zwaarder te moede.

Ik ben in slaap gevallen en weet niet hoe lang ik in de auto lag. Iemand trok een portier open en riep iets. Het ontwaken was naar, want ik wist na enkele seconden weer wat er stond te gebeuren. In de verte hoorde ik de stem van mijn moeder, die opgelucht en boos verzuchtte dat ze eindeloos naar me gezocht hadden.

Ik was er helemaal geen kind naar om me te verstoppen. Integendeel. Het scala maatregelen dat ik inmiddels beheerste om te voorkomen dat ik een kind was waar iemand zich ook maar een seconde zorgen over zou hoeven maken, overtrof verreweg de grootte van mijn verzameling speldjes, maar ik had het dit keer te vanzelfsprekend gevonden dat ik bij de Morris zou zijn.

'Kom,' zei mijn vader zacht, en hij reikte me de hand om mij behulpzaam te zijn bij het uitstappen. Hij grinnikte verontschuldigend naar de twee onbekende mannen die naast hem stonden, en een beetje ongeduldig met een sleutelbosje rammelden.

Eenmaal buiten de auto ging een heftige, onbeheersbare rilling door me heen. Mijn vader legde een hand op mijn voorhoofd en keek naar mijn moeder.

'Neem haar maar mee naar binnen,' zei hij tegen haar. 'Volgens mij heeft ze koorts.'

De volgende dag hoefde ik niet naar school. Ik had 38,5.

Mijn moeder was het zat. Dit was nu al de tweede keer, zei ze met gedempte stem tegen mijn vader, 's avonds in de keuken. Ik lag onder de dekens op de bank in de zitkamer, maar ik kon hun gesprek volgen.

'Het is abnormaal,' zegt mijn moeder en dat ze er eens een dokter bij moeten halen. Wat mijn vader zegt kan ik niet verstaan, hij mompelt, geruststellend, zoals altijd. Dat het wel meevalt.

'Ze had het met die stomme vogel ook al,' hoor ik mijn moeder zeggen.

Ze zegt dan zoiets als stomme vogel, omdat mijn moeder niet van beesten houdt, ook niet van vogels, die wel een beetje anders zijn dan gewone beesten, vind ik. Naar vogels heb je minder omkijken dan naar andere dieren. Ze zijn erg op zichzelf en ze hebben genoeg aan wat water en zaad en ze kunnen in kooien leven, wat heel bijzonder is, want voor ieder ander beest is dat geen gezicht, maar bij de meeste vogels lijkt de kooi van nature te horen. Mijn vader houdt van vogels. We hebben twee kanariepieten en die beginnen vanzelf te fluiten als hij na zijn werk thuiskomt. Ze herkennen hem.

Ik weet precies wat ze bedoelt, ze heeft het over de kauw die mijn vader een paar maanden geleden meebracht. Een van zijn collega's had hem weer van iemand anders gekregen en de zorg voor de vogel op zich genomen, maar hij moest hem van de hand doen, omdat hij er allergisch voor bleek te zijn. De kauw heette Manus en was tam. Ze hadden iets met zijn vleugels gedaan, waardoor hij nog wel een beetje kon vliegen, maar nooit hoog en nooit ver. Mijn vader had gezegd dat hij een meisje thuis had dat er heel blij mee zou zijn en hij had hem voor mij meegenomen. Dat was uitzonderlijk, een cadeau voor mij alleen.

Bij ons krijgt iedereen hetzelfde.

Er wordt niemand voorgetrokken.

Als er eentje een kauw kreeg, zouden de anderen volgens een ongeschreven wet ook een kauw moeten krijgen, maar in dit geval ging dat niet op. Er was er maar een en Manus was voor mij.

Dieren kun je niet delen. Ze erkennen maar één iemand als hun echte baas.

In de garage maakte mijn vader een voorlopige, open kooi, waarin hij een bakje met water neerzette en wat van het zaad dat voor de kanaries bestemd was. Hij zei dat ik de kauw moest voeren, dat dat de enige manier was een beest te laten weten wie zijn baas is. Om hem niet teleur te stellen verborg ik een licht gevoel van angst, want ik was het niet gewend om met dieren om te gaan en de kauw sperde steeds zijn bek open, volgens mijn vader omdat hij honger had of omdat hijzelf ook bang was, maar ik dacht dat hij me wou pikken en trok telkens schichtig mijn hand terug als hij naar me hapte.

De volgende ochtend holde ik nog voor het ontbijt naar de garage. Het rook er naar vogel, wat ik onaangenaam vond. In eerste instantie kon ik hem nergens ontdekken, maar toen mijn ogen aan het schemerduister gewend waren, zag ik hem ineengedoken en versuft in een hoekje zitten. Het zaad was on-aangeroerd. Op mijn fluitje volgde geen reactie. Neergehurkt bekeek ik hem van dichtbij. Zijn kop lag op zijn borst en ik zag dat hij zwaar ademhaalde, de borst ging op en neer.

'Als je niks eet, ga je dood,' zei ik. Uit een natuurfilm her-innerde ik me beelden van mensen die zieke en zwakke vogels voeren met een soort babyvoedsel, stukjes in melk geweekt brood, daar leek het nog het meeste op. Dat besloot ik ook te proberen.

'Manus eet niks,' zei ik tegen mijn moeder en ik vroeg of ik wat brood mocht nemen en wat melk, om hem te voeren. Alles mocht. Met een schoteltje vol keurig vierkante blokjes doorweekt brood, toog ik weer naar de garage, prikte een stuk brood aan het uiteinde van een twijg en stak Manus het voedsel toe.

'Eet,' zei ik.

Hij reageerde niet. Het brood dat ik tegen zijn snavel aanduwde, liet los en bleef hangen, wat er slordig en vies uitzag en ook extra zielig. Omdat hij zich tot dan toe niet verroerd had, durfde ik mijn hand uit te steken en hem aan te raken, door met de top van mijn wijsvinger zijn kop te strelen.

Hij liet het toe en daardoor hield ik opeens veel meer van hem dan daarvoor. Het was een prachtige vogel en hij zou mijn onafscheidelijke metgezel worden. Zittend op mijn schouder nam ik hem overal mee naar toe en als hij een eindje ging fladderen, bleef hij altijd dicht bij mij in de buurt. Cirkelend boven mijn hoofd hield hij mij nauwlettend in het oog. Als kauw kon hij gemakkelijk praten met andere vogels en hij vertelde hun dat hij bij mij hoorde. Alle vogels wilden vanaf dat moment ook wel bij mij horen, maar voor mij kon er maar een de eerste zijn en de eerste was Manus en dat namen ze ook voor lief. Wel spraken ze onderling af dat, waar ter wereld ik mij ook bevond, iedere vogel mij zou beschermen, omdat ik de vogelvrouw was en hun taal begreep. Soms vlogen hele zwermen boven mijn hoofd, die mij allemaal herkenden en vanuit de lucht volgden. Ook op de speelplaats. Als ik in de klas zat en door het raam naar buiten keek, zat het muurtje vol met vogels, die daar wachtten tot ik uit school kwam en zij mij naar huis konden volgen. Alle kinderen wisten dat het mijn vogels waren en ze begrepen ook dat ik daarom geen mensen nodig had, want ik was van de vogels.

's Avonds, bij de broodmaaltijd, bereidde mijn vader me

erop voor dat die kauw het wellicht niet zou redden. Hij was ziek. Er was te veel met hem gesold en dat verdroegen vogels slecht. Mijn mond werd zo droog, dat ik het brood onmogelijk door kon slikken. Het was niet om Manus, wist ik, want die was er te kort geweest, het was om iets anders, iets wat er al langer was en misschien wel altijd was geweest.

'Je moet niet overdrijven,' zei mijn moeder.

De volgende ochtend vertelde ze dat de kauw dood was en dat mijn vader hem in de tuin begraven had, voordat hij naar zijn werk vertrok. Om mij de aanblik te besparen.

'En nou gewoon dooreten,' zei ze, 'we gaan hier geen honger lijden om zo'n stomme vogel. Er zijn wel ergere dingen. Spaar je tranen voor later, dan heb je ze harder nodig.'

Het lukte me niet om een boterham te eten.

'Eer hier nog eens een beest in huis komt,' steunde mijn moeder en ze maakte een kop warme chocolademelk voor me klaar, omdat ik dan toch iets binnenkreeg en niet met een nuchtere maag naar school toe ging.

'Op de nuchtere leer je niks,' was haar mening.

De ochtend na de dag waarop ze de Morris hadden weggehaald en ik in bed lag, zei ze dat, dat van het hechten.

'Je moet je ook niet zo vlug aan iets hechten,' zei ze.

Wat ik dan verkeerd deed? Ze zei dat het dat was waardoor ik er onnodig veel leed van had als iets doodging of stuk, of als iets verdween.

'Het is allemaal het verdriet niet waard,' zei ze.

Wat dan wel, vroeg ik me af zonder het aan haar te vragen, omdat ik dat wel kon raden. Familie, kinderen, je eigen vlees en bloed, dat was altijd leed, maar tenminste leed van kaliber.

Ze liet me achter in verwarring. Het woord hechten had

zich in mijn hoofd genesteld en het betekende iets wat ik goed begreep, maar op een manier dat ik er niks mee kon. Zonder te weten hoe, deed ik telkens iets verkeerd en daarmee berokkende ik mijzelf verdriet. De vijand was onzichtbaar, want ik was het zelf. Hoe moest je nu de strijd aanbinden tegen iemand die je zelf was? Het leek in niks op wat je moest doen tegen zondig gedrag, want als je een zonde deed dan wist je het wel, je wist het altijd, dat hoefde niemand je te zeggen. De zeven hoofdzonden prijkten op de eerste pagina van mijn schrift dat ik *De belangrijke dingen* had genoemd en ik oefende ze regelmatig, zodat ik ze uit mijn hoofd kende en ze nooit zou vergeten.

1. Hovaardigheid
2. Gierigheid
3. Onkuisheid
4. Nijd
5. Gulzigheid
6. Gramschap
7. Traagheid

Hechten zat er niet bij, maar misschien viel het onder een van de twee die ik niet goed begreep en had het in de verte iets te maken met hovaardigheid of onkuisheid. Zodra mijn moeder weer naar mijn kamer kwam, zou ik het vragen en dat deed ik ook. Of hechten soms iets van hovaardigheid of onkuisheid was, vroeg ik, toen ze een glas sinaasappelsap kwam brengen.

'Hoe kom je daar nu weer bij?' vroeg ze onthutst, alsof zij een fout had begaan.

'Dat zijn hoofdzonden,' zei ik en ik snapte niet dat zij niet onmiddellijk begreep waar ik op doelde.

'Zet die hoofdzonden toch van je af,' zei ze, 'daar maak je

je veel te druk om, zo belangrijk is het nou ook weer niet. Het is geen zonde om je te hechten, het is alleen lastig, voor jezelf.'

Haar opmerking stelde me eerder teleur dan dat ze me opluchtte.

Als het allemaal onbelangrijk is, vind ik er niks meer aan.

'Ik heb honger,' zei ik.

'Dat is een goed teken,' zei ze verheugd, 'dan ben je aan de beterende hand.'

Ze nam een trui uit de kast en reikte me die aan. We liepen samen naar beneden en ze vroeg me waar ik trek in had.

Je kunt haar geen groter plezier doen dan haar iets te laten toebereiden wat jij lekker vindt, daar leeft ze helemaal van op, mijn moeder. Wel meen ik dat haar geluk abrupt afbreekt op het moment dat de bereiding klaar is, ze een bord voor je neerzet en jij alles daadwerkelijk gaat opeten, maar het kan zijn dat ik mij dat inbeeld. Volgens mijn moeder haal ik me altijd te veel in het hoofd.

Het kostte me geen enkele moeite mij een houding te geven, terwijl ik naar haar keek, want ik had niet in de gaten dat ik daar stond en naar haar staarde. Pas toen Karin Weerts op mij afliep en vroeg of ik meedeed met hinkelen, realiseerde ik me dat ik nog steeds op dezelfde plek stond en geen stap verzet had. Ik zei dat ik geen zin had en slenterde in de richting van het muurtje. Het voelde als een afgang en een zegetocht tegelijk: het muurtje was het terrein dat ik meed, want ik ben geen slome en ook geen dame. Ernaar toe lopen en ertegenaan gaan leunen bezorgden me een gevoel van schaamte, maar het verdragen van de schaamte was bijzonder, want ik deed het voor haar en meende dat zij daarvan doordrongen was omdat ze mij, vanaf het moment dat ze mij in het oog kregen had, volledig begreep.

Zoals gewoonlijk stond Diny er met haar vriendinnen uit de vijfde. Ik besloot het voor een keer met haar aan te leggen, omdat ik dan dichter in de buurt van de vreemdelinge was en haar beter kon bekijken.

'Stomme sommen, vond je niet?' zei ik tegen Diny, toen ik me bij haar groepje voegde, en ik ging zo tegen het muurtje hangen dat ik het vreemde meisje vanuit mijn linkeroog-hoek kon bekijken. Onwillig mompelde Diny iets beves-tigends en ze zette haar gesprek voort met de anderen zonder verder aandacht aan mij te besteden. Het duurde even voor-dat ik de moed had voluit mijn hoofd naar links te draaien om haar te bekijken. Toen ik het deed keek ik recht in haar ogen. Het was alsof ze erop had staan wachten. Ze glimlachte spottend en hield mijn blik op een dwingende manier vast. Ze bewoog niet. Ik bloosde, maar ondanks het blozen moest ik naar haar blijven kijken. Als ik dat niet deed zou ze mij min-achten en zou het tussen ons nooit iets worden, dacht ik.

Het was haar proef en die moest ik doorstaan. Dwars tegen het te warme bloed in, dat mij gebood te vluchten of mij te verbergen, keek ik terug, recht in een stel wonderlijk lichte ogen die opvallend contrasteerden met haar donkere huid en het zwarte haar. We keken naar elkaar alsof het om een wedstrijd ging en dat was het ook, het was een strijd. Vlak voordat de bel het einde van het speelkwartier inluidde, klampte Diny mij aan en vroeg me of ik dat meisje kende. Om haar te kunnen antwoorden, moest ik het contact met de vreemdelinge verbreken, mijn blik van haar afwenden en verliezen. Ze zou het opvatten als een verloochening, net zoals ik dat zou hebben gedaan als zij haar blik had afgewend om een onbeduidende ander te woord te staan. Ik keerde me naar Diny en antwoordde dat ik haar niet kende, dat ik haar nooit eerder gezien had. Toen ik weer keek naar de plek waar zij stond, was die leeg en ik kon haar tussen de drommen kinderen die naar de twee toegangsdeuren stroomden, niet ontdekken.

De volgende ochtend stond ze op dezelfde plek en in dezelfde houding, met de armen over elkaar geslagen, hangend op een heup en met een onderbeen kruislings voor het andere geplaatst. Ze droeg diezelfde jas. Opgelucht constateerde ik dat ze alleen was, dat zich nog niemand bij haar had aangesloten. Ik durfde haar niet in de ogen te kijken en negeerde haar toen ik haar voorbijliep.

In het speelkwartier deed ik met de anderen mee en hinkelde me in het zweet tot de bel ging. Haar aanwezigheid was geen moment uit mijn gedachten, maar ik keek niet haar richting uit. Wel lachte en gilde ik soms zo luid dat iedereen op de speelplaats en ver daarbuiten het wel moest horen.

Zij ook.

Na een week wist ik dit: ze zat in de zesde en ze heette Ara Callenbach. Met haar familie was ze van het noorden naar hier verhuisd, vanwege het werk van haar vader, maar sommigen zeiden dat die mensen dat verzonnen om te verbergen dat ze eigenlijk zigeuners waren die van de ene plek naar de andere trokken en huizen achterlieten die rommelig waren en in geen jaren schoongemaakt. Het gezin was groot en volgens de een waren er tien en volgens de ander wel twaalf kinderen. Het waren allemaal van die donkere types.

Van de vreemdelinge zelf kregen de meisjes van de zesde

nauwelijks iets te horen, want ze sprak alleen als het moest. Zodra je haar aansprak keek ze naar je alsof ze niks verstond van wat je zei en ze trok dan haar wenkbrauwen op zonder je een antwoord te geven. Ze woonde in een gewoon huis, in een van de nieuwbouwwijken en als ze sprak, sprak ze puur Nederlands. Van ons dialect verstond ze geen woord, of ze deed tenminste alsof. Ze had het hoog in haar bol. Ze zat in de zesde, maar deed dit jaar nog geen toelatingsexamen voor de een of andere school, want ze bleef in de zesde zitten. Het was de tweede of derde keer dat ze een klas overdeed, ze was dik en dom, ze woog minstens honderd. Ze was al heel oud, wel veertien of zo, en ze had al borsten en ook dat andere.

Wat wist ik niet, ik wist alleen dat het iets was waarvan ik moest voorwenden dat ik het begreep, anders zouden ze me verder niks meer over haar vertellen.

Hoe was het mogelijk dat ze zoveel van haar wisten, als zij met niemand sprak?

Ze wisten het.

Ik had genoeg gehoord. De waarheid zou ik van haar zelf te weten komen. Het voornaamste was dat ze bleef, dat ze hier woonde, in een huis, en dat ze niet zo gauw zou verdwijnen. Het volgend schooljaar zouden we samen in een klaslokaal zitten, want de vijfde en de zesde klas waren bijeengevoegd en kregen les van het schoolhoofd. Ik had alle tijd. Ik wist zeker dat ze mijn vriendin zou worden, dat wij bij elkaar hoorden, dat ze was zoals ik. Alles wat ik vanaf nu zou doen was te beschouwen als voor of tegen haar en alles wat zij zou doen was te beschouwen als voor of tegen mij. Zo zwaar was het en zo hadden zij en ik het ook het liefst.

's Nachts droomde ik voor het eerst over Ara Callenbach.

2

Polly kwam me al vierkant de keel uit, nadat ik op de eerste pagina kennis met haar had gemaakt, maar toen moest ik nog: *Polly gaat op reis, Polly komt thuis* en *Polly vindt het geluk.*

Had ik me goed en wel door Polly heengeworsteld, dan stonden weer andere reeksen boeken te wachten, waarin een-zelfde soort lieve, zoete, beeldige schat evenzovele ongeloof-waardige als vervelende avonturen beleefde of met kirrende vriendinnetjes streken uithaalde, waar ik alleen maar mees-muilend om kon glimlachen, zo laf en slap en braaf vond ik die.

De bibliotheek in ons dorp bestond niet. Een bijgebouw van de priorij deed dienst als bioscoop, discotheek, sport-hal, oefenlokaal voor alles waarvoor je moet oefenen, en als jeugdhuis. In een van de twee grote ruimtes, waar geknipt, gezongen, gebiljart, gepingpongd en een keer per kwartaal sensueel geschuifeld werd, stond ook een drietal eikehouten kasten. Op zaterdagmiddag tussen twaalf en twee ontsloot het schoolhoofd de deuren van die kasten en zag er geduren-de twee uren streng op toe dat de meisjes een keuze maakten uit de meisjeskast en de jongens uit de jongenskast.

Volwassenen konden ook toen al overal terecht, daar keek niemand van op.

Dan was er dus bibliotheek.

Voor een dubbeltje per stuk mocht ik drie boeken kiezen uit de kast voor de meisjes. Ik kon ze drie weken houden of anders de uitleentermijn met een week verlengen ad vijf cent per week. Ik heb nooit hoeven verlengen.

Het schoolhoofd had me een aantal keren weggeplukt voor de verkeerde kasten, die van de jongens en die van de volwassenen, en mij terugverwezen naar de voor mij bestemde kast. Of ik die dan al allemaal gelezen had, die meisjesboeken? Nee, dat had ik niet. Op zoiets als: als je er een gelezen hebt, heb je ze allemaal gelezen, kwam ik toen nog niet. Bovendien had ik het, als het al in me opgekomen was, nooit tegen het schoolhoofd durven zeggen.

Het hoofd heeft autoriteit. Die dankt ze aan een eigenaardig soort spottende glimlach en aan haar ongehuwde staat.

Het enige teken van ontevredenheid dat ik aan haar kon overbrengen, lag verborgen in de halsstarrige regelmaat van een onschuldige overtreding. Iedere week liep ik, na eerst een obligate blik op de meisjeskast te hebben geworpen, steevast naar de kast voor de jongens. Soms kon ik van opwinding de titels op de ruggen niet eens lezen en stond ik alleen maar zenuwachtig te wachten tot ze onze stomme strijd zou beëindigen en me, met een zucht van vermoeid geduld, mijn plaats zou wijzen. Toch vatte ze die drenzerige herhaling na verloop van tijd op als een serieus protest. Op een zaterdag nam ze me apart en beproefde op mij een pedagogische methode waarvoor ik uitermate gevoelig was en mijn leven lang ben gebleven: ze sprak me aan, erkende mijn probleem en maakte met mij een afspraak.

Met mij valt te praten. Laat me een belofte doen en je hebt een goeie aan mij. Afspraken en beloften zijn me heilig en ik vergeef het mijzelf nooit als ik ze schend. Belofte maakt schuld.

Blozend van volwassenheid gooide ik het met haar op een akkoordje. Iedere zaterdag zou ik om tien voor twaalf in de bibliotheek zijn en in overleg met haar een boek uit de jongenskast kiezen en daarna de overige twee boeken uit de meisjeskast. En ik mocht het tegen niemand zeggen, want dan wilden alle meisjes wel in de jongenskast duiken en ontstond er een chaos waar ze niet op zat te wachten. Of ik dat begreep. Met een mengeling van trots en een gevoel van verraad knikte ik.

Je kunt maar beter geen kasten voor iemand gesloten houden.

Van de verboden boeken verwachtte ik inmiddels een heil dat, achteraf bezien, nooit ofte nimmer door een boek gebracht kan worden. Maar dat wist ik toen nog niet.

Op de ochtend van de dag waarop onze afspraak inging, drentelde ik al vanaf elf uur rond het gebouw waarin ik zou worden toegelaten tot de jongenskast. De buikpijn die ik toen had komt me nu belachelijk voor.

Zoals van vrijwel geen enkel boek dat ik als kind gelezen heb, herinner ik me ook maar enig genot van de kennismaking met Old Shatterhand en Winnetou. Aan Karl May heb ik wel een obsessie overgehouden en dankzij hem heb ik enig inzicht verworven in de nooit aflatende strijd tussen de Indiaan en de cowboy en kreeg ik door welke rol in dit drama voor mij was weggelegd. Het laatste was voor mij van praktisch belang.

Eindelijk begreep ik het spel van de jongens beter en werd het mij duidelijk waarom ik me niet als volbloedkrijger mocht meten met een wrede cowboy of een Indiaan van een vijandige stam en ik daarentegen, als ik al mocht meespelen, thuis, in de wigwam, op de anderen moest wachten. Als squaw.

Om na de strijd hun wonden te likken.

Dat hield ik na een keer voor gezien, want toen wist ik wat het woord squaw betekende: wachten en verveling. Terwijl buiten hele stammen elkaar bevochten en met stokken en bijlen op elkaars scalp joegen en alle kansen van de wereld kregen om de bewijzen van hun heldhaftigheid te leveren, zat ik in een hut op een houtje te bijten.

Als jongens met elkaar spelen gaat het om winnen of verliezen.

Bij de meisjes gaat het erom, wie het beste kan veinzen.

Ik wilde me helemaal niet bekwamen in het veinzen. Ik wilde een krijger zijn en me oefenen in dat gevecht onder de gevechten, dat waarbij je kunt zegevieren of ten onder kunt gaan.

Omdat ik nog niet wist of er misschien enige schoonheid lag in het likken van de wonden van krijgers, accepteerde ik voor een keer de mij toegewezen ruimte in het spel en ik wachtte, ongeduldig. Maar toen ze moe en bezweet de hut in kropen, bleken ze stuk voor stuk te verlegen om zich ook maar met een vinger door een squaw te laten beroeren. Hier klopte iets niet. Fundamenteel niet, bedoel ik.

De jongens zijn schaamteloos in de strijd, dapper ook en niet te stuiten van fanatisme, maar ze verdragen het niet als je hun wonden likt. Ze willen niet eens weten dat ze ze hebben. Ik zat compleet voor schut.

Met een beetje moeite kon je het Wilde Westen binnen een mum van tijd laten herleven in een tuin of op een veld, maar meisjes hadden er toen al niks te zoeken en dat hebben ze nog steeds niet. Dat was bij Karl May zo en zo is het gebleven.

Met inzichten prijs ik me altijd gelukkig, al zijn ze nog zo verschrikkelijk.

Obsessies ben ik liever kwijt dan rijk.

Obsessies delen met de verslaving, de hysterie en het fanatisme de eigenschap, dat ze juist ontwikkeld worden om inzicht tegen te gaan.

Iedereen heeft obsessies en heeft die dan in meer of mindere mate. Of het nodig is voor het voortbestaan van de soort weet ik niet, maar het lijkt wel of mensen zijn toegerust met een onvermogen, iets dat hen ervan weerhoudt de hele waarheid over zichzelf onder ogen te zien.

Het voedsel voor dit onvermogen is de verslaving. Hoe meer verslavingen je hebt, hoe slechter je in staat bent de waarheid over jezelf te erkennen. Niet het zoeken van de waarheid is de kunst, haar te leren verdragen, daar gaat het om.

De meest ondraaglijke waarheid is de waarheid van de dood. Daar wil toch niemand echt aan. Ik denk dat de onverdraaglijke waarheid van de dood de basis is van al onze leugens.

Ik heb al vroeg geleerd niet op te kijken van het bestaan van het bedrog en van de leugen en ze te zien als een verweer tegen iets anders. Dat dat iets de dood is, heb ik pas later bedacht. Eveneens later, veel later, toen de leugens en het bedrog me meer pijn gingen doen dan me lief was, heb ik ook de wraakzuchtige gedachte ontwikkeld, dat leugenaars en bedriegers vooral zichzelf te grazen nemen, omdat ze zich met iedere leugen verder verwijderen van alles wat ze het meest hoogachten, begeren en waarnaar ze het heftigst verlangen.

Ik ken geen waarheidslievender persoon dan de leugenaar.

Na het lezen van de passage waarin Old Shatterhand en Winnetou bloedbroederschap sluiten, wilde ik niets liever dan dat, bloedbroederschap met iemand, en sedertdien liep ik met een naald op zak. Hij zat in een klein, plastic hulsje, waarin eerder de vuursteentjes zaten die mijn vader gebruikte voor zijn sigarettenaansteker.

Het was een heilig instrument.

Bloedbroeders liggen niet voor het oprapen. Je kunt niet met de eerste de beste uit je klas bloedbroederschap sluiten, want het is een verbintenis voor het leven en je moet je wel twee keer bedenken voordat je haar met iemand aangaat, omdat het zwaar weegt.

Om erachter te komen hoe het voelde, een eigenhandig toegediende prik in de top van je vinger, probeerde ik het eerst op mijzelf uit.

Het is heel moeilijk.

Zachtjes met de punt van de naald tegen de huid drukken was pijnloos, maar had geen resultaat. Ook niet toen ik iets harder doordrukte. De huid van mijn vingertop gaf prachtig mee, wat ik zo fideel van haar vond, dat het nog moeilijker werd dan het al was. Ik ging ervan zweten. Met bloedbroederschap viel duidelijk niet te spotten. Het moest pijn doen.

De operatie slaagde pas toen ik mijn linkerhand verraadde en haar beschouwde als de hand van iemand anders. De rechterhand was de mijne en die moest het doen. Ik haalde uit en prikte ferm in de top van de vreemde wijsvinger en toen ik zag dat de naald een gaatje in de huid geprikt had, fluisterde ik snel dat hij toch van mij was, hoor, lieve vinger, en dat het zo had gemoeten, dat ik niet anders had gekund. Daarna duwde ik een glanzend rode druppel bloed te voorschijn.

Ik was trots. Ik stond in de tuin achter ons huis. Er waren geen andere levende wezens te bespeuren dan een rijtje jonge, pas geplante coniferen. Er zat er eentje tussen, die kleiner was dan de rest en waarvan de takken verdorde uiteinden hadden.

Met die conifeer sloot ik bloedbroederschap. Dat het geen gelijkwaardig verbond was – want wat kon een conifeer nu voor mij betekenen, als ik in diepe nood verkeerde of door iemand bedreigd werd – zette ik maar even van mij af. Deze druppel bloed was bedoeld voor hogere doeleinden en het leek me zondiger om de vinger in mijn mond te steken en mijn eigen bloed weer binnen te halen, dan het te offeren aan iemand anders. Een conifeer was beter dan niets. Ik bedacht dat die zielige boom er misschien van zou opleven en dat er geen mooier bewijs van de kracht van het bloedbroederschap geleverd zou kunnen worden.

Het bloed was al een beetje geronnen. Ik smeerde het uit over een plek op de bast, waar wat hars uitgekomen was.

Tegen de boom fluisterde ik dat we nu voor eeuwig verbonden waren, in voor- en tegenspoed, en ik beloofde goed voor hem te zullen zorgen.

Het toespreken van het onooglijke boompje wekte een groot gevoel van liefde in mij op en ik had graag nog veel meer willen zeggen, om zo het gevoel van vervoering vast te houden, maar er schoten mij geen waardige zinnen meer te binnen. Met het voornemen om weer eens een huwelijksmis bij te wonen, zodat ik wat stof kon opdoen voor plechtigheden als deze, nam ik afscheid van de conifeer, door een van zijn takken een hand te geven.

Twee weken later was hij dood.

Met een schop toog mijn vader naar de tuin. Ik volgde

hem. Tijdens het uitgraven stootte hij op een volledig door-
weekte, beschimmelde kluit aarde en wortels, waar de dunne
juten zak nog omheen gespannen zat.

'Hoe kan dat nu?' vroeg hij aan niemand.

Driemaal daags had ik mijn boom een extra emmer water
toegediend en ik had niet begrepen, waarom het groen
meer en meer verdween en ten slotte alleen nog een paar
takjes in de top hun oorspronkelijke kleur behielden.
Zonder hem te vertellen dat de conifeer mijn bloedbroeder
was, zei ik tegen mijn vader dat ik het gedaan had, dat ik die
boom af en toe wat water had gegeven, omdat hij er zo slap
bijstond.

'Je hebt hem verzopen in je goede zorgen,' zei mijn vader en
hij glimlachte naar me.

Bij mijn vader kun je geen kwaad doen.

Tegen het verdriet dat ik voelde, had ik maar één wapen:
de logische conclusie en die schreef ik in mijn schrift.

Bomen zijn stom.

Ze kunnen niet eens lopen of praten.

Ze hebben geen bloed.

Ze hebben geen gevoel.

Je kunt ze gewoon in een winkel kopen en wat te koop is
kan niet van jou houden.

Dus: bloedbroederschap met een boom is waardeloos en
een waardeloos verbond is ongeldig.

's Avonds vroeg ik aan mijn vader of een boom heel erg duur
was en ik stelde hem voor de prijs op mijn zakgeld in te houden. Kinderen zijn al zo duur en ik wilde ze thuis niet onnodig op kosten jagen.

In de minieme collectie veelal bezoedelde boeken viel een nieuwe aanwinst onmiddellijk op, zelfs een smalle pocket als deze. Nieuwsgierig plukte ik het boek tussen de andere vandaan. Het was nog ongelezen en het kraakte toen ik het opensloeg. De naam van de schrijfster noch de titel waren debet aan de verbazing waarmee ik het boek om en om draaide, eraan rook en controleerde of het inderdaad vol stond met zinnen. Het was die tekening op de kaft. Dit was een echt boek, zin voor zin geschreven en gedrukt en ik kon het bijna niet geloven.

Op de voorkant stond een lachend, jong meisje afgebeeld, een kind nog, nauwelijks ouder dan ik. Het was een twaalf-jarig meisje uit het zuiden, stond op de achterflap geschreven en *Blijf lachen, Irmgard* was haar eerste boek. Het ging over haarzelf, over haar ervaringen in het sanatorium bij ons in de buurt. Twaalf jaar, een meisje, het zuiden, het was allemaal dichtbij. Hoe viel die nabije, begrijpelijke werkelijkheid te combineren met zoiets hoogs, magisch en onwerkelijks als een boek?

Ik las het in een ruk uit.

Daarna wou ik nog maar één ding: TBC.

Voor het eerst sinds het hoofd van de school en ik ons verbond gesloten hadden, kwam ik op de gewone openingstijd naar de bibliotheek en beperkte me tot de meisjeskast. Ze keek me met een mengeling van verbazing en spot aan toen ik even later drie boeken op tafel legde. Op alle drie de kaften prijkte het brutale gezicht van een jong meisje met de onvermijdelijke zwarte, krullende en ongekamde haardos. Zo de titel het al niet verried, dan moest de prent woordeloos duidelijk maken dat het hoofdpersonage van het boek een kleine, wilde zigeunerin was.

De kleurige omslagportretten deden in de verste verte niet aan Ara Callenbach denken, maar ik kende geen andere manier om bij haar in de buurt te zijn gedurende de vakantieweken, dan door zulke boeken te lezen.

Na een half boek had ik er genoeg van. Ik liet het verder ongelezen en legde het samen met de overige boeken weg. Dat kon, want eigenlijk geloofde ik toch niet wat er op school over Ara Callenbach en haar familie gezegd werd. Ze zeiden maar wat. Mijn moeder geloofde er ook niks van. Ze zei dat je dat altijd hebt op een dorp, daar gaat iedere nieuwkomer over de tong, zei ze, en daar spinnen ze dan de gekste verhalen omheen. Om het maar ergens over te kunnen hebben. Volgens haar moesten het juist welgestelde mensen zijn, anders zouden ze zich niet zo'n duur, groot huis aan de rand van het dorp kunnen permitteren.

Rijk vond ik een stuk spannender dan zigeunerbloed.

Hoe minder buitenissig, des te groter mijn interesse. Iedereen die voor abnormaal wil doorgaan en er hard aan werkt om excentriek en uitzonderlijk te zijn, heeft een grotere voorspelbaarheid dan wie normaal, gewoon, alledaags en onopvallend heet te zijn. Zodra bijzonderheid gewild is, is het meest bijzondere er vanaf. Echt uitzonderlijke mensen weten zelden van zichzelf dat ze uitzonderlijk zijn en als ze er door de jaren heen achter beginnen te komen dat iets hen van anderen onderscheidt, kost het ze meestal hun verdere leven om er zich bij neer te leggen.

Het was me liever dat Ara Callenbach gewoon rijke ouders had, dan dat ze zoiets exotisch als een zigeunerin was.

Van sprookjes hield ik ook al niet.

Op de een of andere manier had dat ermee te maken.

Zonder haar precieze adres te kennen, fietste ik tijdens die zomervakantie regelmatig door de nieuwbouwwijken in de hoop en met de vrees haar ergens op straat tegen te komen.

Dat gebeurde niet.

Het voordeel daarvan was, dat mijn meest affe fantasie over onze ware kennismaking ongeschonden bleef. We zouden elkaar op de eerste schooldag weerzien op de speelplaats en niet veel later zouden we ons samen in dezelfde ruimte bevinden. Dat ene moment moest voldoende zijn om ons voor de rest van ons leven met elkaar te verbinden. Vanaf het moment dat we over de drempel van het klaslokaal stapten, was ons lot bezegeld. Zij wist dat en ik ook. Daar hoefden we niets voor te doen en er viel ook niets tegen te doen. Zo was het. Alles wat ik verder over ons verzon speelde zich niet meer af in de klas, maar vond plaats buiten de muren van de school, ergens in een onomschreven verlatenheid en leegte waarin alleen wij tweeën ons bevonden. Alsof ik toen al voorvoelde dat iedere ruimte waarin wij ons samen bevonden, geen plaats bood aan iemand anders, wie dan ook.

De zomervakantie liep al bijna ten einde toen ik op een zondagochtend met mijn oudste broer Willem een wandeling maakte door het bos en haar in de verte zag. Ze liep op de zandweg, een kleine vijftig meter van ons verwijderd. Ze hield een fikse hond aan de riem. Ik schrok en voelde de gloed van schaamrood over mijn gezicht trekken. Uit angst dat mijn broer het zou merken, draaide ik me om, holde enkele meters terug, bukte me en woelde wat met mijn handen door de neergevallen bladeren. Ik zou zeggen dat ik meende iets gezien te hebben, iets glinsterends, maar dat het niets was geweest. Toen ik me weer bij mijn broer voegde en zei wat ik bedacht had, was zij verdwenen, maar mijn schaamte nog niet. Pas toen ik met de rug van mijn hand over mijn voorhoofd ging, pfff zei en dat ik altijd zo'n rode kop kreeg van dat bukken, ging het over. Mijn broer had niks gemerkt. Hij vond het alleen vreemd dat ik linksaf wilde slaan op de zandweg. We gingen nooit linksaf.

'We mogen zeker geen hond, of wel?' vroeg ik de volgende dag voor alle zekerheid aan mijn moeder. Om het toch gevraagd te hebben. Mensen komen weleens van iets terug en dan zou je het niet eens in de gaten hebben gehad. Maar mijn moeder was er niet van teruggekomen en ze zei dat ze zo al genoeg te stellen had, met ons.

Ik liep naar de achterkant van de garage. Uit een stapel rode bakstenen zocht ik de mooiste uit. In de garage borstelde ik de steen schoon, nam een stuk touw van de katrol en bond het zo stevig mogelijk rondom de baksteen.

'Kom hond,' zei ik, 'we gaan wandelen.'

Vanuit de binnenplaats riep ik mijn moeder toe dat ik een wandeling ging maken, met de hond, mompelde ik er onverstaanbaar achteraan. De steen schuurde over de trottoirtegels, maar ik was in mijn element en stak hele verhalen af tegen mijn hond. Over waar we naar toe zouden lopen en wat hij straks van mij te eten zou krijgen.

Na een kwartier had ik een lamme arm van het sleuren en ik nam de hond in mijn armen. Dat was het enige waarin hij jammerlijk faalde, dat hij mij niet voorttrok zoals ik het de hond van Ara Callenbach had zien doen en waardoor zij er zo mooi had uitgezien, met een beetje een holle rug, achteroverhangend, in evenwicht gehouden door het grote beest waarmee zij door een riem verbonden was en dat haar daardoor net zo stevig vasthield als zij hem.

Om te zien hoe dat voelde had ik de baksteen af en toe opgepakt en hem een eindje van me afgeworpen, maar het voelde niet en bovendien leed de steen er te veel onder, want bij
iedere worp brokkelden er stukken vanaf en hield ik minder
hond over. Zo ga je niet met je dieren om, vond ik en als
troost en boetedoening droeg ik hem de hele verdere weg
terug naar huis.

3

Op de eerste schooldag zag ik haar weer en niet veel later
bevonden we ons samen in dezelfde ruimte. Vanaf het moment dat we over de drempel van het klaslokaal traden was
ons lot bezegeld. Het ging zoals ik het me bedacht had.

Zo ben ik het ook gewend.

Nog jarenlang zou dit de onbetwiste grondslag vormen
van mijn ervaringen: zodra ik me buiten de muren van mijn
ouderlijk huis bevond, zou datgene wat ik echt wilde ook zo
plaatsvinden. Als iets niet gebeurde zoals ik het wilde, betekende dat alleen maar dat ik het niet genoeg gewild had.

Buiten lukt of mislukt iets.

Buiten speel ik en heb ik plezier.

Binnen niet.

Binnen was ik machteloos. Binnenshuis was ik weerloos
overgeleverd aan een verwarrende verknoping van veiligheid
en angst, van vertrouwen en verraad, van heftigheid en rust,
van zorg en verwaarlozing, van wreedheid en compassie, van
goedheid en gekte. Binnen at ik en sliep ik.

Binnen ben ik gelukkig of ongelukkig.

Machteloosheid, afhankelijkheid en weerloosheid zal ik
altijd verbinden met liefde en geluk, altijd.

Het is ondoenlijk om dat verband te verbreken.

Iedere dag als ik het huis verlaat, heb ik buikpijn van die liefde. Op weg naar school verdwijnt die pijn met iedere stap en tegen de tijd dat ik de speelplaats betreed is ze weg.

Behalve nu, op die dag dat ik voor het eerst bij Ara Callenbach in de klas kom, nu is mijn buik nog steeds hard en de lichte misselijkheid niet verdwenen.

Het zal nog jaren duren voordat ik oor krijg voor die wijsheid van het lichaam, dat me met een hardnekkige trouw laat weten dat het er is en dat me herhaaldelijk iets probeert te vertellen waar ik wat aan zou kunnen hebben, als ik het maar versta.

Maar ik verstond het niet, nog niet. Het kostte me moeite mezelf te koppelen aan mijn eigen vlees en bloed. Voor de boodschappen van mijn huid, hart en hersenen, van mijn lever, darmen, nieren en van die jammerende, zeurende organen in mijn vrouwenbekken, was ik stokdoof.

Het lokaal stond stampvol met stoelen en banken. De vijfde klas was klein, wij waren met zijn twaalven, maar in de zesde zaten wel twintig meisjes. Ik had alleen oog voor Ara Callenbach en ik negeerde het roepen van klasgenoten die vroegen of ik naast ze kwam zitten. Ik deed alsof ik niemand hoorde.

De vijfde moest plaatsnemen in het linkergedeelte van het lokaal, de zesde zat rechts.

Dat is de hiërarchie van de klok. Sinds we de tijd verbeelden als iets dat van links naar rechts beweegt, gaan behalve vroeger en later, ook lager en hoger, minder en meer, verleden en heden met de klok mee. Iedereen gehoorzaamt daaraan alsof het om een natuurlijke zaak gaat.

Ik vind niks natuurlijk.

Ik oefen regelmatig om tegen de klok in te denken.

Ara Callenbach stevende op de laatste bank van de derde rij af en ik liep achter haar aan alsof het vanzelf sprak. Ze maakte lawaai bij het lopen. Ze zette haar voeten met kracht op de grond en ze moest alle tafels een eindje opzij duwen om zich een weg naar achteren te kunnen banen. De andere meisjes keken haar verbolgen aan, maar ik was trots op het kabaal dat ze maakte.

Ze is onpassend.

De derde rij was de rij die de vijfde en de zesde scheidde en verbond. Ik nam plaats in de bank naast haar. Ze keurde me geen blik waardig. Zij vond het ook vanzelfsprekend, denk ik.

De juffrouw niet.

Ze was nog nooit mijn juffrouw geweest, maar omdat ze het hoofd was wist ze alles van alle kinderen op de school. Nog geen vijf minuten nadat ze binnen was en zonder iets te zeggen de klas had overzien, wenkte ze me.

'Het lijkt me beter dat Mies en jij van plaats verwisselen,' zei ze.

Mies zat bijna helemaal vooraan.

Ze weet het van me, ze weet dat ik een druktemaker ben. Zo zeggen ze het tegen mijn vader en moeder op de ouderavonden, dat ik aardig ben, maar een druktemaker. Ze zeggen dat ik een wild kind ben, dat ik te veel energie heb, eigenwijs ben en dat het beter zou zijn als ik eens wat meer aandacht besteedde aan het uitvoeren van de opdrachten, dan aan het op stelten zetten van de klas. Ze zeggen dat ik niks doe waar ik geen zin in heb en dat ik betere punten zou kunnen halen voor rekenen, aardrijkskunde, geschiedenis en kennis van de natuur, als ik het maar wou. Nu heb ik alleen hoge punten voor taal.

Luid zuchtend liep ik naar het tweede bankje van de tweede rij, nam plaats en draaide me daarna zo om dat ik naar Ara Callenbach kon kijken.

Aan wat boven het tafelblad uitkwam was eigenlijk niks abnormaals te zien. In verhouding had ze smalle schouders en een weliswaar brede taille, maar zo dat je die eerder fors zou noemen dan dik. Toch oogde alles om haar heen alsof het te klein en te krap voor haar was, zelfs de lucht, maar dat lag meer aan mijn blik, meende ik. Wat er van haar te zien was, zoals ze daar zat, deed in de verste verte niet vermoeden dat er onder die tafel een lichaam begon dat buiten alle proporties was.

Ze keek met een nukkige blik om zich heen. Het duurde enkele seconden voordat ze in de gaten had dat ik haar blik zocht. Toen ze hem vond en ik haar toelachte, trok ze een van haar wenkbrauwen op.

Dat is alles.

Ik vind het meer dan genoeg.

De juffrouw las eerst de namen van de vijfde, daarna die van de zesde. Als je je naam hoorde moest je even opstaan. Ze las de namen voluit, zodat Margriet Margaretha heette en Katrien, Diny en ik helaas dezelfde naam hadden, maar als je eenmaal rechtop stond, zei de juffrouw je roepnaam en knikte je even toe.

Ik zit vooraan in het alfabet en ik ben snel aan de beurt, wat maar goed is ook, want ik maak me zenuwachtig om dit soort dingen. Misschien omdat ik me er te erg op verheug, om gewoon op te staan en mijn eigen naam gezegd te krijgen en maar af te wachten of de juffrouw iets extra's zegt. Wij hebben toch een soort verbond, zij en ik, dus ik denk dat ze wel iets tegen mij zal zeggen.

Even later was het al voorbij.

'Zo Kit,' zei ze, 'nog altijd klein en dapper?'

Origineel was het niet, maar ik heb glanzend van trots: 'Jazeker, juffrouw' geantwoord.

Ongeduldig wachtte ik af tot ze de namen van al mijn klasgenoten had opgelezen. Vanaf het moment dat zij begon met de namenlijst van de zesde, hing ik schuin in mijn bank om goed naar Ara Callenbach te kunnen kijken. Op haar eigen stuntelige manier begon de juffrouw aan een wat uitgebreider verhaal en ik wist dat zij aan de beurt was. Het ging over de enige echte nieuweling in de klas en dat we ons best moesten doen voor haar, zodat ze snel bij ons kon wennen.

Ik hoop dat niemand dat gehoord heeft en het ter harte neemt, want ik wil de enige zijn die zich op haar toelegt.

'Barbara Callenbach,' zei ze.

Het paste bijna niet in mijn hoofd, zozeer was ik al gewend aan de door mij zo vaak in gedachten herhaalde naam. In de klas onstond rumoer. Er werd gegniffeld. Sommigen herhaalden haar naam, Barbara, Barbara. En ik hoorde ook nog dik en vet en olifant.

Met een ruk schoof Ara Callenbach haar stoel naar achteren en richtte zich in de volle lengte op. Ze stond er met een kaarsrechte rug en geheven kin. De breedte van haar heupen was groter dan de breedte van de tafel waarachter ze oprees.

'Ara,' zei het hoofd, na weer op haar blad gekeken te hebben, 'welkom hier.'

De klas was onrustig. Iedereen fluisterde iets tegen iemand anders, over haar, over Ara. Een strenge blik van het hoofd was voldoende om ze tot zwijgen te brengen.

Hopelijk heeft Ara gezien dat ik geen spier vertrok en met niemand sprak, dat ik op het puntje van mijn stoel zat, klaar om iedereen aan te vliegen die te ver zou gaan en echt iets gemeens over haar zou zeggen.

Wat er tot nu toe gebeurt gaat niet te ver. Zo zijn ze, die andere meisjes. Ze reageren normaal, voor hun doen. Zodra het om Ara ging was het logisch dat de orde der dingen verstoord raakte, want Ara was bijzonder.

Ik denk dat ze het zelf ook normaal vindt en dat ze, net als ik, trots is op de onrust die ze veroorzaakt bij de anderen. Het komt niet in me op dat ze zich zou kunnen schamen. Bloot en blozen kan ik verbinden met schaamte, trots niet.

Dat zijn de vergissingen van het eerste uur.

Het is Ara ontgaan dat ik niet heulde met de vijand en trots gaat wel degelijk samen met schaamte.

Voordat het speelkwartier begon mochten we tien minuten vrij werken, tekenen of lezen. Ik besloot een tekening te maken voor Ara. Op een blad schreef ik met sierlijke letters onze namen neer, haar naam bovenaan: Barbara Callenbach en de mijne onderaan: Catherina Buts. De eerste keer mislukte, omdat haar naam te groot uitviel en niet op het papier paste, daarna dikte ik alleen de eerste letters van onze voor- en achternamen extra aan, want daar ging het me om.

Ik heb iets ontdekt wat me opgewonden en gelukkig maakt, een knipoog van het lot die al mijn vermoedens staaft. We bedriegen allebei de wereld met onze roepnamen, maar voor de wet bezitten onze initialen dezelfde letters, alleen omgekeerd.

Met twee elkaar kruisende pijlen verbond ik de B's en de C's en rondom onze namen tekende ik een ronde krans met bloemen. Zelfs de suggestie van de vorm van een hart mijd ik.

Volgens mij vindt zij hartjes meisjesachtig en sentimenteel, net als ik.

Uit gewoonte stoof ik op toen de bel luidde voor het speelkwartier. Ik ontdekte te laat dat Ara al haar tijd nam en wachtte totdat iedereen haar was voorgegaan.

In de hal staan twee grote kapstokken. Een is helemaal leeg. Aan de kapstok voor ons lokaal hangt maar één jas.

Het is die lange zwarte van Ara.

Lang is niet eens in de mode.

Ik draalde wat rond in de hal, in de buurt van haar jas. Ze hield haar pas in toen ze me zag staan, leunde even tegen de deurpost en keek me strak aan, zonder te lachen. Ik lachte wel. Ik lachte haar breeduit toe en toonde het gevouwen blad dat ik achter mijn rug verborg.

Van de zenuwen vergat ik Nederlands te spreken en ik zei in het dialect dat ik een tekening voor haar had gemaakt. In de snelheid waarmee ik de zin vertaalde lag mijn verontschuldiging. In een adem zei ik het nog een keer in het Nederlands: 'Ik heb een tekening voor je gemaakt.'

'Zo,' zei ze en ze trok haar linkermondhoek omhoog.

Ze liep op de kapstok af, pakte haar jas, trok hem met een omstandig, wijds zwieren aan en keek pas daarna weer naar mij, licht verbolgen, alsof ik haar betrapt had en iets zag wat ik niet mocht zien.

Zo kon mijn moeder ook naar mij kijken, gewoon, als ze iets in haar mond stopte, of even uitpufte op een stoel. En dan begreep ik er ook niks van.

Wat moest er nou voor mij verborgen blijven?

Ze was minstens twee koppen groter dan ik. Of twee en een halve kop.

'Laat die dan maar eens zien,' zei ze.

'Ze is voor jou,' zei ik 'je mag haar hebben. Je moet er nu niet naar kijken.'

Hoezeer ik me er ook op verheugd had dat ze die tekening zou zien, opeens was mijn schaamte groter en was ik bang dat ze het belachelijk zou vinden, zo'n tekening, met onze aaneengeklonken namen erop. Het was niet eens een echte tekening. Ik kon veel beter. Ze keek me een beetje verbaasd aan, maar stopte de tekening ongezien in de zak van haar jas. Daarna draaide ze zich om, doorkruiste met ferme passen de hal en liep naar buiten zonder naar mij om te kijken. Het was de gewoonste zaak van de wereld dat ik achter haar aanliep tot we het muurtje bereikten en dat ik me naast haar opstelde toen ze daar ging staan, zoals ze er vanaf de eerste dag stond.

4

Ze sprak weinig. Ieder speelkwartier liep ik achter haar aan naar buiten en al snel slingerde ik me rond haar heupen of leunde langdurig tegen haar lendenen. Ze rook lekker. Soms nam ik een aanloop en sprong in haar armen. Ik klemde mijn kuiten om haar taille en steunde met mijn knieholten op haar brede bekken. Het zat goed. Als ik niks te vertellen had zwenkte ik mijn lichaam naar een kant, zodat ik met mijn volle gewicht op een van haar heupen hing, vlijde mijn hoofd in de kom van haar hals en schouder en bleef zo een kwartier lang tegen haar aan liggen zonder iets te zeggen. Dan rustte ik uit van alles wat me vermoeide en waarvan ik niet begreep wat het was. Ze ondersteunde me met één arm, zo sterk was ze.

'Je weegt niks,' zei ze, maar dat is natuurlijk niet waar, iedereen weegt iets.

Als ik dreigde af te zakken duwde ze me omhoog, zacht en behoedzaam, alsof ze bang was me te storen. Zo nu en dan haalde ze een hand door mijn haar en dan wilde ik dat die hand daar bleef, zo heerlijk voelde dat. Het duurde me wel eens te lang voordat ze me weer over mijn hoofd streek. Dan pakte ik haar hand, legde die op mijn hoofd en keek naar haar op.

'Beest,' zei ze dan en krabde glimlachend mijn kruin.

Tegen haar aanliggend, met mijn gezicht weggedoken in

haar hals en met mijn rug naar de speelplaats gekeerd, stelde ik me voor dat ze haar onverstoorbare, koele blik over de anderen liet gaan en dat ze zich, net als ik, wentelde in een gelukzalig gevoel van onoverwinnelijkheid.

Niemand mocht zo dicht bij haar zijn als ik, dat wist ik zonder er buitensporig trots op te zijn. Het lag voor de hand, vond ik, het lag besloten in de logica van ons verbond.

Ballen, hinkelen en elastieken kon ik onmogelijk weerstaan. Terwijl ik speelde met de anderen keek ik telkens of ze naar mij keek.

Ze keek.

Normaal spelen lukte me niet. Ik speelde druk, hard, krijsend, fel, fanatiek. Niet om te winnen, maar omdat ik geen andere manier kende om te genieten van een spel. Kwam ik moe en bezweet weer bij haar staan, dan besteedde ze gedurende de eerste minuten geen aandacht aan me en hield haar armen voor haar borst gevouwen. Pas als ik aan haar ging rukken en trekken en een van haar handen loswrong uit die verknoopte borstwering van botten en vlees, de veroverde, nog onwillige hand boven op mijn hoofd legde en zo bleef staan zonder naar haar op te kijken, pas dan kon het zijn dat er een zachte kreun uit haar opsteeg en zij mij door een licht strelen van mijn haar liet weten dat het vergeven was, dat ik haar weer in de ogen kon kijken.

Ze strafte me altijd voor iedere vorm van wat zij als ontrouw en verraad beschouwde. Dat was veel. Ik liet me nooit door haar straf weerhouden en deed mee met ballen, hinkelen en elastieken als ik daar zin in had. Ik zag er zelf geen kwaad in. Ik was toch met haar.

Bij het lezen deed ze niet mee. Taal werd voor het merendeel gelijktijdig aan de vijfde en de zesde gegeven, behalve de moeilijke dingen, zoals het ontleden van lange zinnen en een deel van het dictee, dat alleen door die van de zesde opgeschreven moest worden, maar iedereen had hetzelfde leesboek. Alleen Ara las uit een ander boek.

Met lezen en schrijven had ze moeite. Op woensdagmiddag, als iedereen vrij had, bleef Ara een uur langer op school en kreeg dan afzonderlijk les van het hoofd, uit speciale boeken. Die had de juffrouw voor haar opgespoord en het was ook de juffrouw geweest die had gezegd dat het niks met domheid te maken had, dat van Ara, maar dat het iets in haar hoofd was, waardoor de woorden fout naar buiten kwamen. Het was geen echte ziekte, maar toch zoiets, iets van de hersens, wat wel vaker voorkwam en moeilijk te verhelpen viel. Ze had goede ogen, maar het was toch een soort blindheid van iets binnen in haar hoofd.

Zo is onze juffrouw, die heeft dat maar mooi ontdekt. Onze juffrouw weet veel van kinderen, ook de moderne dingen. In de loop van het schooljaar neemt ze ieder kind een middag apart en dan praat ze heel lang met je, over wat je later wilt worden en zo, en hoe het echt met je gaat.

Daar verheug ik me nu al op, op die middag met de juffrouw en wat ze dan over mij zal zeggen.

Maar Ara heeft ze er al vanaf de eerste dag uitgepikt, want dat van Ara is ernstig. Ze heeft tegen haar gezegd het onbegrijpelijk te vinden dat er nooit eerder op een school extra aandacht aan haar is besteed, dat ze haar gewoon maar lieten sollen met die taal, zonder te weten dat Ara geen gewone fouten maakt, zoals andere kinderen, maar dat ze iets met haar hoofd heeft, waardoor het niet anders gaat. Ze heeft tegen

haar gezegd dat ze niet lui is en ook niet dom. Ze heeft
beloofd haar te helpen.

Om zoiets benijdde ik Ara, dat er iets mysterieus en vreemds
met haar hoofd was waardoor ze hulp kreeg van de juffrouw.
Ik wilde ook wel hulp, maar ik wist niet waarvoor. Tegelijkertijd was ik zo trots op Ara alsof ik het zelf had en vond
ik het een bevestiging van haar uitzonderlijkheid dat ze rare
hersens bezat die eigenmachtig woorden bewerkten. Van
haar kon ik het wel hebben dat ze iets had wat bij niemand
anders voorkwam, zelfs bij mij niet.

Ara was vooral opgelucht. Ze was blij dat ze niet dom was.

Het vervulde me met spijt dat de juffrouw me voor was geweest, want dat had ik haar ook kunnen vertellen, dat ze niet
dom was en dan was ik degene geweest die haar blij maakte.

Natuurlijk vind ik iemand die niet goed kan lezen en
schrijven wel dom, op een bepaalde manier, maar als je zo
kijkt en zo praat als Ara, dan is er iets anders aan de hand, dan
ben je niet normaal dom.

'Ik wil je ook wel helpen met taal,' had ik gezegd en dat
vond ze goed, maar toen ik gaandeweg ging ontdekken hoe
eigenaardig zij met de woorden was, wist ik niet meer of ik
werkelijk wilde dat daar ooit verandering in kwam.

Ara ook niet.

Misschien was het omdat ze me zo kon verbijsteren met
haar kijk op de dingen en de woorden en dat zij daar op haar
beurt van genoot, maar ik merkte dat Ara ook twijfelde aan
haar eigen verlangen om haar taal te verbeteren.

'Het is alsof ze mijn geheim wil wegnemen,' zei ze op een
keer nadat ze bijles had gehad van de juffrouw.

'Welk geheim?'

'Dat spannende,' zei ze, 'dat het op ieder moment van de dag weer kan gebeuren dat die woorden daarbuiten me pootje haken en verrassen.'

Ze vond het verschrikkelijk en ergerlijk en spannend. Ze vertelde dat woorden wel eens een dag lang onvindbaar waren.

'Dan wil ik zeggen: "De bloemen bloeien," maar dan komt er alleen maar "de bloeien" door. "Bloemen" is verdwenen, in een zwart gat. Ik weet dat het ergens moet zijn en dan ga ik het zoeken, in de boeken of in tijdschriften. Het kan uren duren voordat ik op een plaatje zie wat ik kwijt was en bedoelde te zeggen: "Bloemen," en dan moet ik nog kijken of het woord erbij staat dat bij dat plaatje hoort.'

'Wat prachtig raar,' zei ik.

Ze moest dus zoeken en zoeken is spannend.

Iets zoeken waarvan je niet weet wat het is, maar waarvan het zeker is dat het maar één enkel iets kan zijn, het enige juiste antwoord op een vraag, de ene oplossing voor een probleem, één iets wat bij iets anders past en niets anders, dat is meer dan spannend, dat is een noodzaak, maar een verkozen noodzaak. Het is het verlangen waarop het kruiswoordraadsel inspeelt, het is de drift van het cryptogram, van het eenmalig in te vullen raster. Dit verlangen naar het enige ene is volgens mij de bakermat van de verslaving en de obsessie.

Als ze sprak over hoe ze met de woorden was, had ik de vreemde sensatie iets te horen wat me volkomen onbekend was en toch de herkenning teweegbracht van een verlangen dat ook mij dreef. Ara leek via een tegengestelde richting bij hetzelfde uit te willen komen of omgekeerd, ik wist het niet precies. Om steeds weer deze beklemmende verscheurdheid te voelen, vroeg ik haar honderduit over hoe het bij haar met die woorden zat en telkens voelde ik dan de aangename prikkel van een onbegrepen tegenstelling, die ik geen plaats kon geven, maar die belangrijk was voor mij, voor hoe mijn leven eruit moest gaan zien.

Ik luisterde naar haar en ik vond het jammer als ze ophield met praten. Daarna dacht ik over haar na.

Naast God, geluk en de dood, werd Ara het meest geliefde onderwerp van mijn overpeinzingen.

Met God, het geluk en de dood had zij gemeenschappelijk dat het problemen leken die om een oplossing vroegen, terwijl het me van meet af aan helder voor ogen stond dat er niks op te lossen viel.

God, geluk, dood en Ara waren moeilijk en lekker om over na te denken, dat was het.

Luisteren vond ze prettiger dan praten. Zo zei ze dat ook, prettiger. Prettig vond ze een fijn woord en ook helemaal geschreven zoals het geschreven hoort, met die p aan het begin en die twee t's in het midden, dat zag er ook prettig uit op papier.

Voor een aantal dingen maakte ze zelf de woorden. Het kon zijn dat de woorden die er al voor die dingen bestonden, keurig in haar hoofd bijgeschreven waren, maar er altijd verwrongen uitkwamen. Dan omzeilde ze die woorden.

'Ik heb ruzie met dat woord,' zei ze.

Van weer andere woorden zei ze: 'Ik ben het niet eens met dat woord,' of: 'Ik vind dit woord niet goed passen bij dat ding.'

Zo vond ze glas een verschrikkelijk woord voor een glas

en alle woorden waarin ei voorkwam vond ze bij voorbaat ongeschikt voor bijna ieder voorwerp, behalve voor een ei zelf, dat vond ze wel kloppen, dat een ei ook een ei heet.

'Want het is ook echt een ei, vind je niet?' vroeg ze 'dan. Maar hoe kon ik dat vinden als mijn hoofd zo anders in elkaar stak?

Haar ouders hadden lang gedacht dat er iets mis met haar was, omdat ze als kind niet sprak. Pas toen ze een jaar of vier was had ze voor het eerst iets gezegd.

'Ik ben Ara,' had ze gezegd.

Volgens haar had het zo lang geduurd, omdat ze een oplossing had moeten vinden voor wat haar de grootste moeite bezorgde: het uitspreken van haar eigen naam.

'Die b's bevallen me niet,' zei ze, 'die houden de zaak op. Die horen niet bij mij.'

Ze kon aan zo'n verhaal beginnen met een duister, weerbarstig gezicht, haar ogen argwanend op de mijne gericht, alsof ze steeds bereid was om, bij de minste of geringste reactie die haar niet beviel, onmiddellijk haar mond te houden.

Ik kon niet eens fout reageren, zo verzoop ik in haar verhaal, vervuld van een diepe compassie met een Ara, van wie ik mij niet kon voorstellen hoe ze eruit had gezien als een klein meisje, maar die ik op een andere manier voor mij zag, als de Ara van nu, die met een machteloze woede haar eerste gevecht leverde met de onwillige woorden.

Ik vroeg mij af of ze als klein kind ook al dik was, maar ik durfde het niet aan haar te vragen.

'Een gewoon iemand is voor ons Kit weer niet goed genoeg,' zei mijn moeder, toen ik Ara voor het eerst mee naar huis nam. De hele klas was al bij ons over de vloer geweest, zei ze, een voor een had ik ze afgewerkt, met ze gespeeld voor zolang het duurde, allemaal even aardige meisjes, gewone meisjes, van gewone mensen zoals wij. En niet een had in mijn ogen kunnen voldoen, niet een was goed genoeg geweest. Wat mij toch mankeerde? Waarom ik nu altijd iets anders wilde dan anderen? Neem nu zo'n Katrien, dat was toch een leuk meisje om mee om te gaan? Netjes gekleed, fris gezicht, goede manieren, beschaafde ouders, die had zo dolgraag mijn vriendin willen zijn, net als al die anderen, en dan was het mij nog niet goed genoeg, dan liet ik het nog afweten. Waarom had ik daar nu geen goede vriendin aan overgehouden, dat snapte ze niet. Waarom moest ik nu weer aan komen zetten met zo'n apart meisje? Zo'n kind kon er zelf natuurlijk ook niks aan doen, dat ze er zo uitzag, het was erg genoeg, maar wat had ik daar nou weer bij te zoeken, bij zo iemand?

'Hoe iemand?'

'Zo anders,' zei mijn moeder 'zo fors en zo nors en zo rijp. Volgens mij is dat helemaal geen leuk meisje.'

Fors, nors en rijp, dat waren prachtige woorden voor Ara en ik vond het knap van mijn moeder dat ze woorden kende die treffend waren en Ara typeerden.

'Jawel,' zei ik, 'die is nu eens echt leuk.'

Ze zei dat ze het toch wel nooit zou snappen. We mochten natuurlijk zelf onze vrienden uitzoeken, daar zouden papa en zij zich nooit mee bemoeien, dat wisten wij maar al te goed, nooit, we konden doen wat we wilden, het was onze keuze en daar waren wij helemaal vrij in, maar dat ik nu net met zo'n meisje thuis moest komen. We deden toch precies wat we zelf wilden, dan kon ze praten als Brugman, eens een goede raad proberen te geven, daar luisterde toch niemand naar, dat had geen enkele zin, je kon net zo goed tegen een stenen muur praten. Nu, ik zou er zelf wel achter komen. Het zou haar benieuwen hoe lang ik het met deze uithield.

Ik luisterde gelaten, ik begreep het wel. Ik vond het helemaal niet erg dat mijn moeder zo op Ara reageerde, dat was pure bezorgdheid, om ons geluk. Bovendien hoorde het bij Ara.

Ara is aanstootgevend en daar ben ik trots op.

Ik hield van de verbazing en ergernis die haar verschijning opriep, van het ongemak dat ze veroorzaakte. Ik hield ervan dat ze lomp was en hoekig en dat ik achter haar aan moest lopen om de verwoestingen die ze aanrichtte zoveel mogelijk te herstellen. Zij leek blind voor alles wat mij timide maakte en voorzichtig. Waar ik behoedzaam trad en fluisterde, stampte zij en was luidruchtig; wanneer ik grijnsde, glimlachte, knikte en boog, richtte zij zich onversaagd op en wierp staalharde blikken in de rondte.

Het is ongelooflijk. Iedere keer verbaast het me weer, hoe het mogelijk is dat zij zich niet laat inspinnen door het fijne, onzichtbare rag van verboden en voorschriften, dat ik bespeur zodra ik een ruimte betreed en mensen ontmoet, en dat me daaraan blindelings doet gehoorzamen.

Ik dacht dat het moed was en eerlijkheid van haar en dat het lafheid was en oneerlijkheid van mij.

Ik vond haar onaangepast en die onaangepastheid zag ik aan voor een keuze.

Ze maakte het lawaai dat ik dempte, ze schond de wetten waaraan ik me onderwierp, ze veroverde de ruimte waarin ik onzichtbaar probeerde te zijn en in het niet wilde verdwijnen.

Soms heb ik het gevoel zelf zonder lichaam te zijn en dat zij telt voor twee, dat zij ook mijn lichaam is en voor mij een plaats inneemt in de wereld en daar alles opknapt waarvoor ik bang ben.

Ik kon het aan niemand uitleggen, ook aan mezelf niet, maar ik voelde me vanaf het moment dat ik Ara gezien had met haar verbonden, alsof zij op een eigenaardige wijze mijn lichaam borg in het hare.

Dan is zij dubbel lichaam en ben ik er alleen in mijn gedachten.

Waar wij ons samen vertoonden waren we samen aanstootgevend en we zouden overal een soort vijandschap oproepen bij anderen. Het was logisch en omdat we het wisten maakte het verzet van anderen ons alleen maar sterker.

Sinds ik met het schrift begonnen ben heb ik de middelste pagina's hiervoor bewaard. De linkerbladzijde heb ik al bijna helemaal ingevuld, behalve achter VRIENDIN, daar staat nog niets.

Ik hou er niet van om te knoeien in een schrift. Als je ook maar één woord moet doorstrepen is het hele schrift bedorven, vind ik, en dan gooi ik het liever weg en begin met een spiksplinternieuw, schoon schrift, waarin ik dan alles overschrijf uit het oude, want in een schrift met doorhalingen werk ik niet meer met plezier. Schriften zijn wel duur, denk ik, want mijn moeder verzucht weleens dat ik zo veel schriften verslijt en nu denk ik nog langer na voordat ik iets opschrijf. Zij zegt dat ik gewoon met een schone bladzijde moet beginnen, dat je de doorhalingen op die andere bladzijde dan toch niet meer ziet. Wat je niet ziet, is er niet, denkt mijn moeder, maar voor mij geldt zowat het tegendeel, want wat ik niet zie, terwijl ik wel weet dat het er is, dat is er nog veel erger. Als ik eenmaal een fout heb gemaakt en die heb doorgestreept, dan gaat die plek in mijn hoofd zitten jammeren en het eerste wat ik doe als ik het schrift opensla is juist naar dat vieze blad kijken en dan heb ik geeneens zin meer om nog iets op te schrijven.

Op de rechterbladzijde heb ik alvast precies dezelfde categorieën opgeschreven als op de linker, maar voor de rest is ze nog leeg.

Gelukkig heb ik vanaf dat ik in de vierde kwam een eigen pen, van Diplomat, die ik vul met de lichtblauwe inkt uit de inktpot van mijn vader. Hij koopt godzijdank altijd dezelfde kleur en hetzelfde merk, want verschillende kleuren inkt in mijn schrift, daar kan ik ook niet tegen.

Voordat ik mijn rij gegevens naliep controleerde ik eerst of ik in de tussentijd gegroeid was. Naast de deur stonden subtiele potloodstreepjes getekend op het behang, die aangaven hoe lang ik was. Ik ging met mijn rug tegen de muur staan, legde een potlood boven op mijn hoofd en trok dan een klein lijntje. Zo groot ben ik. Het nieuwe streepje kwam nauwelijks boven het oude uit. Ik groeide niet bijster hard.

NAAM: Catherina Maria Buts
ROEPNAAM: Kit
STRAAT: Bosjesweg 7
LEEFTIJD: 10 jaar
HAAR: blond
OGEN: groen
LENGTE: 1.38 meter
GEWICHT: 26 kilo
MOEDER: Henriette Christina Maria Buts-van Walen (Jet)
VADER: Wilhelmus Petrus Maria Buts (Wim)

BROERS: Willem (14 jaar)

Peter (13 jaar)

Christiaan (3 jaar)

VRIENDIN wilde ik heel netjes invullen en daarom probeerde ik eerst mijn pen uit op een kladpapier, zodat de kroon lekker nat zou zijn van de inkt en niet eerst een vergeefse, lege lijn zou maken. Daarna schreef ik haar naam op.

Tot mijn teleurstelling merkte ik dat ik op de rechterpagina weinig kon invullen. Ik kende Ara's namen niet, wist niet hoe lang ze was en hoe zwaar, hoe haar ouders heetten en hoeveel broers en zussen ze had, laat staan welke namen die hadden.

Wat ik wist vulde ik in:

ROEPNAAM: Ara

STRAAT: Willem de Zwijgerlaan 11

LEEFTIJD: 13 jaar

HAAR: ravezwart

OGEN: lichtgrijs

VRIENDIN: Kit Buts

Ravezwart vond ik een prachtig woord. Dat had ik tenminste overgehouden aan het doorbladeren van die suffe boeken over kleine zigeunerinnen, want die hadden allemaal ravezwart haar en hazelkleurige ogen. De ogen van Ara waren misschien ook hazelkleurig, maar ik wist niet precies welke kleur daarmee bedoeld werd en voor de zekerheid schreef ik met een gewoon woord op welke kleur het echt was.

5

Ara Callenbach heet alleen maar Barbara, is 1 meter 61, heeft zes zussen, geen broers, en ze wil me niet vertellen hoeveel ze weegt.

Dat is een ramp en ik begrijp het niet.

'Dan kan ik jou niet helemaal invullen,' zei ik verontwaardigd.

'Ik vertrouw je niet,' zei zij.

Daar schrok ik heel erg van.

Bij het eerste bezoek aan Ara's huis viel ik van de ene verbazing in de andere. Het had een hele tijd geduurd voordat ze me meevroeg, zonder erbij te zeggen waarom dat bezwaarlijk zou zijn. Ik had almaar gezeurd of we nu eens naar haar huis zouden gaan, of ik vanmiddag bij haar langs zou komen om te spelen, maar ze had het steeds zo weten te draaien dat het er niet van kwam. Ze vond het bij ons leuker, zei ze, en daarmee was de kous af.

Bij ons is het ook leuk, dat vindt iedereen. Mijn moeder heeft veel lekkers in de kast en wij hebben gewone, rode en gele Exota voor de kinderen, maar ook echte Coca Cola in grote flessen, waar niet van die beugelsluitingen op zitten, maar doppen die er met een flesopener afmoeten. Bijna niemand heeft Coca Cola, maar als het om ons gaat is mijn moeder niks te veel en mijn vader werkt zo hard om dat allemaal te bekostigen. Tegenover de mensen die bij ons thuis over de vloer komen, laat mijn moeder zich nooit aangaan dat ze misschien verdrietig is en pas nog heeft lopen huilen, omdat ze zo veel zorgen heeft over ons. Volgens mijn vader heeft mijn moeder als kind niet genoeg liefde gehad en daar komt al dat verdriet eigenlijk vandaan. Ze wil dat wij het beter hebben dan zij het heeft gehad en wij hebben het fantastisch, dat zeg ik haar vaak genoeg, want wij krijgen wat ons hartje begeert en wij mogen ook heel veel en we hoeven nooit mee te helpen met poetsen of zo.

'Laat mij maar,' zegt mijn moeder dan, 'kijken jullie maar lekker naar de tv.'

Als het warm is maakt mijn moeder zelf ijs en als het koud is krijgen we warme chocolademelk met biscuitjes. Mijn moeder vindt het goed als de kinderen die biscuitjes in de chocolademelk soppen, wat ik raar vind, want volgens mij is het onfatsoenlijk. Ik heb ook liever dat onze eigen jongens dat niet doen, want dan maken ze ook nog eens zuiggeluiden en dat moet onfatsoenlijk zijn, dat kan niet anders.

Geluiden bij het eten vind ik zo ongeveer het ergste wat er is. Tegen de jongens zeg ik dat ze dat niet moeten doen, dat het niet netjes is om te slurpen, te smakken, te blazen en te zuigen of om met je hoofd boven een beker of bord te gaan hangen. Prakken vind ik ook vies en dat vind ik ook beledigend voor onze moeder, want dan is het net alsof je laat weten dat je iets op zichzelf niet lekker genoeg vindt en dat je er eigenlijk de smaak vanaf wilt halen door er bijvoorbeeld appelmoes doorheen te mengen, zodat je het gemakkelijker weg kan slikken.

De jongens zijn alle drie fijnproevers, die gaan bijvoorbeeld mokken als we eens een keer gewoon braadworst eten, maar ik vind alles lekker en ook al vind ik dat niet altijd echt, dan zal ik dat mijn moeder nooit laten merken, nooit, want ik vind het ontzettend zielig voor haar als je het eten niet lekker vindt dat ze met zo veel moeite en liefde voor jou heeft klaargemaakt. Onze Willem en die kleine zijn er wel gevoelig voor wanneer ik ze zeg hoe ze netjes moeten eten, maar Makkie kijkt me dan nijdig aan en gaat dan expres smakken.

We noemen hem Makkie omdat hij een moeilijke jongen is. Het is lastig om hem goed op te voeden. Je kan echt bang worden als die je aankijkt en hij kan ook in woede uitbarsten, dus je moet weten hoe je met hem om moet gaan, maar ik hou heel veel van hem.

Ik hou van al mijn broers evenveel en dat is heel heel veel.

Ik hou ook net zoveel van mijn vader als van mijn moeder en ik vind het onverdraaglijk als het ook maar even in mijn hoofd opkomt dat ik van de een ook maar een beetje meer zou houden dan van de ander, dat doet verschrikkelijke pijn, in mijn hart.

Je zou het niet verwachten, maar in vergelijking met mijn vader en met Willem eet Makkie van nature heel beschaafd en hij houdt het mes en de vork op een bijzondere manier vast, anders dan wij, eleganter, daar heb ik geen omkijken naar, maar Makkie heeft het nadeel dat hij geen rekening houdt met anderen en al begint voordat iedereen aan tafel zit en ook nooit kijkt of er nog genoeg is voor ons allemaal als hij voor de tweede keer opschept. Voor mijn moeder vind ik dat het allerzieligst, want het is een hele toer om zo'n gezin iedere dag maar weer een andere maaltijd voor te zetten en als Makkie dan niet eens wacht tot zij zelf ook aan tafel zit, is het net alsof je dat niet waardeert en zij alleen maar goed genoeg is om ons te voeren en zelf niks geteld is. Die jongens zeggen ook te weinig dat het lekker is wat zij allemaal gemaakt heeft, dat vind ik ook zo lomp. Daarom zeg ik bijkans bij iedere hap hoe heerlijk het eten smaakt en als mijn vader zondags tegelijk met ons eet zegt hij gelukkig ook weleens dat mama dat maar weer allemaal fijn heeft toebereid voor ons.

'Ja mam, dat vind ik ook,' zeg ik dan opzettelijk hard en kijk naar de jongens, maar die snappen toch niks.

Volgens mij heeft mijn moeder minder verdriet van dat eten dan ik. Ze zegt dat ik niet zo op de jongens moet vitten.

'Laat ze toch genieten van dat eten,' zegt ze.

Na de maaltijd heb ik vaak buikpijn van de ergernis, zo heb ik me dan zitten opvreten over al die malende kaken en het helse spektakel dat daar vanaf kan komen en dat ze maar een beetje in hun bord zitten te turen en zwijgend dooreten zonder iets aardigs te zeggen.

Het was een herfstige woensdagmiddag in november en ik was nog geen uur terug uit school of ik verveelde me. Buiten woei het en af en toe viel er wat regen. Willem las een boek, Makkie werkte in de garage aan een perpetuum mobile en Chrisje sliep. We hadden al warm gegeten, pannekoeken, zoals vaker op woensdag, en pannekoeken zijn heel snel op.

Sinds Willem en Makkie in de stad naar school gaan, eten we 's avonds warm, behalve op woensdagmiddag, dan hebben ze vrij en dan krijgen we soms twee keer warm op een dag, zeker als het buiten koud is. Mijn moeder maakt dan erwtensoep en vroeger aten we dan eerst erwtensoep uit diepe borden, keerden het bord om en daar legde mijn moeder dan die kleine, ronde pannekoeken op. Heel raar eigenlijk, als je er bij stilstaat. Nu eten we 's middags de pannekoeken, om- dat het dan zoiets is als warm brood, zegt mijn moeder, en 's avonds eten we de soep.

Ara had bijles tot een uur en als ik me haastte zou ik haar bij de school kunnen treffen. Ik zei tegen mijn moeder dat ik Ara zou gaan afhalen en dat we dan misschien hiernaar toe zouden komen.

'Altijd hier,' zei mijn moeder.

De school zag er verlaten uit. Ik was bang dat Ara al weg zou zijn en werd daar erg treurig om. Nog geen anderhalf uur eerder had ik me vrijelijk en onbezwaard binnen en buiten de schoolmuren bewogen, maar nu leek het schoolplein een verboden terrein, waar ik niks te zoeken had en ik durfde de muur niet te passeren om het gebied te betreden. Met mijn handen in mijn zakken bleef ik aan de buitenkant van de muur staan en keek gespannen naar de ramen van ons klas- lokaal. Ik zag niemand.

In mijn rapporten staat weleens dat ik te ongeduldig ben, maar ik vermoed dat de handwerkjuf daarachter zit en dat die mijn eigen juffrouw heeft zitten opstoken en het kan ook door rekenen en gym komen, maar volgens mij heb ik juist heel veel geduld. Ik kan lang aan een tekening werken, totdat die precies is zoals ik me had voorgesteld, en als ik een goed boek heb kan ik er niet mee ophouden, dan ben ik urenlang van de wereld.

Dat ik voor handwerken geen geduld heb komt niet door- dat ik geen geduld heb, maar doordat ik handwerken haat en met gym word ik alleen zenuwachtig als we iets in een rij doen en we moeten wachten tot het onze beurt is en als ik dan opgehouden word door een slome die voor mij zit en dan een halve dag een beetje meisjesachtig gaat staan wiebelen voordat ze over de bok durft te springen.

Rekenen vind ik te simpel voor woorden, zeker als je het doet zoals het hoort, en met mijn methode ben ik in een mum van tijd klaar. Dan heb ik de uitkomsten alleen maar ongeveer goed en dat is voor mij voldoende, want na het maken van sommen mogen we in ons eigen bibliotheekboek gaan lezen en dat doe ik veel liever.

Ik begrijp niet waarom je iets moet leren waar je het nut niet van inziet en waar je dan vanzelf totaal geen zin in hebt, dat kan niemand mij aan het verstand brengen, waarom dat zo is. Breien, haken en borduren, dat haat ik, dus dat wil ik helemaal niet leren, want dat ga ik later nooit uit vrije wil doen, nooit. De jongens hoeven dat geeneens te leren, want die gaan later natuurlijk veel spannendere dingen doen dan breien, dus waarom ik wel?

Na de handwerkles smokkel ik mijn breiwerk weleens mee naar huis, omdat het dan te erg geworden is en ik er niet meer mee verder kan. Ik brei veel te vast en veel te veel. Ik denk steeds dat ik steken heb laten vallen en daarom meerder ik me een ongeluk en van de zenuwen en de ergernis krijg ik heel erge zweethanden, waardoor dat breiwerk er vies en vettig uitziet. Mijn moeder zucht als ik weer met een groezelige lap katoen aan kom zetten, want het is toch extra werk en ze heeft al genoeg te doen en dan ben ik opgelucht als ze in de lach schiet wanneer ze die broddellap onder ogen krijgt, die dan zoiets volkomen onnozels moet worden als een theepotwarmhouder of zo. Van pure opluchting probeer ik haar nog meer aan het lachen te krijgen door onze handwerkjuf na te doen, hoe die het met die bekakte stem heeft over de handigheid van een theepotwarmhoudmutsenlappending en hoe blij wij onze moeders zullen verrassen wanneer ze zo'n prachtig handwerk ten geschenke krijgen van hun eigen, nijvere dochters. En dan lacht mijn moeder. En dan trekt ze rukkend en krachtig mijn lap uit tot op de eerste naald en breit met luchtige, losse steken een driehoekslap.

Zij vindt dat mens van handwerken ook niks, want die doet alsof ze het hoofd van de school zelf is, omdat ze toevallig een uurtje mee mag helpen met zoiets achterlijks als naaien. En mijn moeder zit ook echt niet te wachten op zo'n stom ding, om een theepot warm te houden. We drinken niet eens thee bij ons thuis, dat vindt niemand lekker. We krijgen alleen thee als we diarree hebben en dan drinken we een kop leeg met onze neuzen dicht, als een medicijn, omdat het goed voor ons is.

'Thee stopt,' zegt mijn moeder.

Ik had me er zo op verheugd Ara van school te halen, dat ik me nauwelijks kon voorstellen dat ze al naar huis was en ik onderweg een ontmoeting was misgelopen. Zoiets ongelukkigs overkwam mij niet als ik buiten was. Om zeven minuten voor een was ik vertrokken en ik had de afstand naar school in minder dan vijf minuten afgelegd, want ik had geholpen en als ik holde hoefde ik niet op de lijnen te letten.

Dat doe ik normaal gesproken wel, dan stap ik niet op de gleuven tussen de trottoirtegels en als het mislukt, moet ik vier tegels terug en opnieuw beginnen, want als ik dat niet doe, gebeurt er nog dezelfde dag iets heel ergs met mijn broers of met mijzelf. Als het alleen met mijzelf was zou ik het helemaal niet erg vinden, maar ik moet er niet aan denken dat mijn broers iets overkomt door mijn schuld.

Soms stel ik me dat 's nachts voor, dat een van onze jongens een ongeluk krijgt, omdat ik die ochtend ongehoorzaam ben geweest aan de regel en dat hij dan doodgaat in een kamertje van het ziekenhuis en wat voor een verschrikkelijk verdriet mijn ouders dan hebben en dat vooral mijn moeder er nooit overheen komt en nu echt totaal geen zin meer heeft om te leven.

Ze vindt het toch al geen lolletje.

Het is heel moeilijk om van nare gedachten af te komen, zeker 's nachts. Dan is het alsof de duisternis de gedachten tegenhoudt, zodat ze onmogelijk uit je hoofd kunnen ontsnappen en als je ze eenmaal uitgedacht hebt en ze blijven binnen in je hoofd, dan gaan ze steeds harder klinken en daar ga ik altijd van zweten. De enige oplossing voor mij is bidden buiten het bed, op mijn knieën. We hoeven van thuis niet geknield te bidden 's avonds voor het slapen gaan, want dat vindt mijn moeder veel te streng voor kleine kinderen, maar ik vind streng soms goed voor een kind, zeker voor mijzelf, want als je zonden je zomaar vergeven worden, zonder dat je er iets voor over moet hebben, dan is het allemaal veel te gemakkelijk en dan stelt het ook niks voor.

Willem en Makkie hadden al een horloge, maar ik nog niet, omdat wij ons eerste horloge pas krijgen als wij de Tweede Heilige Communie doen en die doe je in de zesde.

Ik wist niet hoe laat het was.

Vertrouwend op de twee minuten speling en op de wetenschap dat onze juffrouw heel stipt was wat tijd betreft, wachtte ik geduldig en dacht na over hoe ik de middag met Ara zou kunnen doorbrengen.

Ze kwam naar buiten nog voordat ik begonnen was met

nadenken. Ze zag me en zwaaide. Toen pas durfde ik de speelplaats op om haar tegemoet te lopen.

'Wat leuk,' zei ze.

Ik maakte zomaar een loze sprong in de lucht en slaakte wat kreten, want ik kon nooit voorspellen wat Ara leuk vond en wat ze afkeurde, dus ik was werkelijk blij dat ik een goede keuze had gemaakt.

We liepen over het trottoir, ik gewoon, want als ik met iemand ben geldt het niet, en Ara zweeg. Ik kon goed met haar zwijgen, dus zweeg ik ook. Maar het ene zwijgen is het andere niet en toen we ons huis naderden, voelde ik dat ze aan iets onaangenaams dacht en dat ze zich voorbereidde om me dat te zeggen.

'Na de bijles moet ik eerst naar huis,' zei ze.

'Zal ik dan met je meelopen?' vroeg ik.

Ze hield haar pas in en keek me aan met gefronste blik. Ik probeerde zo onverschillig mogelijk te kijken, om niet te laten merken hoe opwindend ik het idee vond om eindelijk mee te gaan naar haar huis, want die opwinding zocht ze en als ze die van mijn gezicht kon aflezen, zou ze mij verbieden met haar mee te gaan. Ze zou mij ervan verdenken het zo gepland te hebben, dat het mij niet om haar ging, om het af- halen van school, maar dat ik een slinkse poging ondernam om hun huis binnen te dringen.

'Kit,' zei ze, op een soort vragende toon.

'Ja?'

'Je bent een ondeugend diertje,' zei ze en toen wist ik dat ik voor het eerst mee mocht naar het huis waar Ara Callenbach woonde.

Uiterst kalm zei ik tegen Ara dat ik mijn moeder even zou

waarschuwen en ik holde naar de achterdeur van ons huis. Pas toen ik tegen mijn moeder gilde dat we eerst naar het huis van Ara gingen, sloeg mijn stem over van de nervositeit, maar ook van trots, want mijn moeder had weleens gezegd dat we er natuurlijk bij Ara niet in kwamen en dat je dat wel vaker zag bij mensen in goeden doen, dat die juist zuinig waren en wel uitkeken voordat ze allemaal vreemde kinderen over de vloer haalden en het ze ook nog eens naar hun zin probeerden te maken met allerhande lekkere dingen, want als je dat eens bij elkaar ging tellen, wat er doorheen ging iedere maand, dan kostte het al met al toch een aardige cent en het ging allemaal uit de beurs van een kleine man, daar werkte ons vader zich voor uit de naad. En het was niks erg, dat hadden ze er graag voor over, bij ons was iedereen welkom, als wij maar gelukkig waren, dat was alles voor ze, maar we mochten er gerust eens af en toe bij stilstaan, dat het niet vanzelf sprak en dat lang niet alle ouders zo gek waren als zij.

Op weg naar haar huis sprak Ara geen woord. Om haar te laten merken dat het bezoek aan haar huis geen enkel gewicht in de schaal legde en ook niet lang hoefde te duren, omdat het mij daar natuurlijk helemaal niet om ging, begon ik erover welke leuke dingen we straks, als we weer bij ons thuis waren, konden gaan doen. Ik vertelde haar dat ik een nieuw woordspelletje voor ons had bedacht, dat ik haar speciaal daarvoor was komen afhalen, om dat met haar te doen. Je moest dan al de namen die in je familie voorkwamen opschrijven, ook de tweede naam als die er was, en dan moest je met de letters van die namen zoveel mogelijk nieuwe namen maken, dat ik dat van de week bedacht had, want dat was een goede oefening voor haar.

Ik verzon het ter plekke, maar ik deed het om Ara gerust te stellen en in een betere stemming te brengen, want als ze zo nukkig bleef doen, ook als we bij haar thuis kwamen, dan dachten die vader en die moeder misschien dat ze mij maar een beetje achter zich aan sleepte zonder het zelf te willen en dat was geen goed begin. Ik vond dat ze aan die mensen moest laten zien dat ze echt mijn vriendin was, ook al was ik jonger en kleiner, dat zoiets best ging, in ons geval. Van de spanning en de zenuwen ratelde ik maar door, want behalve nieuwsgierig was ik angstig en verlegen, zoals altijd wanneer ik een vreemde ruimte moet betreden of mensen ga zien die ik nooit eerder in mijn leven ontmoet heb.

Ara bleef zwijgzaam en weerbarstig en ik begon meer en meer te denken dat het mijn verdiende loon was en ik bestraft werd voor mijn bedrog, dat zij mij woordenloos doorzag en dus volkomen gelijk had als ze me volstrekt negeerde en geen enkele poging deed om het eerste bezoek ook maar enigszins voor mij te vergemakkelijken, dat was mijn eigen schuld. Ik kon haar niks wijsmaken.

Tegen de tijd dat we bij haar huis arriveerden, had ik in mijn hoofd al tien keer herhaald dat ik wel gewoon buiten op haar zou wachten, maar toen ze op het smalle pad langs hun huis voor mij uitliep, keek Ara niet een keer naar me om, zodat mij niets anders te doen stond dan haar gedwee te volgen.

Achter hun huis bevond zich een tuin, die voor een groot deel in beslag werd genomen door een stalen kooi, waarin zich een ruim, stenen hondehok bevond. Op het moment dat Ara aan kwam lopen kroop een hond uit de opening van het hok, sprong tegen de ijzeren spijlen en begon luid te blaffen. Voor het eerst lachte Ara glunderend. Ze sprak tegen hem.

'Brutus, braaf beest,' zei ze.

Ze opende de deur van de kooi en aaide de hond die tegen haar was opgesprongen en met zijn voorpoten op haar schouders leunde.

Ik bleef buiten de kooi staan en keek naar haar. Een hond paste goed bij Ara, vond ik.

'Je kunt hem wel aaien,' zei Ara, 'hij is heel lief.'

Ik durfde niet en dat zei ik ook.

Nadat ze de hond vers voer gegeven had, opende Ara de deur van wat de keuken bleek te zijn, een grote, glanzend nieuwe keuken, met witte kasten en glimmend witte tegels op de vloer en tegen de wanden. Het was alsof er in die keuken nog nooit eten was toebereid, zo schoon zag ze eruit en zo onzichtbaar waren de dingen waarmee je kookt, de pannen en de ketels en de potjes waarin kruiden zitten of de blikken met meel en vermicelli. Er hing ook geen handdoekenrek, zoals bij ons en bij de andere kinderen thuis, waar een katoenen gordijntje voor hangt met daarop geborduurde spreuken zoals: Oost West Thuis Best. Iedereen had dat.

Maar wat de keuken zo onwerkelijk maakte was niet eens de onzichtbaarheid van de keukendingen; wat er vooral ontbrak was de geur van eten. Het rook er naar verf.

Ara deed een stap naar links, trok de kast open die zich het dichtst bij de deur bevond en onder het aanrecht bevestigd was, boog zich voorover en haalde iets te voorschijn, waarvan ik niet onmiddellijk zag wat het was.

'Hier,' zei ze, 'die moet je over je schoenen doen.'

Ze reikte me een paar vormeloze sloffen aan, gemaakt van een lap zeemleer waar een elastiek doorheen geregen was. Ze keek me niet aan. Het begon me een beetje te dagen waarom Ara me liever niet meenam naar haar huis.

'Lekker spul,' zei ik.

Nu keek ze me aan, zonder te lachen, maar met een zachte uitdrukking op haar gezicht.

Daar kun je helemaal gelukkig van worden als Ara zo naar je kijkt en dat werd ik ook. Het kon me verder ook niet schelen wat er allemaal nog zou gaan gebeuren, want als ik zo'n blik van haar had gehad, kon ik er wel een maand lang mee vooruit.

Het zal wel vanzelf gaan in je hoofd dat je, als je eerst een kind kent en de ouders van dat kind nog nooit gezien hebt, dat je dan verwacht dat die ouders op dat kind zullen lijken of op z'n minst net zo groot zijn en ongeveer even dik of zo en dat ze bijvoorbeeld dezelfde kleur haar hebben.

Ik kon me niet voorstellen dat de vrouw die ik zag Ara's moeder was.

Ze had de deur naar wat de woonkamer bleek te zijn voor haar doen behoedzaam geopend, eerst naar binnen gekeken voordat ze verder liep en mij met een hoofdknik duidelijk gemaakt dat ik haar kon volgen. Ze zwaaide de deur open en het eerste wat ik van de kamer zag was een plas hout, een grote glimmende vloeroppervlakte zonder vloerbedekking. De eerste stappen die ik er zette gaven me een vreemd gevoel, alsof ik zou verdrinken in de glans. De sloffen maakten een wrang geluid, maar ze waren pure noodzaak, want alleen dankzij die sloffen had ik het gevoel enige grip te hebben op de vloer.

Ara begroette twee vrouwen die aan een tafel over boeken gebogen zaten en die mij zonder al te veel interesse opnamen.

'Dit is Kit,' zei Ara.

De twee vrouwen stonden op. Ik keek vragend naar Ara en voelde dat die warmte naar mijn hoofd steeg. Ze grinnikte en gaf me een duwtje in mijn rug. Met een rood hoofd liep ik naar de vrouwen toe en toen de dichtstbijzijnde me een hand toestak, begreep ik dat het de bedoeling was dat we elkaar een hand gaven.

Zoiets doen we bij ons nooit.

De vrouwen spraken beiden een naam uit, maar daar verstond ik niks van.

'Is moeder voor?' vroeg Ara.

Moeder als naam voor je moeder klonk mij vreemd in de oren. Wij gebruikten het wel om over onze moeder te praten, want een moeder was wat ze was, het was een soort beroep, en dan had je het bijvoorbeeld over: onze moeder kookt heerlijk, maar haar echte naam was mam of mama, daar sprak je haar mee aan.

De woonkamer was l-vormig en met 'voor' moest het gedeelte bedoeld worden dat we nog niet konden zien. Op onze sloffen liepen we naar de verborgen hoek en toen zag ik die vrouw van wie ik niet kon geloven dat ze de moeder van Ara was.

Het had me wel verbaasd dat de twee vrouwen aan tafel een gewoon lichaam hadden, heel anders dan dat van Ara, maar ze hadden toch voldoende overeenkomsten met Ara om haar zussen te kunnen zijn. Ze hadden allebei lang haar, maar wel van hetzelfde soort als dat van Ara, ravezwart met golven. Ze waren slank, lang, rijp en knap, dat zag je zo, maar ze hadden toch niet zo'n mooi gezicht als Ara.

Dat kan ook bijna niet, want Ara heeft het mooiste gezicht van de hele wereld.

'Moeder, ik ben thuis,' zei Ara.

Ze zei het tegen een magere, blonde, oude vrouw van minstens in de vijftig die, toen ze oprees uit haar stoel, maar een paar centimeter groter bleek te zijn dan Ara zelf en in niks op haar leek. Omdat mijn moeder, toen ik zeven was, nog een nieuw kindje had gekregen, onze Christiaan, wist ik dat kinderen in de moeder zitten en dat ik daar ook was geweest. Het was een ondenkbare gedachte dat Ara in deze kleine, smalle, blonde vrouw had gezeten en uit haar gekomen was. Het paste niet.

Ze gaven elkaar een zoen op de wangen.

Die moeder hield het gezicht van Ara met twee handen vast.

Die moeder aaide Ara daarna ook nog even over haar wang.

Ik had de neiging om naar de grond te staren, omdat ik meende iets gade te slaan wat voor mijn ogen verborgen moest blijven, iets verbodens, maar ik kon niet anders dan ernaar kijken, zo prachtig vond ik het.

Zo veel liefde had ik nog nooit in het echt gezien.

'Dit is Kit,' zei Ara en ze deed een stap opzij, zodat ik frontaal tegenover haar moeder stond. We gaven elkaar een hand.

'Aangenaam,' zei zij op een wat vragende toon.

Ik wist niet wat ik ermee aan moest.

'Ja,' zei ik.

Ara moest wel zielsgelukkig zijn met een moeder die je gezicht vasthield en je wang streelde.

'Goh kindje,' zei zij, 'dat jij al zulke zweethanden hebt, zo'n klein meisje. Heb je wel een goede stofwisseling?'

Wat moest ik daarop zeggen?

Ik wist niet dat zweethanden iets was waarover je je moest

schamen en wat stofwisseling was wist ik wel uit de *Medische Encyclopedie*, maar wat dat met zweten te maken had, dat wist ik niet.

'Hè, moeder,' zei Ara.

'Zal ik een lekker kopje thee voor jullie zetten?' vroeg die moeder.

Ara liet me voorgaan op de trap. Thee was niet nodig, had ze tegen haar moeder gezegd. Ze zou me even haar kamer laten zien en dan gingen we bij ons huis wat aan taal doen.

Ik had een hoofd vol vragen, over de piano, die beneden in de woonkamer stond en de grote kast met boeken, waar haar vader was en al die andere zussen en wanneer Ara iets te eten kreeg.

Boven aan de trap wachtte ik op haar, want ik zag een gang met wel vijf deuren en ik wist niet welke deur naar Ara's kamer leidde. Zij liep op een van de achterste deuren af en ging naar binnen. Ik volgde haar en kwam in een ruime, lichte kamer, die behalve aan twee eenpersoonsbedden nog plaats bood aan een grote kast en meerdere tafels en stoelen. En dan was er nog ruimte over om te lopen. Het bijzonderste vond ik dat er een wasbak tegen een van de wanden zat.

'Komt er echt water uit, hier boven?'

'Natuurlijk,' zei ze.

Wij hadden geen water boven en ik kon mij niet voorstellen dat je water omhoog kon laten stromen.

Ze hadden ook een badkamer boven, zei Ara en een wc. Ze genoot van mijn verbazing en nam me mee de gang op.

'Dit is mijn lievelingskamer,' zei ze toen ze me de badkamer liet zien. Ik had nog nooit een badkamer gezien en vond haar werkelijk prachtig. Ik moest aan de kerk denken, maar ik wist niet waarom. Ik wilde opeens heel graag terug naar mijn eigen huis.

'Moet je nog eten?' vroeg ik aan Ara.

Ze zei van niet en keek me streng aan. Ik deed of ik die blik niet had opgemerkt.

'Wanneer eten jullie warm?'

'Halfzeven.'

'Is iedereen er dan?'

'Hoezo?'

'Je vader en je zusjes?'

'Die hier wonen wel,' zei ze.

Ik keek haar niet-begrijpend aan. Ze zei dat haar twee oudste zussen op kamers woonden, dat ze in een andere stad naar school gingen.

Natuurlijk vroeg ik me af hoe die zusjes heetten, waar ze woonden, wat voor scholen dat waren, wanneer ze thuis kwamen, of ze een jongen hadden en of ze in dit huis nog een eigen kamer bezaten, met bedden waarin ze konden slapen, maar Ara moest je niet te lang over dingen doorvragen, daar werd ze dwars van.

Ik stelde voor om te gaan en dat vond ze goed. Toen we de trap afliepen realiseerde ik me dat ik Ara's kamer slecht in me opgenomen had en me nu al niet meer voor de geest kon halen of er iets aan de wanden had gehangen.

Beneden in de hal bevond zich een voordeur, de deur naar de woonkamer en een lage kast met laden. Ara trok haar sloffen uit, wachtte tot ik hetzelfde gedaan had en borg ze op in de lade. Ik vroeg me af hoe dat met bezoek ging, als er volwassenen op visite kwamen, of die dan ook van die sloffen over hun schoenen moesten doen. Als er een dame kwam met hakjes, dan ging dat natuurlijk helemaal niet en zulke naaldhakken waren veel erger voor die vloer dan onze platte schoenen met spekzolen.

Ara opende de deur van de woonkamer, maar trad niet over de drempel. Vanuit de deuropening konden we haar moeder zien zitten. Ze las in een tijdschrift en droeg een bril.

'Moeder, we gaan naar Kit,' zei Ara.

'Heb je wat fruit genomen, en melk?'

'Straks.'

'Leuk om kennis met je gemaakt te hebben, Kit,' zei die moeder.

'Ja,' zei ik en ik voelde me onmachtig.

Er moesten betere reacties mogelijk zijn op dit soort opmerkingen, dat wist ik zeker.

Dat ze mij niet vertrouwt zei ze toen we boven op mijn kamer zaten. We kregen priklimonade van mijn moeder en Ara had twee van de koud geworden pannekoeken gegeten, die dan nog steeds heel lekker zijn, want mijn moeder doet er rozijnen in en appelen en ze maakt ze van meel dat eerst moet rijzen, zodat er luchtgaten inzitten, ook als ze afgekoeld zijn.

Ik had Ara nog nooit iets zien eten en ze aarzelde toen mijn moeder haar het bord met de pannekoeken voorhield, maar mijn moeder zei dat ze met een gerust hart kon nemen, dat zij niets liever zag dan dat alles op ging tot de laatste kruimel, dat ze dan pas content was.

'Graag dan, mevrouw,' zei Ara en mijn moeder legde twee pannekoeken op een bord en haalde speciaal voor Ara opnieuw de zeef te voorschijn, waar dan de brokken suiker ingaan, die als fijn poeder uit de zeef komen en ze bestoof de pannekoeken tot ze mooi wit zagen.

Andere kinderen zeggen 'tante Jet' tegen mijn moeder, maar Ara zegt 'mevrouw' en dan ben ik allang blij dat ze zo beleefd is, omdat je je weleens kan schamen voor Ara als ze zo nukkig doet en als ze dan 'mevrouw' zegt tegen mijn moeder kan je toch merken dat ze goed opgevoed is en eigenlijk best weet hoe ze zich moet gedragen.

Ik hoopte dat ze mijn moeder zou laten merken dat dit verrukkelijke pannekoeken waren, want ik vond het heel aardig van haar om Ara pannekoeken te geven en de pas afgewassen zeef weer vuil te maken en ik kan er niet tegen als mijn moeder geen eer krijgt van haar werk, dat slik ik zelfs van Ara niet. Ara zei wel twee keer dat ze heerlijk smaakten, mevrouw, en ik keek stralend naar mijn moeder om haar te laten zien dat Ara heus meevalt en lang niet zo'n nurks karakter heeft als zij vermoedt.

Met mijn hoofd op mijn onderarmen geleund zat ik tegenover Ara aan de keukentafel en keek hoe ze at. Dat je zo sierlijk je kaken op en neer kunt laten gaan, had ik tot dan toe niet geweten, maar ik zag het bij Ara. Ze kauwde prachtig, met kleine, regelmatige bewegingen van de kaak en ze likte delicaat met het puntje van haar tong het witte poeder van haar lippen.

Kauwen doe je vanzelf zoals je het doet, heb ik altijd gedacht, maar volgens mij kun je alleen maar zo beschaafd kauwen als iemand je dat geleerd heeft.

Mijn kamer was klein, maar wel helemaal voor mijzelf. Ara en ik zaten samen op het bed en ik had mijn schrift onder het matras vandaan gehaald om haar de middenpagina's te tonen. Ze had ernaar gekeken en haar voorhoofd gefronst, wat ik een teleurstellend resultaat vond voor zo'n belangrijke openbaring.

Ik zei haar dat ik haar bladzijde ook helemaal moest invullen, dat het dan pas gold. Met tegenzin zei ze dat ze maar één naam had en dat ze 1 meter 61 lang was. Daarna hield ze abrupt op met praten.

'Ik wil dit niet,' zei ze. 'Ik wil niet dat die dingen over mij ergens opgeschreven staan.'

'Waarom niet?' vroeg ik verbaasd.

Eerst zei ze dat ze dat een onprettig idee vond, hoe dan ook. Ik sputterde tegen en zei dat het schrift geheim was en dat ik het nooit aan iemand anders liet zien en dat ze me alles moest vertellen, want anders kon ik haar niet helemaal invullen.

'Ik vertrouw je niet,' zei ze toen.

6

'Jij bent met iedereen goed,' had Ara gezegd en ook dat ze meer van dieren hield dan van mensen. Dieren kon je voor honderd procent vertrouwen, ze logen niet en bedrogen je nooit en waren je altijd trouw.

Eerst was ik geschrokken, daarna werd ik verdrietig en toen ze dat van die dieren zei werd ik boos.

Van dieren houden is geen kunst, vind ik, want ze kennen het kwaad niet, dus kunnen ze ook het goede niet doen. Ze hebben geen echt verstand en al zouden ze het nog zo graag willen, ze zouden niet eens kunnen liegen, want daar heb je juist verstand voor nodig en ze hechten zich alleen maar aan iemand die ze op tijd voert en te drinken geeft, niet omdat iemand een nobel karakter zou hebben of zo, dat kan zo'n beest niet eens weten. Ze houden ook van je als je ze schopt en lelijk behandelt, dat heb ik zelf gezien, want onze buurman heeft een hond en de buurman is een lompe bar- baar, dat zegt mijn moeder ook.

Ze zegt dat ik die mensen daar niet te hard over mag vallen, want vroeger waren de boeren zo, die mensen hadden wel wat anders te doen dan aan de verfijning van hun karakter te werken, want een boer was dag en nacht bezig en die kon er ook niet naar kijken of zijn kleren fris roken en netjes bleven. Nu zijn onze buren op leeftijd en ze hebben geen kinderen, alleen wat kippen en die hond. Die is echt heel zielig, want de buurman haalt hem nooit aan, die scheldt alleen maar op die hond en soms trapt hij hem ook. Maar dat kan die hond niks schelen, want die loopt even zo goed achter de buurman aan, waar hij ook gaat of staat, altijd loopt die hond naast hem en kijkt dan met een schuine kop naar zijn baas. Dat komt omdat hij van hem zijn eten krijgt, dat heeft mijn vader mij verteld. Ieder dier luistert naar degene die hem voert en verder naar niemand.

Dieren zijn hartstikke stom. Je kunt net zo goed een baksteen nemen en dan denken dat het een hond is, dat komt praktisch op hetzelfde neer.

Dat zei ik allemaal tegen Ara en ook dat ik het onnozel vond om meer van dieren dan van mensen te houden. Mensen zijn het hoogste goed op aarde, zei ik.

Ik was beledigd. Ik begreep niet dat Ara zoiets wreeds tegen mij kon zeggen, dat ze mij niet vertrouwde, alleen omdat andere kinderen met mij wilden spelen en ik het goed met iedereen kon vinden. Misschien meende ze het niet helemaal zo, bedacht ik, en kwam het vooral door mijn verjaardag, die ik een week voordat ze het zei gevierd had.

Iedereen wil wel naar mijn verjaardag komen en weken daarvoor krijg ik al briefjes van de meisjes met wie ik op dat moment niet veel optrek. In die briefjes vragen ze me of ik 's middags bij hen thuis kom spelen, om te slijmen natuurlijk, en van Diny heb ik nota bene een tekening gehad, met van die schijnheilige hartjes erop, maar dat is dan ook de grootste slijmjurk van allemaal en die nodig ik nooit uit op mijn verjaardagsfeest, nooit. Ieder jaar mag ik acht meisjes uitnodigen en er vallen er altijd een paar buiten over wie ik me geen zorgen hoef te maken, over Diny en Josien en zo, omdat ik daar toch niks mee op heb. Voor de rest geldt dat je iemand verschrikkelijk kunt straffen door haar niet uit te nodigen.

Uitgestoten worden is het ergste wat er is, echt waar.

Ik snap niet dat God van uitstoten geen hoofdzonde gemaakt heeft, dat is onbegrijpelijk.

Ik heb er Katrien een keer heel erg mee aan het huilen gemaakt en zij is nu typisch iemand die niet gauw huilt. Ik heb haar een keer niet uitgenodigd op mijn verjaardag, toen ik in de derde zat, puur om haar te straffen voor iets, ik weet niet eens meer waarvoor. Op de ochtend van mijn verjaardag werd er in de klas voor mij gezongen, vlak voor het speelkwartier, en toen is dat gebeurd, toen is Katrien zo heel erg gaan huilen. Daardoor voelde ik me wel schuldig en ik was ook kwaad, omdat ze mijn verjaardag een beetje bedierf met dat gesnotter. Ik heb haar toen toch nog uitgenodigd en eigenlijk kun je aan iemand zijn opluchting veel beter zien hoeveel pijn het heeft gedaan om uitgestoten te zijn, dan aan die tranen, want ze was zo dankbaar, dat ze steeds maar om me heen bleef draaien, waar ik het ook weer van op de zenuwen kreeg. Ik voelde me nu wel goed en grootmoedig, maar maakte me er verder de hele ochtend zorgen over of het voor mijn moeder niet te veel zou zijn, dat er nog een meisje bijkwam.

Onder zonden valt toch niet uit te komen, daar boet je altijd voor.

Ara was natuurlijk de eerste die ik uitgenodigd had voor mijn elfde verjaardag, maar ze had niet willen komen.

'Ik vier het wel met jou alleen,' had ze gezegd en dat ze niet zo veel zin had in de meisjes van de vijfde. Dat kon ik wel begrijpen. Het was misschien ook handiger, want als Ara en ik bij elkaar zijn, krijgen de anderen te weinig aandacht en op je eigen feestje, moet je aan iedereen aandacht kunnen geven, dat hoort zo.

Nadat ze had gezegd dat ze me niet vertrouwde bedacht ik dat het Ara ergerde om te merken hoe graag de meisjes op mijn feest wilden komen en wat ze er aan huichelarij voor over hadden om dat voor elkaar te krijgen.

Maar als dat zo was, dan vond ik dat wel behoorlijk onnozel van haar, want daar kon ik toch niks aan doen, dat alle kinderen met mij wilden gaan, dat had ik nou eenmaal aan me, dat was altijd al zo geweest. Het ging er in dit leven niet om wie míj aardig vonden, maar wie ík aardig vond, daar was ik van overtuigd. En ik had met iedereen hetzelfde, ik vond ze leuk, maar verder ook niks. Het kon mij niet veel schelen wat anderen van mij dachten, want volgens mij dachten ze nooit iets bijzonders. Ze leken eigenlijk het meest op de leerboeken die we hadden op school. Daarvan had ik ook altijd het vreemde idee dat ik ze al eens eerder had gelezen en ze zowat uit mijn hoofd kende, alsof ik ze zelf had kunnen schrijven en iemand mij alleen maar net voor was geweest.

Ik zei tegen haar dat het helemaal niet slecht was om aardig te zijn voor anderen, en er was een hemelsbreed verschil tussen gewoon aardig zijn en een vriendschap hebben met iemand, zei ik. Ik zei dat alleen zij mijn vriendin was, dat ik van niemand anders de vriendin was en ook nog nooit was geweest.

'Die anderen interesseren me niet,' zei ik.

Ze was lastig te overtuigen. Ze zei dat ze niet begreep waarom ik net haar had uitgezocht, terwijl die anderen minstens zo leuk of nog leuker waren. En ook slimmer en knapper.

Ik zei dat ik nog nooit zo'n leuk iemand had ontmoet als zij en dat ik vond dat ze het knapste meisje was dat ik in mijn hele leven had gezien en dat ze op een heel bijzondere manier ook het slimste meisje was dat ik kende.

'Echt waar,' zei ik.

Ze glimlachte.

Het leek mij een goed moment om het toch maar aan haar voor te stellen, ook al was ik bang dat ze het veel te kinderachtig zou vinden en had ik er daarom al die tijd niet meer aan gedacht. Maar Ara vroeg om harde bewijzen en ik kon geen harder bewijs bedenken dan bloed.

Ik stelde het aan haar voor.

Ze vond het goed.

Van puur geluk kon ik die avond de slaap niet vatten. Zo geruisloos mogelijk stapte ik uit mijn bed, zocht in het donker mijn weg naar het tafeltje en knipte de lamp aan, na eerst mijn onderhemd over de kap gehangen te hebben. Ik haalde mijn schrift onder mijn matras te voorschijn, nam de naald die wij die middag gebruikt hadden en een kroontjespen waarmee ik soms tekeningen maakte. Ik was het al een beetje gewend. De top van de wijsvinger aan mijn rechterhand deed nog zeer en ik begon met de duim van mijn linker. Om alles op te schrijven wat ik op wilde schrijven had ik het bloed nodig van al de vingers van mijn linkerhand, maar toen stond er op de onderste regel van de middenpagina's van mijn schrift dan ook voluit geschreven: Heden, op 14 november 1967, sloten B.C. en C.B. bloedbroederschap.

Terug in bed bedacht ik nog een hele hoop zinnen die ik er graag aan had toegevoegd, als ik meer bloed had gehad en

meer regels. Met dwarrelende woorden als: nimmer scheiden, voor eeuwig en altijd, trouw tot in den dood, verbintenis,
verbond en vriendschap voor het leven, viel ik in slaap.

De volgende dag ging ik extra vroeg naar school en dat waarop ik hoopte was het geval, ook Ara was eerder van huis vertrokken. Ze stond tegen het muurtje geleund. We waren allebei wat verlegen en zeiden er niks over. Ik legde mijn hoofd
tegen haar heup en bleef zo tegen haar aanhangen. Zij sloeg
een arm om me heen, wiegde me licht heen en weer en wreef
toen met de wijsvinger van haar rechterhand over de rug van
mijn neus.

Het was jammer dat ik ervan schrok en in een reflex mijn
hoofd terugtrok, maar ik ben het ook niet gewend dat
iemand aan mijn gezicht zit.

Zij bleef volkomen kalm, zo is zij.

Ik denk dat zij dat gewend is omdat haar moeder haar
streelt en ook omdat zij goed met dieren om kan gaan. Die
kunnen ook mal en schichtig zijn en dat had ze weleens van
mij gezegd, dat ik soms net een schichtig dier was en ook een
beetje mal met aanraken.

Zij wachtte rustig af tot mijn hoofd weer normaal was en
zonder te schokken in haar lendenen rustte en toen probeerde ze het gewoon opnieuw. Dit keer was ik voorbereid en ik
liet toe dat ze mijn neusrug streelde en ik ging het steeds
prettiger vinden. Bij het eerste schelle geluid van de bel stak
ik mijn rechterwijsvinger in de lucht. Zij drukte de top van de
hare tegen de top van de mijne en toen ik mijn hoofd draaide
en naar haar opkeek, zag ik dat zij minstens zo gelukkig was
als ik.

Niemand begreep waar het mee te maken had, het was

onze eerste geheimtaal, maar al die jaren hebben Ara en ik elkaar niet anders begroet dan door de toppen van onze wijsvingers eerst tegen elkaar aan te drukken, om ze daarna ineen te haken. Alleen wij wisten wat dat te betekenen had.

De juffrouw heeft een van mijn geheimen ontdekt toen ik bij haar op gesprek mocht. Het was op een vrijdag en aan de ene kant was het maar goed dat je, als je op gesprek moest, de dag van tevoren een briefje meekreeg voor je ouders, want wij krijgen iedere vrijdag eigengemaakte friet en omdat de jongens en ik dat zo lekker vinden, zorgt mijn moeder dat de friet al om vijf uur klaar is, tenminste, dan komt de eerste kom op tafel. We kunnen wel vier van die kommen op en als er andere kinderen meeëten, moet mijn moeder er nog meer maken.

Het record ligt op twaalf kommen, maar dat komt omdat onze Willem een keer op een vrijdag jarig was en mijn moeder voor al die kinderen friet bakte. Dat was heel gezellig, maar ik was ook een beetje nijdig, omdat ik die jongen van Nissen een etter vind en het eigenlijk niet kon uitstaan dat hij onze friet mocht eten. Hij nam er ook nog heel veel van, daar lette ik op. Ik had al die frieten wel een voor een uit zijn mond willen kijken, maar die egoïst had natuurlijk niks in de gaten, want die loopt permanent met een plank voor zijn kop, daarom heb ik ook zo'n hekel aan die puber.

Puber is bij ons een heel erg scheldwoord.

Wij haten pubers.

Het briefje was getypt en gestencild en de juffrouw had maar twee zinnen met pen ingevuld: de namen van mijn ouders en een datum voor een ouderavond. Geachte Mhr. en Mevr.

Buts stond er, dat ik op vrijdag pas om vijf uur uit school kwam, omdat de juffrouw met uw kind een persoonlijk gesprek voerde en dat zij in aansluiting daarop graag met de ouders van gedachten zou wisselen over de toekomst van uw kind op die en die dag.

Dat 'uw kind' raakte mij, in mijn hart.

Ik hoopte dat het mijn ouders ook zou ontroeren.

Ik kon mijn moeder die donderdagmiddag dus waarschuwen, dat ze de volgende dag friet voor mij moest bewaren en zij beloofde mij dat ze in de gaten zou houden dat de jongens niet alles opaten. Aan de andere kant was het nadeel van de aankondiging dat ik 's nachts moeilijk in slaap kon komen en op die vrijdagochtend veel te vroeg wakker werd. Met schoolreisjes, verjaardagen, Sinterklaas, Kerstmis, Pasen, kermis, carnaval, de Eerste Heilige Communie en afzwemmen had ik het ook, daar kon ik ook niet van slapen.

De juffrouw begon heel aardig, over de hoeveelheid boeken die ik las en zo en dat ik goed met taal was, dat het daar niet aan schortte. Ze vond me ook leuk met de andere kinderen, bereidwillig, behulpzaam, hartelijk, behalve met Josien, die pestte ik te vaak en pesten misstond een aardig kind. Natuurlijk was ik veel te speels en veel te druk in de klas, daar hadden we het al vaker over gehad en zo'n gesprek was niet bedoeld om mij dat nog een keer onder de neus te wrijven, maar om te ontdekken hoe dat kwam, om eens van mijn kant te horen waarom ik zo onrustig was. Verveelde ik me? Hield ik meer van spelen dan van leren?

Ze wilde me eens iets vragen, iets over mijn sommen, waarom die toch de ene keer helemaal goed waren en de andere keer helemaal fout, dat begreep ze niet. Snapte ik ze niet? Vond ik ze te moeilijk? Legde ik me er de ene keer niet ijverig op toe en de andere keer wel? Zodra we een echt proefwerk deden, voor een punt, maakte ik weinig fouten, maar bij een gewone schriftoefening kon het voorkomen dat ik werkelijk alle uitkomsten fout had. Hoe was dat mogelijk? En hoe zat het met die vraagstukjes?

Vraagstukjes waren eigenlijk de moeilijkste sommen, maar die had ik bijna altijd goed. Nu moest ik haar maar eens uitleggen hoe dat kwam, want als zij begreep waar het aan lag, dan konden we er samen iets aan doen en, daar moest ze heel eerlijk in zijn, dat was wel nodig. Zoals het er nu met mij voorstond zou zij niet weten welke vervolgschool voor mij het meest geschikt was. Ze meende dat ik de capaciteiten had voor een MMS of een gymnasium, maar het hebben van capaciteiten alleen was ontoereikend. Het ging vooral om de juiste houding. Een kind moest ook de goede instelling hebben en er iets voor over willen hebben om te leren en aan die instelling ontbrak het mij.

Ze had ons rekenboek bij zich, gaf mij een pen en een blad papier en hield me een lange optelling voor. Ze zei dat ik de som moest maken en daarbij hardop moest vertellen hoe ik dat deed als het voor een gewone schriftoefening was. Ze wekte de indruk alsof ze alles goed zou vinden, wat ik ook zei, en ik verkeerde in tweestrijd, want ik snapte wel dat dit haar tactiek was en dat ze teleurgesteld zou zijn als ik nu oneerlijk was en mijn geheim voor mijzelf hield en daarmee zou laten merken dat haar tactiek mislukte, dat ik ongevoelig was voor hoe aardig en begrijpend ze deed, maar als ik haar vertelde hoe ik die sommen maakte, dan stelde ik haar ook teleur, want ik deed er niet mijn best op en dat moest toch ook een soort belediging zijn voor haar, want dan zei je min of meer dat zij niet de moeite waard was om je voor in te spannen.

Mompelend van schaamte verklapte ik haar hoe ik het deed. Ik zei er steeds opnieuw bij dat ik het alleen deed als het niet voor serieus was, dat ik wel mijn best deed en de sommen op papier uitrekende als het echt voor serieus was, met proefwerken en zo, dat ik dacht dat het voor schrijftoefeningen geen kwaad kon als je die sommen niet op papier maakte, maar ze uit je hoofd een beetje uitrekende, een soort schatten, door alleen de honderdtallen bij elkaar op te tellen en te kijken of de tientallen hoog of laag waren en er dan bij de honderden nog een paar meer of minder bovenop te gooien.

De juffrouw kijkt niet boos, eerder verbaasd en zelfs een beetje vrolijk, meen ik, wat me erg oplucht, want voor onze juffrouw zou je ook alles doen om die wat vrolijker te maken en te laten lachen, want dan is ze het allerleukst en ze krijgt daar natte ogen van, wat haar gezicht helemaal verandert. Volgens mij heeft ze ook veel te weinig lol in het leven, want die school is haar alles en daarbuiten heeft ze niemand om van te houden. Het stomme van mij is dat ik altijd te lang doorga met gekkigheid en dan slaat zij ineens om en wordt weer ernstig en bestraffend. Je weet nooit precies met haar hoeveel ze kan hebben.

Ik vertel haar dat het met vraagstukjes iets anders is, want aan sommen valt eigenlijk niks uit te denken en dat vind ik er zo saai aan, want ik heb het liefst iets moeilijks om uit te denken, dat vind ik het allerfijnst, en daarom zijn vraagstukjes wel leuk, want ze zijn meer taal dan sommen en die kan je niet uit je hoofd doen, want je moet ze echt lezen en dan zit de som niet in stomme cijfers, maar die woorden zijn de som en dan betekent die som ook iets, hoe snel iemand van hier naar daar kan komen bijvoorbeeld, dat vind ik hartstikke leuk om te doen, dat stelt echt iets voor, vind ik.

Woorden vind ik prettig, zeg ik, maar dat ik niet van pure cijfers houd, want zonder woorden betekenen ze niks en dat ik het al op mijn zenuwen krijg als ik ze zie. Met geschiedenis heb ik ook zoiets, zeg ik er maar direct achteraan. Van die prachtige verhalen blijven in het proefwerk alleen maar cijfers over, die niks te betekenen hebben en ervoor zorgen dat je het verhaal dat erbij hoort, nog vergeet ook, dat de hele slag bij Nieuwpoort volkomen ten onder gaat in een nietszeggend getalletje als 1600 omdat je je zo zenuwachtig maakt om te onthouden dat 1600 en Nieuwpoort bij elkaar horen, dat je vergeet wat er nu precies loos was in Nieuwpoort.

'Kit, Kit,' zuchtte het hoofd, 'wat moet ik nou met je?'

Dat leek me heel simpel, je moest mij gewoon nog meer straf geven, dan leerde ik uiteindelijk vanzelf wel om beter mijn best te doen.

Ze vroeg me toen of ik al wist wat ik wilde worden, maar ik wist dat eigenlijk niet, ik had daar zelf geen gedachten over. Ik kon mij geen beroep voorstellen voor iemand als ik, die er alleen maar zin in had om te spelen, te lezen, te schrijven of om zomaar iets uit te denken. Volgens mijn moeder zat er een goede verpleegster in mij, want ik zorgde voor haar als ze ziek was en ik wist ook veel over ziekten. Dat zocht ik allemaal op in de *Medische Encyclopedie* en dan werd mijn moeder helemaal gerust als ik zei dat ze beslist geen kanker had, want als je kanker had, dan had je niet zo'n pijn zoals zij nu, dat deze buikpijn eerder wees op overactieve darmen, daar ging je niet dood aan, daar hoefde ze zich geen zorgen over te maken. Of als ze het in haar hoofd had en dacht dat er een tumor zat, dan vroeg ik of ze weleens af en toe, midden op een dag, als ze nergens op bedacht was, of ze dan weleens een fiks aantal minuten stekeblind was, want ik wist toch zeker dat ze dat nooit was, en dan zei ze nee en dan zei ik dat ze absoluut definitief zeker geen tumor had, want dat je dan op de raarste momenten helemaal niks meer kon zien, dat was algemeen bekend, dat een hersentumor je op de ogen sloeg.

'Misschien verpleegster,' zeg ik tegen de juffrouw om toch maar iets te zeggen, want als ik eraan denk dat ik later mijn leven als verpleegster moet slijten, dan weet ik toch wel pertinent zeker dat ik daar helemaal geen zin in heb, want voor je moeder zorgen is nog iets heel anders dan voor vreemden zorgen, en ik houd niet heus van zieke mensen. Wat er met mijn moeder is, heeft ook niks met dat soort ziek zijn te maken waarvoor je in bed moet gaan liggen, dat voel ik op mijn klompen aan. Dat van mijn moeder gaat om iets anders.

'Of kleuterjuffrouw,' voeg ik er nog aan toe, omdat het hoofd niks zegt, 'want ik kan goed met mijn kleine broertje spelen en hem iets leren.'

Dat is wel waar, maar ik speel eerder zoveel met Chrisje om mijn moeder te ontlasten, dan omdat ik daar zelf zo veel plezier aan beleef. Het enige dat onbetaalbaar is aan het spelen met Chrisje, dat is dat hij zich zo stevig aan mij kan vastklampen, met zijn armpjes om mijn nek geslingerd, en dat ik dat zo zalig vind en dan zo onbeschrijflijk veel van hem houd en hem wel eeuwig vast wil houden, zodat hem nooit iets naars zal overkomen in zijn hele godganselijke leven niet. Dat is het fijnste van Chrisje. Voor de rest kun je met kleine kinderen wel wat stoeien, maar je kunt bijvoorbeeld geen wedstrijd doen of zo, want dat is geen partij, zo'n klein kind.

Echt spelen gaat het beste met mijn oudere broers, die doen spannende dingen waarbij je je moet uitsloven en bewijzen en waarvan je gaat zweten.

Als je moet zweten weet je zeker dat het iets voorstelt, zo'n spel, dat het niet voor de flauwekul is.

De juffrouw zegt me dat ik, wat ik ook wil worden, of het nu verpleegster is of kleuterjuffrouw, dat ik daarvoor toch naar school moet en dat ik het op een vervolgschool alleen zal redden als ik ook bereid ben dingen te leren waarin ik misschien niet zo'n zin heb, of waarvan ik denk dat het niet nodig is om die te leren.

Ik knik.

Bij mezelf denk ik dat je in ieder geval geen hoge punten hoeft te halen met iets waar je niet werkelijk van houdt, dat niemand dat van je mag verwachten. Hoe kun je nou trots zijn op een negen voor rekenen, als rekenen je hart niet heeft? Dan houd je de wereld toch straal voor de gek met zo'n hoog punt en dan is het toch veel eerlijker om een zes min te hebben, omdat iedereen daaraan kan aflezen dat je rekenen haat en dat je er daarom niks speciaals voor over hebt?

Ik wist niet wat het was, maar ik had het wel vaker en ik had het nu weer, een raar gevoel in mijn maag en dat kreeg ik van dit soort opmerkingen. Het was alsof de juffrouw en mijn moeder en bijna alle andere grote mensen alles andersom bedachten dan ik. Het leek op het gevoel dat ik had wanneer Ara mij over haar woorden vertelde, dan draaide het in mijn hoofd ook de andere kant op en daar werd ik dan een beetje duizelig van.

De juffrouw legde haar spullen recht voor zich op tafel en ik begreep dat het gesprek erop zat. Ik was in een klap van mijn zenuwen af en werd alleen nog verlegen bij de gedachte dat we dadelijk samen naar buiten moesten lopen en wat ik dan op die laatste meters tegen haar moest zeggen, als ik zo alleen met haar door de hal liep en de speelplaats overstak. Maar ik verkeek me aardig op haar plannen, want de juffrouw had een belangrijke opmerking tot het laatst bewaard. Die begon zich al op haar gezicht af te tekenen, ik zag het opeens. Nog voordat ze haar mond opende wist ik waarover het zou gaan en ik begon bij voorbaat te blozen. Ze merkte het aan me en werd er zelf verlegen van. Ik denk dat ze daarom haar opmerking bijstelde en niet precies zei wat ze zich had voorgenomen te zeggen.

Ik mocht gerust met meisjes uit de zesde spelen, zei ze, het kwam wel vaker voor als de vijfde en de zesde samen in een lokaal zaten, dat sommige jongere meisjes dan wat meer optrokken met die oudsten, maar je echte vriendinnen konden toch beter meisjes zijn van je eigen leeftijd. In ieder geval moest ik die niet links laten liggen.

En Ara was natuurlijk al echt een ouder meisje, omdat ze een paar keer was blijven zitten. Ze kon het me niet verbieden om met Ara om te gaan, zei ze, maar ik moest in het speelkwartier ook gewoon spelen, niet steeds tegen Ara aanhangen, dat was toch geen gezicht, dat hoorde ook niet echt, dat zouden mijn ouders ook vinden en als ik even nadacht kon ik het zelf ook wel begrijpen.

De juffrouw had er moeite mee om dit alles te zeggen, dat zag ik, en het sterkte me. Het rood uit mijn gezicht trok vanzelf weg en in plaats van gebogen voorover te zitten, rechtte ik mijn rug en keek haar aan.

Ik keek naar haar alsof ik werkelijk niet wist waar ze zich zo druk om maakte en zo bleef ik ook kijken.

Ara en ik, daar moest niemand zich mee bemoeien.

'Is er nog friet?' riep ik buiten adem, want ik had de hele weg gehold, om niet te hoeven lijnen.

'Friet zat,' zei mijn moeder, die in de bijkeuken achter een zwart geblakerde ketel met vet stond. Ze zag er moe en bezweet uit en daarom remde ik af en holde ik niet direct door naar de keuken, dat stond zo ondankbaar. Ik wachtte tot ze de kom gevuld had met de frieten, er zout op strooide en husselend met de kom in de richting van de keuken liep. Ik liep achter haar aan en kwetterde hoe fantastisch ze was, dat ze altijd zo veel friet voor ons maakte en dat geen enkele andere moeder dat deed, iedere vrijdag friet maken voor haar kinderen.

Makkie zat op mijn plaats aan de keukentafel.

Het kon de jongens niks schelen waar ze zaten, die wisselden steeds, maar iedereen wist dat ik een vaste plaats had, aan de lange kant, op de hoek.

'Je zit op mijn plaats, Peter,' zei ik, want ik wilde het zekere voor het onzekere nemen en hem niet Makkie noemen, omdat mijn moeder dat soms wel en soms niet leuk vond.

'Ga jij nou hier zitten,' zei mijn moeder met een zucht, 'en laat Makkie nou gewoon eventjes dooreten.'

Aan de kop van de tafel was gedekt. Ik nam mokkend plaats, en wierp wat woedende blikken naar Makkie, maar die stoorde zich nergens aan en haalde alleen zijn ogen van het bord om gretig de kom versgebakken friet te verwelkomen, die de voorafgaande kom moest vervangen.

'Ik eerst,' zei ik, 'ik heb nog niks gehad.'

In de kom die mijn moeder weghaalde lagen nog een paar frieten. Ze strooide ze uit op mijn bord, zei dat ik die alvast kon eten, dat die tenminste afgekoeld waren en ze liep met de lege kom in de richting van de bijkeuken. In het voorbijgaan vroeg ze: 'Wat zei de juffrouw?'

Ik keek haar na om aan haar rug te kunnen zien of ze echt een antwoord wilde horen of niet.

De friet smaakte me minder goed dan anders omdat ik niet op mijn eigen plek zat, en ik zei tegen Makkie dat hij ook een beetje rekening moest houden met anderen en niet steeds de grootste portie moest nemen, dat Chrisje veel minder had dan hij en dat die er nog van moest groeien. Zonder me aan te kijken greep hij met een hand in zijn bord, graaide wat frieten bij elkaar en gooide ze op het bord van Chrisje.

'Eet maar lekker op,' zei ik tegen Chrisje.

'Ik hoef niet meer,' zei die.

Bij de tweede kom vroeg mijn moeder het nog een keer.

'Gewoon,' zei ik, 'dat ik te druk ben en dat ik mijn sommen beter moet maken.'

'Zie je wel,' zei ze.

'Ze zei dat ik misschien wel naar de MMS kan, als ik betere sommen maak.'

'Ach,' zei mijn moeder, 'een meisje hoeft toch niet zo hoog.'

Dat vond ik ook.

Ik keek haar dankbaar aan. In mijn enthousiasme vertelde ik dat er iets nieuws was, voor bij de friet. Van dat soort informatie hield mijn moeder, want dan kon ze ons een plezier doen en daar werd ze opgewekt van. Het heette fricandel, zei ik, en het scheen erg lekker te zijn, ook voor de jongens. Het leek me beter te verzwijgen dat Ara me over de fricandellen verteld had en ik hoopte maar dat het geen eigen woord van haar was en dat je het inderdaad zo moest uitspreken, fricandel.

'Hoe heet dat?' vroeg mijn moeder.

'Fricandel,' zei ik.

Als wij dat lekker vonden, dan zou ze eens kijken of het te krijgen was, in de stad. Intussen was ze mijn knakworsten aan het verwarmen. De jongens aten croquetten bij de friet, maar ik vond knakworsten lekkerder en daarom zette mijn moeder speciaal voor mij een pan op het vuur, met vier lange knakworsten erin, die ik allemaal mocht opeten als ik genoeg honger had, maar waarvan ik er meestal maar eentje at. Die andere gingen toch wel op.

'Vind je knakworst dan niet meer lekker?' vroeg ze, toen ze met een rood aangelopen hoofd van het zwoegen er een op mijn bord legde.

's Nachts moest ik overgeven. Ik had er drie gegeten.

7

We mochten alleen bij hoge uitzondering lange broeken dragen op school, wat ik heel jammer vond en ook onnozel. De uitzondering werd gemaakt als het meer dan tien graden vroor, maar dan kwam ook dat onnozele goed naar voren, want dan moest je over je lange broek toch nog een rok dragen en dat zag er verschrikkelijk debiel uit.

Debiel heb ik van onze Willem, die leert dat natuurlijk op het gymnasium, want daar leren ze moeilijke woorden in alle talen. Als hij nu wil schelden op onze Makkie, dan zegt hij *debiel, imbeciel, frustraat, egoïst* en *hypocriet*. Ik weet niet precies wat die woorden betekenen, maar ik weet zeker dat je het maar beter niet kunt zijn. Die nieuwe woorden hebben *puber* niet van de eerste plaats kunnen verdringen, puber blijft bij ons het ergste scheldwoord, daar kun je de jongens behoorlijk mee op de kast jagen. Tegen mij zeggen ze nooit puber of die andere woorden. Ze schelden eigenlijk alleen op mij omdat ze vinden dat ik lange tenen heb en te veel en te snel huil.

Dat is ook zo.

Soms heb ik zin om een hele dag te huilen en dan weet ik niet eens waarom, want ik ben toch ontzettend gelukkig.

Mijn moeder zegt dat mijn gezicht ernaar gaat staan.

Ara droeg andere kleren dan wij, heel mooie, die niet in de mode waren en ze zag er toch nooit debiel uit. Ze droeg rokken en jurken die soms wel tot over haar knieën kwamen en die gemaakt waren van kleurige lappen, eigenhandig, door haar moeder, had ze mij verteld.

Volgens mijn moeder gebruikte mevrouw Callenbach dure stoffen voor die rokken, waarvan zij de namen kon noemen, maar die onthield ik niet. Een van haar truien noemde Ara zelf haar kasjmisère trui, een knalrode, die heel opvallend was en haar prachtig stond en die gemaakt was van superzachte wol, waar ik niet vanaf kon blijven. Speciaal voor mij liet ze dan in het speelkwartier haar jas openhangen, zodat ik met mijn wangen langs de stof van haar trui kon wrijven, wat ik heel lekker vond en Ara ook. Daardoor werd haar kasjmisère trui iets van ons samen. Of het nu warm of koud was, zonder jas ging Ara de straat niet op, maar ik kon 's ochtends al aan haar ogen zien of zij onder haar jas die trui droeg. Ara kon je veel vertellen met haar gezicht, ze had allerlei uitdrukkingen en blikken bij de hand, en bij deze trui hoorde de ondeugende blik. Dan hield ze haar hoofd een beetje schuin, draaide haar ogen naar boven en lachte met gesloten mond twee kuiltjes in haar wangen. Als ze extra grappig wilde doen dan bleef ze mij zo aankijken, knoopte langzaam haar jas los en sloeg met een ferme beweging de twee panden open om mij te laten zien wat ze daaronder aanhad. Toen ze dat voor het eerst deed, kon ik niet meer ophouden met lachen en schoot zelfs tijdens de les een paar keer opnieuw hikkend in de lach, waardoor ik die ochtend weer straf kreeg, want toen de juffrouw vroeg wat er zo leuk was en of zij en de rest van de klas mee mochten genieten, gaf ik natuurlijk geen antwoord.

Ze moesten wel altijd iets anders dan andere mensen, meende mijn moeder, want ze had mevrouw Callenbach ontmoet bij de Végé en die had toen een rare hoed op gehad, terwijl het een gewone, doordeweekse dag was geweest. Mevrouw Callenbach had zich aan mijn moeder voorgesteld als Marlies Callenbach, de moeder van Ara, en ze had mijn moeder uitgenodigd om eens een kopje thee te komen drinken.

'Ze gaf me zelfs een hand,' zei mijn moeder met een smalend lachje. Dat vond ik onsportief van haar, want het was toch goed bedoeld.

'Ja,' zei ik, 'dat doen ze daar. Dat hoort zo als je kennis met elkaar maakt.'

Mijn moeder zegt dat ze het maar een sjieke madam vindt, maar dat komt ook omdat de moeder van Ara ABN spreekt.

Mijn moeder houdt niet van opvallende kleren, maar ik kan het goed hebben van de familie van Ara, omdat die ook echt bijzonder is en dan kleed je je daar vanzelf naar.

Ara zal daarom ook wel zo trots zijn, van huis uit, denk ik, want ik kan me anders niet voorstellen waarom je trots zou zijn op jezelf. Je kunt wel trots zijn op iets wat je gelukt is, omdat je er moeite voor hebt gedaan, op een tekening of zo, en je mag ook trots zijn als je een zonde wilt doen en ze dan toch niet doet, omdat je eerst hebt nagedacht.

Bij mij duurt trots nooit lang, daarom vind ik het wel speciaal als iemand van zichzelf trots is.

Nadat ik Ara's vader had leren kennen, begreep ik iets beter waar trots vandaan kan komen.

Het eerste bezoek aan Ara's huis had mijn grootste schroom weggenomen en ik zocht Ara regelmatig onaangekondigd op. Over de onvoorspelbaarheid van hoe Ara's moeder mij zou begroeten, nu eens weinig hartelijk en dan weer met een uitgebreide, overdreven interesse in mijn doen en laten, zette ik mij gemakkelijk heen door te bedenken dat ik niet met Ara's moeder getrouwd was en mij door geen enkel obstakel zou laten weerhouden als het erom ging in de nabijheid van Ara te kunnen zijn.

De juffrouw had ons niet uit elkaar kunnen halen, mijn moeder niet en dat zou Ara's moeder ook niet lukken.

De man die ik zag toen ik, een week na mijn eerste bezoek aan Ara's huis, via de achterdeur binnenkwam, was wel degelijk herkenbaar als haar vader. Het was een grote man, met grijs krullend haar, waar nog wat van het vroegere zwart doorheen schemerde. Hij was heel knap en hij zag er niet uit als iemand die op een kantoor werkte, want hij oogde sterk en hij droeg een slobberige broek en een trui, en dat zijn toch niet de kleren die je je voorstelt bij iemand die op een kantoor werkt. Ara had me verteld dat haar vader ingenieur was en vaak overwerkte. Beide gegevens had ik heel interessant gevonden, want een ingenieur leek me iets hoogs en overwerken hoorde bij de magie van een beroep, waarvan ik niet wist wat voor soort werk je daarvoor moest doen.

Ara's vader gaf me een hand en zei dat ik dan wel Kit Buts moest zijn, die zo goed was in taal, en ik zei ja, want ik ben die Kit Buts en ik zei het valt wel mee, want complimenten moet je niet te gretig slikken, dan denken de mensen dat je het hoog in je bol hebt. Het maakte me blij en opgewekt dat er in mijn afwezigheid bij Ara thuis over mij gesproken was en ze iets gunstigs over mij dachten, dat ik goed in taal was en zo.

Ara's vader vergrootte mijn vreugde nog toen hij me opnieuw bekeek en zei: 'Zo, zo, Kit, jij bent dus de vriendin van mijn prachtige, jongste dochter?'

Er schoten toen twee dingen door mij heen: dat onze vriendschap openlijk erkend werd en dat Ara's vader trots was op zijn eigen dochter en hardop zei, waar zij bij stond, dat hij haar prachtig vond. Zoiets zou mijn vader van zijn levensdagen niet in zijn hoofd halen, om van zijn eigen kind te zeggen dat hij het een prachtig kind vond.

Zoiets deden we bij ons niet. Wij moesten juist altijd een voorbeeld nemen aan anderen, want die waren meestal beter dan wij, in het een of het ander. Wij waren bescheiden en ik wist niet beter dan dat het goed was om bescheiden te zijn.

Tegenover de moeder van Ara voel ik me weleens grauw als ik in mijn grijze plooirok aan kom zetten, want zij kan je zo van top tot teen bekijken, maar Ara laat zich nooit wat ontvallen over mijn kleren, daar is ze juist heel lief over. Ze kan echt hartelijk naar me kijken en dan zeggen: 'Kit, wat staat dat blauwe bloesje je toch mooi.'

Dan wil ik zo'n bloes wel een hele week dragen, maar dat gaat bij ons thuis niet, want mijn moeder houdt ervan als onze kleren brandschoon zijn en fris ruiken. Ze heeft heel veel was, maar daar beklaagt ze zich nooit over. Ik denk dat ze het leuk vindt om de was te doen en het schone goed buiten in de wind te zien wapperen.

Ara maakt ook altijd een aardige opmerking als ik een nieuwe rok of een nieuwe trui draag. Lang niet alle kinderen zijn zo, want de meeste proberen je dan juist te pesten door net te doen alsof ze niet gezien hebben dat je iets gloednieuws aanhebt en dat straal te negeren. Meisjes onder elkaar zijn daar keihard in, dat zegt mijn moeder ook. Mijn moeder zegt dat je beter tien jongens kunt hebben dan één meisje en dat kan ik me heel goed voorstellen, want zelf vind ik meisjes ook stukken minder leuk dan jongens.

Voordat onze Chrisje geboren werd heb ik wekenlang in de kerk gebeden dat het een jongetje zou worden en mijn knieën extra hard tegen het hout aangedrukt, zodat het zeer deed en God zou weten dat ik het ernstig meende, want met nog een meisje erbij zou het mijn moeder helemaal boven het hoofd groeien, omdat meisjes zo moeilijk zijn. Tegen de tijd dat het kindje moest komen, werden wij naar onze grootouders toe gebracht. Mijn moeder moest naar het ziekenhuis. Ik had verschrikkelijke spijt en dacht dat ik helemaal fout gebeden had, dat ik slecht was geweest en alleen maar aan mezelf had gedacht.

Daar moest ik iets tegenover stellen en om de vorige gebeden ongedaan te maken, kon ik bij God niet aan komen zetten met een beetje halfzacht de knieën tegen het hout aandrukken. We hadden een heel vrome tante, die was non geworden in een klooster. Op Goede Vrijdag stopte die tante in iedere schoen een gedroogde erwt en dan liep ze de hele dag, bij elke stap die ze deed, te lijden.

Als tegenaanbod leek mij dat zwaar genoeg wegen. Ik vroeg twee gedroogde erwten aan mijn grootmoeder en stopte er een in iedere schoen. Na tien passen besloot ik dat God deze pijn nooit zou verlangen van een elfjarig meisje. In beide schoenen een erwt was ondoenlijk, daar kon ik geen pas mee verzetten. Eén erwt moest volstaan. Zo zondig was het nou ook weer niet geweest. Ik had het eigenlijk goed voorgehad, met mijn moeder, en had haar juist iemand als ik willen besparen.

Strompelend liep ik die dag naar school. Iedere stap met

mijn linkervoet deed zeer en daarom probeerde ik het lijnen achterwege te laten, maar dat mislukte. Als je daar eenmaal mee begint, dan kun je er nooit meer mee ophouden. De gebeden zouden ook weleens ongeldig kunnen worden, dacht ik, als ik ging sjoemelen met andere plichten en het mij op een slinkse manier gemakkelijker maakte. Ik hoefde maar een keer vier tegels terug en bad de hele weg dat het niks uitmaakte of het een jongetje of een meisje zou worden, als mijn moeder maar niet zou sterven van het baren.

Van mij was ze ook al bijna doodgegaan.

Ik weet niet of ik haar veel pijn heb gedaan met het naar buiten komen, maar ze had van mijn geboorte een long-ontsteking gekregen. Het was de allerallerkoudste dag van het jaar geweest, vertelde ze, toen ik in de vroege ochtend geboren moest worden. Mijn vader had niet geweten hoe hij de kamer warm moest houden. Bij alle buren waren kruiken ingezameld, om ervoor te zorgen dat mijn moeder niet ver-kleumde en ik ook niet, als ik er eenmaal zou zijn. Het mocht niet baten, want mijn moeder liep toch nog een kou op, toen ik uit haar moest. Ze kreeg hoge koorts, de dokter was bang dat ze doodging en toen is de priester gekomen om haar te bedienen. Ze kon mij niet voeden, wat ze vreselijk vond. Omdat ze in levensgevaar verkeerde, hadden ze mijn doop uitgesteld en nu was haar grootste zorg dat er iets ver-schrikkelijks met mij zou gebeuren, voordat ik gedoopt was en een naam gekregen had.

Zolang je geen naam hebt en nog geen kind van God bent, kan de duivel je komen halen.

Mijn moeder heeft zo liggen ijlen, zei mijn vader, dat ze mij gedoopt hebben zonder dat zij erbij was. Daarna is ze beter geworden.

Tientallen malen heb ik mijn moeder opnieuw laten verhalen van mijn geboorte. Ik vond het een gruwelijk en een prachtig verhaal. Gruwelijk, omdat mijn moeder van het begin af aan zoveel met mij te stellen had gehad dat ik, als ik het aanhoorde, zo heel hard wenste dat ik mijn geboorte over kon doen, gewoon, op een lauwwarme dag in mei, als het niet te koud en niet te warm was om mij te krijgen en dat ik opnieuw kon beginnen met naar buiten komen zonder dat iemand daar ziek van werd. Het prachtigste aan het verhaal was om te horen hoeveel mijn moeder toen van mij gehouden had, zoveel dat ze dagenlang lag te ijlen uit angst om mij kwijt te raken.

Ze heeft nog steeds veel meer te stellen met mij dan met al die jongens bij elkaar, zegt ze weleens, maar dat komt vooral omdat de jongens nooit huilen, geen lange tenen hebben, zich niet altijd te kort gedaan voelen en omdat jongens niet kattig, kritisch en kleinzerig zijn, zoals ik, en zich ook niet inbeelden dat ze uitgestoten worden.

Ik denk bijvoorbeeld altijd dat mijn moeder de jongens een groter stuk vlees geeft dan mij, ook al is dat niet zo, maar als ik zelf meen dat het wel zo is, krijg ik geen hap meer door mijn keel, omdat het daar dan dicht zit.

Het leukste vind ik dan eigenlijk ook als mijn moeder lachend tegen de buren zegt dat ze geen drie jongens heeft, maar vier en dat ik de ergste van de vier ben. Ik durf alles en krijg daardoor heel veel ongelukken. Ik heb al vier keer een gat in mijn hoofd gehad en een keer heb ik zo erg met een jongen gevochten dat die me bewusteloos geslagen heeft. Nu mis ik een stukje van mijn voortand.

Na school trok ik zo snel mogelijk een broek aan en het liefst nam ik dan een trui van een van de jongens, omdat ik vond dat die lekkerder zaten dan meisjestruien. In meisjestruien deden ze altijd iets wat kriebelt, er kwamen snel haakjes in en je kon zo'n trui nooit normaal over je hoofd aantrekken, omdat ze er voor meisjes altijd een rits indeden of miezerige knoopjes maakten op onmogelijke plaatsen, waardoor je eigenlijk altijd iemand nodig had die je moest helpen bij het aankleden, maar als je, zoals ik, niet wilde dat iemand aan je zat om je te helpen bij het aankleden, dan stond je wel mooi eerst twee uur te friemelen voordat je je in zo'n trui had gehesen, waarin je je daarna een complete dag opgelaten voelde.

De bloezen van de jongens droeg ik ook liever dan mijn eigen bloezen. Jongensbloezen waren gemaakt van hard, stevig spul, waarin de geur van de waspoeder langer bleef hangen dan in die dunne meisjesbloezen, waar je zo doorheen kon kijken, omdat dat deftig was voor een meisje.

De jongens hebben een beter karakter dan ik, zelfs onze Makkie, die toch moeilijk in de omgang is. De jongens vinden het gewoon goed als ik aan hun kleren zit, maar ik vind het niet goed als zij eens iets van mij pakken. Ik kan er niet tegen als een van de jongens een T-shirt van mij aanheeft. Heel kleinzerig is dat.

In mijn kamer mag ook niemand komen, maar ik kan gerust op hun kamer komen, dat vinden ze niks erg. Daar staat wel tegenover dat ik mijn kamer al helemaal zelf schoonhoud, behalve het beddegoed verschonen, dat doet mijn moeder en dat wil ik haar niet afnemen, omdat ik weet dat ze graag de was doet. Maar voor de rest doe ik alles zelf en als ik goede zin heb, wat meestal het geval is, maak ik 's morgens ook de bedden van de jongens op, dat bespaart mijn moeder weer wat werk.

Ze heeft er nooit om gevraagd en dan heb ik er het meeste plezier van. Als mijn moeder mij eens vraagt om iets te doen, dan word ik chagrijnig, want dan ben ik bijvoorbeeld net van plan om uit mezelf af te wassen en haar een plezier te doen en dan vraagt ze het en dan heb ik er totaal geen zin meer in om het te doen en dan denk ik niet alleen: waarom doen de jongens nooit iets, maar dan zeg ik het ook nog en dan heb ik in plaats van haar een plezier te doen, haar weer verdrietig gemaakt, want het levert geheid ruzie op tussen ons tweeën en dan gaat zij zielig doen, zo van, het hoeft al niet meer, ik doe het allemaal zelf wel, ik heb ook niks aan mijn kinderen, niemand die hier in huis eens rekening houdt met mij, dat werk, en dan kan ik mezelf wel ophangen aan de hoogste boom van het dorp, zo'n allesverterende spijt heb ik er dan van dat ik zo'n kleinzerig karakter heb en niet gewoon, zonder te zeuren, doe wat ze me vraagt.

Ik maak het meeste ruzie met haar van ons allemaal. De jongens doen er het zwijgen toe, die worden alleen een beetje bleker als ze kwaad zijn. De jongens zijn echt lief, van hart. Alle drie.

Van mijn moeder mag ik niet alles dragen, sommige dingen vindt ze te jongensachtig.

'Af en toe weet ik niet eens dat ik een meisje heb,' zegt ze dan en dat betekent dat ik over de schreef ben gegaan, want als je maar één meisje hebt, dan wil je misschien toch dat het soms een echt meisje is, ook al hou je meer van jongens. Ik weet alleen niet zo goed wanneer ze wel een echt meisje wil en wanneer niet. Daar is mijn moeder onduidelijk in, dus het is altijd een gok.

Toen ik de Eerste Heilige Communie deed had mijn moeder voor mij de duurste kleren uitgezocht die er te krijgen waren. Jaren later herinnerde zij zich nog precies welke jurk ik toen droeg en dan kon ze verzaligd zeggen van welke stof die gemaakt was, waarvan ik vergeten ben hoe die heet. Ik was tot in de puntjes gekleed, als een kleine bruid van God en zo voelde ik me ook, want ik had ook helemaal nieuw ondergoed aan, met randjes aan de bovenkant van het hemdje en aan de pijpen van de onderbroek. Als je speciaal ondergoed aan hebt dan voel je dat toch alsof het aan de buitenkant zit en te zien is.

Op mijn hoofd stond een kroontje, dat wel heel licht was, maar dat ik toch voelde, omdat het met schuifspelden vastgezet moest worden. Ik heb dun, steil haar, dus daar blijft niks goed op zitten, ook niet met schuifspelden, die glijden er gewoon uit. Samen met mijn moeder ben ik de dag voor mijn Communie naar de kapster geweest. Ze wisten zich ook niet zo goed raad met mijn haar, omdat het dun is en kort, en veel meer dan met wat clipjes een slag erin leggen, konden ze niet doen. Mijn moeder heeft zich scheef gelachen bij de kapster, omdat ik vanzelf raar ga doen als iemand aan mij zit.

Het is ook geen gezicht, ik met clipjes in mijn haar, daar ga je wel mal van doen en als ik zie dat mijn moeder om mij moet lachen, dan ben ik helemaal niet meer te houden, dan weet ik van gekkigheid niet meer hoe ik mij moet gedragen.

De volgende ochtend was de slag helemaal uit mijn haar verdwenen, wat ik zielig vond voor mijn vader en moeder, want het had toch extra geld gekost, die slag, en mijn vader had het zo mooi gevonden bij mij. De dikke ogen die ik had, omdat ik de hele nacht niet had kunnen slapen, verdwenen al na een uurtje, dat was dan nog een meevaller. Eenmaal aangekleed zag ik er uit als een echt meisje.

Het was een prachtige dag, de dag van mijn Eerste Heilige Communie. Iedereen droeg nieuwe kleren en we gingen met zijn allen naar de kerk. Ik dacht er steeds maar aan dat ik God nu echt ging inslikken. We hadden wel geoefend, maar bij het oefenen werden namaakhosties gebruikt en die zijn niet heilig.

Bijten op een hostie is verboden, want je mag natuurlijk niet kauwen op het Lichaam van God. Van de oefenhosties herinnerde ik me dat ze zo tegen mijn verhemelte aanplakten en ik vroeg me af of een echt heilige hostie ook zo bleef plakken, wat vervelend is, omdat je toch de neiging hebt haar met je tong los te peuteren en naar beneden te halen, wat natuurlijk ook onfatsoenlijk is, om dat met God te doen.

In mijn witte, gehaakte polstasje zaten de prentjes, die hadden alle kinderen, behalve de arme. Ik vond het prachtig om zo'n prentje te hebben, waarop je eigen naam gedrukt staat.

Ter blijde herinnering aan de Eerste H. Communie van Catherina Buts op zondag 12 mei 1963 stond erop en daaronder een gedicht van twaalf regels, dat ik helemaal uit mijn hoofd had geleerd, voor God.

In mijn hartje kwam deez' morgen
Jezus voor de eerste keer
O, wat voelde ik mij gelukkig!
Ik dankte Hem wel duizend keer.

'Lieve Jezus,' zei ik zachtjes
'O, ik houd zoveel van U,
Geef toch dat ik steeds mag wezen
Even braaf en rein als nu.'

'Zegen mijn lieve Ouders
Och bewaar hen steeds voor smart
En kom vaak nog lieve Jezus
In mijn schuld'loos kinderhart.'

Overal waar Jezus geschreven stond, dacht ik God, want Hij was wel zijn Zoon, maar Zij waren toch Een, dat had ik geleerd. Ik hoopte maar dat het echt waar was en dat Jezus daarboven niet apart rondliep en erop stond dat je Hem op zichzelf liefhad, want ik had meer met God dan met Hem, maar als ze Een waren, dan was dat niet zondig, dan zat Jezus vanzelf al in God en hoefde Hij zich niet uitgestoten te voelen.

Voor op mijn prentjes stond een tekening van Maria en daaronder stond met schuin gedrukte letters: *Door Maria tot Jezus.*

Dat had mijn moeder uitgezocht.

Die is erg op Maria.

We hadden de hele dag visite en ik kreeg enorm veel cadeaus. Het allerbeste geschenk was dat van mijn tante Christien, die had een gele overall voor mij meegebracht. Ik vond hem zo prachtig dat ik hem onmiddellijk aan wilde trekken en ik vroeg aan mijn moeder of het mocht.

Het mocht.

Zo zijn mijn ouders, bijna alles mag van ze, als jij er maar gelukkig door wordt. Blijkbaar vond mijn moeder ook dat ik er lang genoeg als een echt meisje bijgezeten had.

Er was een hemd, dat was van onze Willem, en dat vond ik het lekkerste hemd dat ik ooit in mijn leven aanhad, maar dat was er nu typisch een dat mijn moeder te jongensachtig vond. Op dit punt ben ik dan misschien wel heel moeilijk voor haar, want het kost veel inspanning om iets waar je zoveel van houdt, los te laten, zeker als je zelf niet ziet waar iemand anders zich nu zo druk om maakt.

Het was een hemd met strepen in allerlei kleuren en die strepen lagen dik op de stof, als ribbels. Onderaan zat een zwarte elastieken band, waardoor het bolde en waardoor je je er heel vrij in voelde. Aan de kraag zat ook een ritsje, maar het zat op een handige plek, voor bij de nek en je kon het ook open laten staan, dan leek je net een cowboy. Zo voelde ik me tenminste, als ik het aantrok, ijzersterk, waar ik dan zo gelukkig van werd dat ik ervan ging fluiten. Ook al liet ik duidelijk aan mijn moeder merken dat ik ontzettend veel hield van dat hemd, ze gaf niet toe. Ik zag er geen kwaad in om het te dragen en daarom smokkelde ik het na school af en toe mee naar buiten. Dan legde ik de trui die ik aanhad onder een struik en trok het hemd van Willem toch aan.

Ik deed het niet vaak, want ik dacht dat het mijn moeder veel verdriet zou doen als ze het merkte.

Je boet hoe dan ook voor je zonden, want iedere keer als ik het gedaan had, droomde ik 's nacht heel naar, dat de trui die ik onder een struik had achtergelaten, gestolen was.

Naar dromen is erg, want ik gil 's nachts soms het hele huis wakker, maar slaapwandelen is nog erger.

Dat doe ik sinds een jaar en mijn moeder is er al voor bij de dokter geweest. De eerste keren dat mijn ouders mij midden in de nacht wandelend op de gang van het bovenhuis tegen-kwamen, maakten ze mij wakker, maar dat was zo akelig, dat ik er misselijk van werd en ter plekke moest overgeven. Sinds mijn moeder met de dokter gepraat heeft, maken ze mij niet meer wakker, maar ze laten mij gewoon uitrazen en proberen mij dan met zachte duwtjes naar mijn bed terug te brengen.

Het schijnt dat ik dat vooral doe, aan een stuk door praten, over de jongens en over school en over nog veel meer, maar mijn moeder wil mij niet altijd vertellen wat ik allemaal uitgekraamd heb, zonder dat ik het zelf weet.

Een enkele keer heb ik 's ochtends als ik wakker word, vage herinneringen aan wat me 's nachts uit mijn bed dreef en dan hoop ik maar dat ik daarmee niet naar de slaapkamer van mijn ouders ben gelopen om het ze allemaal te vertellen, of dat ik op z'n minst zo onverstaanbaar heb staan brabbelen dat ze me onmogelijk konden verstaan, want als ze weten wat me het meest van alles bezighoudt, schaam ik mij dood en dan maak ik het leven van mijn moeder nog zwaarder, want als zij merkt dat ik me zulke zorgen over haar maak, dan krijgt zij weer meer zorgen om mij en dat is nou net wat ik niet wil, dat iemand zich zorgen om mij maakt.

Het is wel heel raar dat je dingen doet waar je zelf niets meer van weet. Op die manier kun je eigenlijk geen geheimen hebben.

Over dat hemd heb ik in mijn slaap ook een keer breed uitgepakt.

'Je stond weer eens stram aan het voeteneind van ons bed,' vertelde mijn moeder, 'en je had het maar over hemden en truien, ik kon er geen touw aan vast knopen. En maar praten,' voegde ze er met een bezorgd gezicht aan toe, 'en maar praten. Het is bijna niet te geloven dat je dan slaapt.'

Ze vroeg me wat dat toch was met mij, dat de jongens daar geen last van hadden.

Hoe kon ik dat nu weten, als ik zelf niet echt bij mijzelf was geweest?

Op een dag was dat hemd onvindbaar.

Daar huilde ik een hele middag om.

Dat is dus zoiets waarom mijn moeder een meisje erger vindt dan tien jongens bij elkaar.

8

Ik was elf geworden en twaalf, beide keren zonder dat Ara op mijn feest aanwezig was. Ze zag mij liever als er geen anderen om me heen draaiden, zei ze, en uit dat verlangen maakte ik op dat ze van mij hield.

Inmiddels begreep ik Ara's trots beter en ook dat trots een last kan zijn, zeker als het op jezelf geplakt wordt, zonder dat je daarom gevraagd hebt.

Trots was bij Ara thuis een soort familiekenmerk, iets waardoor de vader van Ara het over zoiets raars kon hebben als *een* Callenbach en dan bijvoorbeeld zei dat *een* Callenbach dit of dat niet deed.

'Wat is dat nu, een Callenbach?' vroeg ik dan later aan Ara.

'Je bent toch niet een speciaal iemand omdat je Callenbach heet, maar omdat je echt een speciaal iemand bent en je laat iets achterwege omdat het onjuist is om te doen en niet omdat je tot een bepaalde familie behoort?'

Ara zei kribbig dat ze het juist prettig vond dat haar vader trots op haar was en dat je ook trots moest zijn op jezelf, omdat je anders door iedereen maar een beetje met je liet sollen. Ze vond het ook helemaal niet vervelend als haar vader tegen haar zei dat ze die of die rok moest aantrekken, omdat hij dat zo mooi vond staan bij haar. Dat vond ze heerlijk, om dat voor hem te kunnen doen.

'Maar dat is toch verschrikkelijk ouderwets,' zei ik tegen haar, 'om je als meisje te laten behandelen.'

'Ik ben toch een meisje,' zei ze en keek me aan alsof ze mij wilde verpletteren met dat soort logica.

Dat lukte. Ik wist niet wat ik daarop moest zeggen. Ik wist zeker dat ik iets anders bedoelde, iets waarover ik van mening verschilde met haar, maar ik kon niet te pakken krijgen waarin het hem precies zat en waarover ik verontwaardigd was.

In de lente van 1967 hadden wij in de vijfde voor het eerst gemerkt dat de zesde klas de school zou gaan verlaten.

Op sommige dagen zaten er maar een paar meisjes van de zesde in het klaslokaal, de rest deed dan toelatingsexamen voor de een of andere vervolgschool. Meer dan de helft van de zesde ging naar de huishoudschool, de rest ging naar de MULO. Er ging maar één meisje naar de MMS.

Dankzij de extra lessen van onze juffrouw was Ara beland bij de groep meisjes die toelatingsexamen deed voor de MULO, waar ik reuzeblij mee was, want we hadden er een in ons eigen dorp en het idee dat ze zo dicht bij mij in de buurt bleef, stelde me gerust.

Ik heb het liefst iedereen dicht bij mij in de buurt.

Met mijn broers heb ik dat ook. Ze zitten allebei in de stad op school, Willem op het gym en Makkie op de HBS, en ik ben zelf vaak genoeg in de stad geweest, dus ik weet dat het helemaal niet ver hiervandaan is, hoogstens een kilometer of vijf, maar toch heb ik iedere ochtend het idee dat zij met zijn tweeën naar een andere wereld vertrekken, die niks van doen heeft met de stad die ik ken en waar ik weleens ga winkelen met mijn moeder. Het zal er ook wel mee te maken hebben dat ze er echt een beetje uitzien of ze op reis gaan en nooit meer terugkeren, want ze komen tussen de middag niet thuis en daarom maakt mijn moeder iedere ochtend voor allebei de jongens een plastic doos klaar, met gesmeerde boterhammen en iets extra's, een reep chocolade of een rol Rang.

's Morgens smeert ze ook brood voor mijn vader, maar dat zien wij niet, want onze vader vertrekt verschrikkelijk vroeg naar zijn werk. Wij slapen dan nog, dus dat doosje van hem zie ik alleen als het leeg terugkomt. Soms ligt er nog een halve boterham in en dan zegt mijn moeder daar iets van, want mijn vader is al zo mager, van al dat harde werken, voor ons.

Mijn vader eet heel andere boterhammen dan wij en ik eet wel eens zo'n halve op, die hij mee naar huis terug neemt. Dan begrijp ik hem misschien beter en dan kan hij zien dat ik van hem hou, want als je het eten dat iemand anders lekker vindt, opeet, ook al vind jij dat zelf niet per se lekker, dan hou je wel veel van iemand.

De boterhammen van mijn vader zijn namelijk een beetje ouderwets. Hij eet bijvoorbeeld een snee witbrood en daar gaat uitgebakken spek op en daarbovenop komt dan nog eens een snee roggebrood. Misschien is dat nog niet eens zo gek, maar wat het echt ouderwets maakt is dat die snee roggebrood besmeerd is met boter en met stroop.

Mijn moeder krijgt de stroop nog altijd van mijn oma, die maakt haar zelf, van suikerbieten. Alle broers en zussen van mijn vader krijgen de stroop nog van hun moeder, want het is de enige stroop die ze lusten. Wat je in de winkel koopt heet rinse appelstroop en daar moet mijn vader niks van hebben, dat is allemaal maar fabriekswerk, zegt hij.

Zoiets, dat je alleen maar de stroop van je eigen moeder

wilt eten, begrijp ik dus heel goed. Daarom bied ik me altijd aan om de stroop voor hem te gaan halen bij oma, ook al is het daar in die buurt niet meer veilig voor mij.

Het is veel moeilijker om mijn vader een plezier te doen dan mijn moeder, want mijn vader is er meestal niet en als hij er is, dan is hij al tevreden dat hij ons om zich heen verzameld heeft, dan heeft hij verder niks nodig, zegt hij.

Als ik hem blij kan maken door de stroop te halen bij oma, dan doe ik dat graag, zelfs al moet ik als een gek langs het huis van Oom Stan fietsen, want voor mijn vader zou je ook alles willen doen, gewoon, uit dankbaarheid.

Mijn grootouders wonen aan de rand van het bos dat ons dorp omringt. Ik fiets er altijd naar toe, omdat ik mij in zo'n bosrijke omgeving beter kan voorstellen dat mijn fiets eigenlijk een paard is. Aan het stuur heb ik twee touwen vastgemaakt, dat zijn de teugels en daar voer ik mijn paard mee aan. Hij heet Fury en als we supersnel de helling afrijden, die naar het huis van mijn grootouders leidt, dan haal ik mijn voeten van de trappers, zodat ik Fury met mijn hak een lichte trap in zijn lendenen kan geven, waardoor het heel echt voelt. Na de rit klop ik hem op zijn flanken en veeg het zweet weg met een vlakke hand.

Het gebeurde toen ik al in de zesde zat en op het punt stond de helling af te galopperen. Boven aan de berg staat het huis van Oom Stan, die niet echt een oom is, maar die we toch Oom Stan noemen, omdat hij weleens bij ons over de vloer komt en mijn vader bij hem. Ik denk dat mijn vader aandacht aan hem besteedt omdat hij medelijden heeft met Oom Stan, die daar helemaal alleen in dat grote huis woont en geen vrouw heeft om voor hem te zorgen, want voor de conversatie hoeft hij het niet te doen, zo slim is Oom Stan niet, die is eerder op het achterlijke af.

Zo is mijn vader, die heeft altijd compassie met de mensen en daarom klopt iedereen bij hem aan, als ze hulp nodig hebben, want mijn vader is een halve heilige, die veel goed doet voor de mensen. Bij Oom Stan loopt hij dan ook regelmatig even binnen, om hem wat aanspraak te bezorgen en hem een cake te brengen, die mijn moeder speciaal voor hem gebakken heeft, want van dat soort lekkernijen blijft een vrijgezel natuurlijk verstoken, zegt zij. Daarom was ik nergens op bedacht, toen Oom Stan mij op een dag vanaf het erf riep en mij gebaarde naar binnen te komen.

Ik stalde Fury tegen het hek, liep het erf op, ging de donkere, kleine keuken binnen en daar werd ik door Oom Stan gepakt. Hij zei niks. Hij stond met zijn rug tegen het stenen aanrecht geleund, trok mij naar zich toe en drukte mij tegen zijn onderlichaam. Ik was verstijfd van angst en schaamte en van nog iets anders, van een spanning en opwinding, die ik tot dan toe alleen had gehad als ik iets lang en ver doordacht, zoals hoe het is om dood te zijn. Dat was wel vreemd, want als ik iets niet meer kon, vanaf het moment dat hij mij tegen zich aangedrukt had, dan was het nadenken. Het werkte niet meer in mijn hoofd. Ik wist niet wat ik moest doen.

Hij hield me met zijn linkerarm omklemd, tilde met zijn rechterhand mijn rok op en gleed met zijn dikke vingers in de pijp van mijn onderbroek. Daar streelde hij me.

Het is prettig om daar gestreeld te worden, maar ook verboden.

Ik kwam pas een beetje bij zinnen toen hij met zijn onderlichaam heen en weer ging, zich over mij heen boog, zijn mond dicht bij mijn oor bracht en daar geluidjes in ging maken. Het was het geluid waarmee je poezen lokt. Je tuit je lippen en zuigt er lucht doorheen.

Toen werd ik pas kwaad. Ik begon me los te woelen en trapte wat halfhartig met een voet naar achteren, tegen zijn scheenbeen, veel te zacht, als je het mij vraagt, maar ik durfde niet hard te trappen. Pas toen in de verte het geluid van een tractor klonk en hij zijn hoofd optilde, rukte ik me helemaal los en rende naar buiten. Ik riep dat ik het aan mijn oma zou vertellen, maar ik wist wel zeker dat ik dat niet zou doen.

Ik vertelde het aan niemand.

Ik vond het zielig voor mijn vader, omdat dan moest blijken dat hij zich verkeek op de goedheid van andere mensen, en voor mijn moeder, die altijd maar weer een heerlijke cake bakte voor iemand van wie nu was gebleken dat hij de laatste was die dat verdiende.

Ik besloot er geen frustratie van te krijgen, voor later. Zo erg was het niet, zo waren de mensen. Die boeren, die daar maar een beetje alleen op een boerderij zaten, die deden ook vieze dingen met de dieren om aan hun gerief te komen, dat wist iedereen. Zo waren ze nu eenmaal, je kon ze er niet eens hard over vallen, want ze waren primitief en achterlijk. Het verstand van een mossel hadden ze en ze waren te stom om voor de duvel te dansen, dat waren ze. Daar drong toch niks in door, in die harde, lompe, roodaangelopen, lelijke, grove, ongevoelige koppen, niks komma nul.

Je kunt er ook maar beter anders tegenaan kijken en dan zijn al je nare ervaringen nog het beste te verklaren door ze te vergelijken met het zinken van de Titanic. Die zonk ook niet omdat er maar één ding mis mee was, maar omdat er al duizend dingen mis mee waren waarvan ze niks wisten en toen kon die storm er net niet meer bij.

Zodra de jongens naar school waren, begon ik ze te missen als de hel, zelfs al had ik net ruzie met ze gemaakt, dan nog. Mijn moeder zei dat het wel zou veranderen, als ik zelf eenmaal op de middelbare school zat, maar ik had daar mijn twijfels over, want met dat missen is het raar gesteld.

Ik heb het bijvoorbeeld ook 's avonds, als ik graag alleen wil zijn en naar mijn eigen kamer ga, dat ik daar dan niet van kan genieten als ik weet dat de jongens de deur uit zijn en niet gezellig beneden zitten, voor de tv. Zodra Willem en Makkie het huis uit zijn, om een vriend te bezoeken of om te gaan biljarten in het jeugdhuis, voelt het totaal anders om in mijn eentje op mijn kamer te zitten.

Het leek op de manier waarop ik Ara miste, vanaf de tijd dat ze op de MULO zat, maar het was niet helemaal hetzelfde. Op school amuseerde ik me ook goed zonder haar en ik miste haar niet in de klas of op de speelplaats. Ik miste haar pas als de school uitging en ik thuis wat gegeten had.

Dan wilde ik nog maar één ding, bij Ara zijn. We hoefden niet eens zo nodig wat te doen, als ik maar bij haar in de buurt was, dan was alles goed.

Van haar moeder mocht ik Ara pas om vijf uur zien, omdat ze eerst haar huiswerk moest maken, maar soms hield ik het niet vol en klopte al om half vijf op de achterdeur van hun huis.

Op die school van haar kregen ze hartstikke veel huiswerk en haar moeder was daar streng in, die kon me soms wel de deur uitkijken als ik eerder kwam en haar vroeg waar Ara was.

Natuurlijk wist ik wel waar Ara was, die zat op haar kamer, maar ik wist niet hoe ik het anders moest aanpakken om alvast naar boven te mogen en een half uur langer bij Ara te kunnen zijn. Ze zei dan bepaald niet van harte dat Ara op haar kamer zat, om haar huiswerk te maken en ik moest hele toeren bouwen om het voor elkaar te krijgen dat ik naar boven mocht.

Ara wil zelf ook zielsgraag leren, want ze was reusachtig blij toen ze het toelatingsexamen haalde en ze heeft zelfs sprongetjes in de lucht gemaakt, wat niks voor haar is, maar wat er heel schattig uitzag, met dat grote lichaam.

Behalve blij is ze ook onzeker. Ze herhaalt steeds maar dat ze dat toch niet kan, die MULO, dat er vast een fout is gemaakt bij het nakijken van de toelatingsexamens en dat er ieder moment iemand kan langskomen om haar te vertellen dat er een vergissing is gemaakt en zij gezakt is voor het examen. Ik heb wel duizend keer gezegd dat ze minstens een dikke zeven gemiddeld heeft gehaald en dat ze het wel kan, dat ze een miljoen keer slimmer is dan die hele MULO bij elkaar, met alle meesters en de juffrouwen erbij. Om haar nog meer op te peppen heb ik gezegd dat ze eerstdaags nog veel beter is in taal dan ik, want ze leest inmiddels heel veel boeken en bovendien is haar vader streng met taal en die weet precies hoe je alles goed moet zeggen, in het Nederlands.

Als ik zo'n vader had als die van Ara, zou ik ook permanent in de zenuwen zitten, want hij heeft altijd iets op te merken over hoe je de woorden moet gebruiken. Soms durf ik niet eens mijn mond open te doen als hij aanwezig is, want voordat ik het weet heb ik weer iets fout gezegd en dan schaam ik me dood als hij me corrigeert. Dan zeg ik bijvoorbeeld dat wij met de familie weleens een eindje gaan varen met de auto, omdat je dat ook zo zegt in mijn dialect, en dan vraagt hij of die auto wel goed drijft op het water, waardoor ik niet weet waar ik het moet zoeken, zo erg schaam ik mij dan. Hij ziet het wel aan me, iedereen kan dat zien, want ik krijg een ontzettend rood hoofd als ik me schaam, maar hij kan het niet laten om mij te verbeteren. Dat ergert me en daardoor bewonder ik hem ook niet, want volgens mij moeten grote mensen iets achterwege kunnen laten, als ze kinderen daarmee helpen, ook al doen ze zichzelf dan geweld aan.

Het is heel gek, maar als je iemand niet bewondert, dan kun je het ook niet uitstaan dat die iemand trots is op zichzelf.

Iedere dag om vijf uur liet Ara Brutus uit en dan begeleidde ik haar. We namen altijd dezelfde route, de kortste weg naar het bos, waar ik haar voor het eerst met haar hond had gezien. Het was het mooiste bos dat ze kende, zei ze, zo drassig en oer, iets waaraan je kon zien dat de mensen er nog niet met hun handen aangezeten hadden.

Wij noemden het: Het Land van Moer.

Het was een naam van Ara, want bij ons in het dorp noemden ze het bos naar de eigenaar, Herstael, een echte baron, die nu blind was en in een karretje zat, maar die volgens mijn moeder helemaal tot in België kon wandelen zonder van zijn eigen grond af te gaan.

Ik had het bos nog nooit gezien als iets moois en zag dat nog niet. Ara wel. Ara hield van de natuur en dat kon je ook merken, want ze kende de namen van de bomen en van de planten. Ze kon ook haar hoofd in de wind steken en dan zeggen dat er in de buurt ergens munt moest groeien of zo, omdat ze dat rook. Ze had een fijne neus, niet alleen voor dat soort dingen, maar in het algemeen, ook voor wat er in je omging en of je in een goeie bui was of niet.

Eigenlijk interesseerde dat hele bos mij niet, als bos, bedoel ik. Ik hield alleen van Het Land van Moer, van ons land, dat zij en ik tot ons bezit hadden gemaakt door het om te dopen, waar we iedere dag ronddoolden, wij met zijn tweeën en met de hond.

In het begin had ik nog weleens mijn eigen hond meegenomen, om ook iets vast te kunnen houden, maar het was geen vergelijk, een echte hond en de mijne. Ik had besloten dat alle levende dieren, zoals honden, definitief het terrein waren van Ara en niet van mij, net zoals het echte bos en de kennis die zij daarvan had, ook voorbehouden moesten blijven aan Ara en dat ik de rest van mijn leven iemand zou zijn die geen naam van een plant kon noemen, omdat Ara dat kon en ik Ara daarvoor nodig had.

Je moet het kunnen hebben dat iemand anders, iemand van wie je veel houdt, in iets kan uitblinken, iets waarin jij dom bent. Zo doe ik dat met onze jongens ook.

Met Willem is dat het moeilijkste, om uit te zoeken waarmee je hem altijd wilt laten winnen, want onze Willem is een wonderkind.

Op ieder rapport waarmee Willem thuiskomt, vanaf dat hij in de eerste klas zit, wemelt het van de negens en de tienen. Als er al eens een zeven of een acht op zijn rapport staat, dan is dat voor gymnastiek of voor handenarbeid, in ieder geval voor iets stoms, waarvoor je geen hersens nodig hebt, maar voor al die andere vakken heeft hij gloeiend hoge punten, daar word je gewoon duizelig van.

Willem heeft dus ongelooflijk goede hersens, dat weet iedereen. Je kunt het ook aan zijn uiterlijk zien, vind ik, want hij ziet bleker dan andere jongens en hij is ook nooit druk, zoals ik. Het hoofd van de jongensschool klopte al bij mijn ouders aan toen Willem pas negen was, want toen hadden ze dat allang in de gaten, dat hij een knappe kop was. De meester heeft mijn ouders voorgesteld om Willem een klas te laten overslaan, maar daar wilde mijn moeder niks van weten, ook al was ze heel trots op onze Willem. Hij was al voordelig geboren, zei mijn moeder, en daardoor een van de jongsten in de klas en hij zou al die fijne vrienden kwijtraken als hij uit zijn eigen klas werd gehaald, en er misschien moeite mee hebben om zich te kunnen handhaven, tussen die oudere kinderen. Mijn moeder weet wat het beste is voor onze Willem. Hij is heel erg gevoelig en hij kan ook niks van vechten.

'Had Willem maar iets meer van jou en jij iets meer van Willem,' heeft ze weleens gezegd, maar voor zo'n herverdeling is het te laat en dan kun je die maar beter niet willen, dat heeft geen zin.

Als het je broer is, van wie je veel houdt, dan kun je wel zorgen dat hij de sterkste is op zijn gebied en dat je hem daar niet naar de kroon steekt, want dan verdraagt hij het beter dat hij op een ander punt minder goed is, zoals in vechten bijvoorbeeld. Maar omdat onze Willem in alle vakken goed is, is het wel lastig om uit te vinden waarin je hem de allerallerbeste laat zijn en daarom noem ik hem de geleerde, wat betekent dat je in het algemeen van alles het meeste weet van iedereen. Dus als iemand bijvoorbeeld vraagt wat de hoofdstad is van Rusland, dan geef ik geen antwoord, ook al weet ik dat het Moskou is, maar dan laat ik dat onze Willem zeggen en dan weet iedereen dat onze Willem degene is die op elke vraag een antwoord weet, waarover die ook gaat.

Bij onze Makkie is het een stuk gemakkelijker, want onze Makkie is helemaal niet zo goed in taal, maar wel in uitvinden. Hij kan goed rekenen en op zijn nieuwe school is dat wiskunde geworden, waar hij hoge punten voor heeft. Op die school heeft hij ook andere dingen geleerd, zoals natuurkunde en scheikunde en dat zijn de lievelingsvakken van Makkie.

Onze Willem heeft ook goede punten voor die vakken, maar wat Willem niet kan en Makkie wel, dat is iets uitvinden. Willem heeft twee linkerhanden, maar Makkie is heel technisch en hij kan alles bouwen wat hij in zijn hoofd heeft. Makkie kan mijn vader bijvoorbeeld helpen bij het repareren van de auto en hij wil ook direct een brommer, als hij oud genoeg is en het mag van de politie. Voor onze Makkie is dus alles wat met elektriciteit te maken heeft, en als bij mij op de kamer een lamp stuk is, doe ik net alsof ik zelf geen nieuwe durf in te draaien, zodat ik Makkie erbij kan roepen en hij van zichzelf weet dat hij bij ons van de technische dingen is. Tegen ons Chrisje zeg ik dat hij een super-klauwaapje is en de lekkerste knuffel van de wereld kan geven, want veel meer kan hij ook nog niet.

Zelf ben ik niet goed in iets speciaals. Ik kan eigenlijk alleen maar leuke en gemakkelijke dingen goed, zoals tekenen en toneelspelen, en taal natuurlijk. De juffrouw vindt mijn opstellen altijd mooi en ik vind dat zoiets nu goed klopt, met mij, omdat ik het maken van opstellen ook het liefste doe van alles wat je op school kunt doen en waarvoor je toch punten krijgt, want die krijg je voor toneelspelen niet en het punt voor tekenen is alleen maar voor spek en bonen. Maar met schrijven kun je niet zoveel eer behalen, want het is meer iets voor jezelf en eigenlijk heeft niemand anders daar wat aan.

Op de dag van mijn twaalfde verjaardag had Ara mij 's ochtends, voordat ik naar school moest, thuis opgezocht en toen

kreeg ik van haar het allermooiste cadeau dat ik ooit van iemand gekregen had: een dagboek met een stoffen omslag en
een slotje. Voorin had ze geschreven: 'Voor Kit van je Ara' en
eerlijk gezegd maakte dat 'je Ara' het dagboek tot het allermooiste cadeau, want het was alsof Ara zichzelf gegeven had
met dat 'je', want dat schrijf je alleen als je zelf vindt dat je
voor altijd bij iemand hoort en nooit bij die persoon weg
wilt gaan.

Voor het eerst die dag voelde ik wat het was om twaalf te
zijn. Ik stond voor de gapende, angstaanjagende afgrond van
een persoonlijk leven en ik wist dat ik vanaf die dag pas echt
begon met ouder worden en dat ik iedere dag dichter in de
buurt zou komen van een leeftijd die beter bij mij paste dan
alle leeftijden die ik tot dan toe had gehad.

II

ETEN EN DRINKEN

1

De dag waarop ik in een vrouw veranderde aten we friet. Dat moet dus een vrijdag geweest zijn. Het lijkt iets heel moois en ingrijpends als het er zo staat, in een vrouw veranderen, maar het was iets puur lichamelijks en helemaal niet wat ik ervan verwacht had. De Tweede Communie doen had meer niveau.

Boven mijn eerste bord ging een al dagenlang zeurende pijn in mijn onderbuik in de aanval. Zoiets had ik nog nooit meegemaakt. Na een felle kramp kreunde ik en ik liet de friet die ik in mijn hand had, terugvallen op het bord. Mijn vader en de jongens schrokken, mijn moeder niet. Ik kreeg geen hap meer door mijn keel, wat uitzonderlijk is, want ik ben zo iemand die haar bord tot op de laatste kruimel leegeet.

De jongens zijn veel lastiger met eten dan ik, vooral onze Chrisje. Zelfs gewone boterhammen krijgt hij nauwelijks door zijn keel en iedere hap wordt naar beneden gespoeld met veel melk en Seven Up. Tijdens de maaltijden brengt hij mijn moeder vaak tot wanhoop, omdat hij moet kokhalzen als hij een lepel vol groente voor zijn geopende mond houdt of als hij zijn best doet om nog een hapje extra naar binnen te werken. Tientallen exotische gerechten heeft mijn moeder speciaal voor hem bedacht en klaargemaakt, maar het helpt allemaal niet.

Ik lust alles. Mijn moeder zegt dat ik op z'n minst haar tafel altijd eer aandoe en het is niet veel, maar het is precies wat ik wil dat ze van mij vind. Je kunt haar toch al met zo weinig een plezier doen.

'Ik heb zo'n buikpijn,' zei ik verontschuldigend tegen mijn moeder.

'Ik denk dat onze Kit iets aan haar blindedarm heeft,' zei mijn vader tegen mijn moeder.

'Ik denk het niet,' zei zij.

Nu ik tegen de twintig loop bekruipt me steeds vaker het gevoel dat er geen schot in de zaak zit. Het vordert niet. Om eerlijk te zijn valt het me ook een beetje tegen. De dingen waarvan ik vroeger dacht dat ze een ommekeer in het leven zouden betekenen, brengen nauwelijks een verschuiving teweeg. Zelfs die langverwachte dag waarop ik met koeieletters in mijn schrift kon noteren dat ik een vrouw geworden was, net als al die andere meisjes die mij al jaren eerder waren voorgegaan, was niet het begin van een nieuw tijdperk. De stiekeme verwachting dat ik als bij toverslag in een soort volwassene zou veranderen, werd niet bewaarheid.

De ochtend erna was ik nog altijd een zestienjarige, nu met buikkrampen. Al na een dag vond ik het een onvoorstelbaar wreed vooruitzicht dat ik voor de rest van mijn leven vast zou zitten aan dit terugkerende ongemak en ik vond dat mijn moeder gelijk had en Ara ongelijk.

Mijn moeder had bij herhaling tegen mij gezegd dat er heus niks was om zo smachtelijk naar te verlangen als ik al sinds jaar en dag deed en dat ik God kon loven en prijzen zolang het mij nog bespaard bleef. Als het eenmaal zover was, zou ik de hemel op mijn blote knieën smeken om er nog een aantal jaren van verstoken te mogen blijven, maar dan was het te laat, want mijn lot als vrouw was vanaf dat moment beklonken en de kalender van alle jaren van mijn verdere leven zou tot in lengte van dagen hetzelfde ritme vertonen, dat van de maandstonden met het bloed en met de pijn.

Ik geloofde er niks van.

Mijn moeder zag alles veel te zwart.

Op die vrijdag van mijn verandering lag ik bleek, ziek en verzaligd in bed. Daarbinnen in mij werkte het volgens plan en ik hoorde vanaf nu bij alle andere echte vrouwen op de hele wereld. Na uren kronkelen van de krampen, had ik aan die wetenschap eigenlijk wel voldoende en voor mijn part mocht het na deze ene dag nog wel enkele jaren wegblijven.

Met een meewarige blik had mijn moeder een pak van haar maandverband op mijn nachtkastje neergezet en gezegd dat ik helaas die gruwelijke pijn van haar had geërfd. Zij had er ook een leven lang last van gehad.

'Hoe voelt ze?' vroeg mijn moeder.

'Aanvallen, messen, oorlog in mijn onderbuik.'

Ze knikte.

Op de tweede dag vroeg ze terloops of ik wist dat ik nu goed moest oppassen, met jongens. Ze stond aan het aanrecht en boog zich nog dieper over de teil met afwas.

'Allicht,' zei ik beledigd en stampte naar buiten. Het verband tussen het bloed en het gevaar was me niet in alle details duidelijk, maar een moeder was toch wel de laatste aan wie je daarover opheldering ging vragen. Zoiets beschamends kon je haar niet aandoen. Ik zou het nog eens goed nakijken in *Het rode boekje voor scholieren*, daarin kon je alles vinden over onbespreekbare zaken. Het was het opwindendste boek dat ik tot dan toe in mijn leven gelezen had en het leek mij zo verboden als wat. Het lag verborgen onder mijn matras, naast mijn vier geheime schriften. Door het boekje had ik ontdekt dat ik mij eigenhandig een wonderlijk groot genot kon bezorgen, in alle rust en stilte, overal waar ik wilde, zonder daarbij iets of iemand van node te hebben.

Ook geen trapleuningen.

Pas veel later had ik dat verband gelegd tussen het uit het boek geleerde genot en een van de verrukkelijkste lichaams-oefeningen die ik sinds mijn tiende deed, soms samen met Makkie. Dan gingen we wijdbeens op de trapleuning zitten en trokken onszelf met onze handen omhoog, terwijl we met onze benen als kikvorsen op het droge zwommen. Eenmaal aan het eind van de trapleuning gekomen, stapten we af, namen de tien treden naar beneden en begonnen op-nieuw. Ik ging zo vaak op en neer tot ik niet meer kon en het almaar groeiende, heerlijke gevoel tussen mijn benen in een klap verdwenen was. Na het klimmen hadden we allebei een rood hoofd van de opwinding. Ik had hem gevraagd of hij het ook zo lekker vond om te doen en toen had hij ja gezegd.

Zonder er met elkaar een afspraak over gemaakt te hebben, draaiden we de opwaartse beweging om zodra iemand an-ders van de familie de gang betrad, en lieten ons achter elkaar naar beneden glijden. De trapleuning afglijden was ondeu-gend, want de verf sleet ervan, maar ondeugend zijn hoorde bij kinderen en het was beter dan zondig zijn. We wisten niet of het zondig was of niet, maar we namen het zekere voor het onzekere.

Ara leed ook zichtbaar, maar nooit zonder genot. Ze had

iedere maand het gevoel dat ze puur natuur was, zei ze, en dat ze weer zuiver werd van binnen. Zij verdroeg haar krampen groots en met plezier, omdat iedere pijnscheut haar vertelde dat haar lichaam in orde was en precies zo werkte zoals het hoorde te werken.

'Ik vind die pijn prettig,' zei ze. 'Mijn lichaam spreekt tenminste duidelijke taal.'

Het waren ook de enige zeven dagen in de maand dat ze onbelemmerd en zonder enig gevoel van schuld gehoor gaf aan een grenzeloze eetlust, omdat ze vond dat die bij de pijn hoorde en een natuurlijkere drang tot eten was dan op andere dagen van de maand.

'Van pijn krijg je honger,' beweerde ze.

'Niet van buikpijn,' had ik tegen haar gezegd sinds ik erover mee kon praten. Ze moest zich op dit punt vergissen, zei ik en dat het verbond tussen haar pijn en haar honger een hoogstpersoonlijke vermenging van twee categorieën was, want bij mij verjoeg de pijn iedere honger en soms kon ik drie dagen nauwelijks vast voedsel naar binnen krijgen. Dan leefde ik op de liters door mijn moeder toebereide warme chocolademelk.

Ara reageerde aanvankelijk narrig en boos op mijn opmerking en ze gromde dat het dan wel voor iedere vrouw verschillend zou zijn, dat de een meer honger kreeg en de ander minder. Haar zussen waren ook hongeriger als ze hun periode hadden.

'Dat kan zijn,' zei ik, omdat ik altijd bang was dat ze boos zou blijven en dan dagenlang geen woord met mij sprak, maar in mijn hoofd zette ik het gesprek voort en ik vertelde haar dat je boos wordt, omdat je jezelf voor de gek gehouden hebt en omdat er weer een excuus om het zelfbedrog langer vol te houden, gesneuveld is en je nu zelfs niet één week per maand zonder schuld ongebreideld kunt eten.

Voor verslavingen moet je geen excuses zoeken, maar motieven. Excuses zoek je om geen spijt en schuld te hoeven voelen, maar een speurtocht naar jouw eigen motieven leidt je juist naar het hart van je schuld en daar, op die rare plek waar het duister is van onbegrip, pijn en ontkenning, daar ligt het enige terrein waar je de mogelijkheid geboden wordt om je schuld te veranderen in kennis. Met kennis valt te leven, met schuld niet.

De meeste mensen geloven dat dat halfzachte spreekwoord, *wat niet weet, wat niet deert*, dat dat ook voor jezelf opgaat, maar zo werkt het niet. Wat je over iemand anders niet weet, dat weet je niet en zolang je dat niet weet kan het je ook geen pijn doen, dat is zo klaar als een klontje, maar je weet in zekere zin altijd alles van jezelf. Dat is ook logisch, want jij bent de enige die zijn eigen leven helemaal in zijn eentje meemaakt en daar weet van zou kunnen hebben. Bij jou ligt iedere minuut van een leven opgeslagen, hoe dan ook. Bij wie anders? Dat maakt mensen op zijn minst nog interessant, dat ze een vat van wetenschap vormen van ten minste één leven, hun eigen.

Waar het nu eigenlijk allemaal om draait is de manier waarop je weet hebt van jezelf, dat is het belangrijkste. Sommige mensen weten niks van zichzelf. Ze hebben de enige echte wetenschap en geschiedenis niet tot hun beschikking en kunnen ze niet lezen, omdat ze die op de foute plek bewaren.

Schuld is zo'n wetenschap over jezelf die op de verkeerde plaats in je archief is opgeslagen. Ze is dan geen kennis van de schuld, maar ze heeft de vorm aangenomen van iets anders dan woorden, waardoor je er niks mee kunt en er alleen maar dik van wordt, of chagrijnig of lusteloos.

Kennis hoort thuis in de geest, waar anders? Ik zou niet weten waar de woorden anders konden verblijven dan in de geest. Ze lijken op geest en op ziel en op dat andere ontastbare, waarvan je weet dat je het hebt, maar dat je niet kunt zien en waarover je bijna niet kunt praten.

Zo zie ik het.

En daarom krijgt ook alle kennis die je eigenlijk over jezelf zou moeten hebben en die niet in die onzichtbare vorm van woorden in jouw ziel mag wonen, een andere gedaante, een zichtbare en een lastige, bijvoorbeeld een kilo overtollig vlees aan je lichaam of iets anders waaronder je lijdt en wat je met je meesleept en waarvan je niet weet waarom je het hebt, maar wat iedereen aan jou kan zien, omdat het ervoor zorgt dat je altijd dezelfde stomme fouten maakt.

'Aan excuses heb je niks, aan motieven wel. Niemand durft nog schuldig te zijn,' mompelde ik, omdat ik het laatste woord wilde hebben.

Ara draaide haar hoofd naar mij toe, boorde haar boze blik in mijn ogen en trok de wenkbrauw van haar linkeroog op. Ik kon er beter het zwijgen toe doen.

Met dat geleuter in mijn hoofd kan ik urenlang doorgaan, het is zo ongeveer de prettigste bezigheid die ik ken. Alles in het leven zoekt een vorm om zich tot uitdrukking te brengen, meen ik, en ik ben bijna twintig en ik kan mij geen mooier leven voorstellen dan het ontcijferen van al die vormen van uitdrukkingen, met als doel ze allemaal terug te voeren tot de lichtste en zwaarste van alle dingen: de woorden. Dat is het geluk en de bevrijding, het verwoorden van alles wat daar niet eens om vraagt.

Bij vlagen maak ik me zorgen over mijn toekomst, omdat ik er geen idee van heb hoe die eruit moet zien als je grote geluk ligt bij zoiets als denken en woorden.

Soms vind ik het ook echt zonde, dat ik steeds meer moeite heb om hardop te spreken en dat ik me ervoor schaam om lang aan het woord te zijn. Mijn stem faalt steeds vaker en altijd op de ongunstigste momenten.

De gesprekken die ik voerde zonder ze uit te spreken werden langer en mijn schriften voller.

Tegen Ara was ik nog het meest onbekommerd als ik een uiteenzetting hield, omdat zij de enige was die er nadrukkelijk om vroeg en omdat ze mij zo goed liet merken dat ze ervan hield om naar mij te luisteren.

Op gure winterdagen brachten we middagen en avonden door op onze meisjeskamers. We sloten de gordijnen, brandden kaarsen, dronken Coca Cola en aten chips met dipsausjes.

In de zomer trokken we naar Het Land van Moer, naar onze plek in het midden van het moeras, een klein eiland, dat alleen bereikbaar was als je over plassen en stroompjes water sprong. We droegen rubber laarzen, zij onder rokken van grote lappen gebatikte stof, ik over de strakzittende pijpen van een spijkerbroek. In Het Land van Moer kon niemand ons vinden en we konden er ongestoord plannen maken voor onze toekomst. Ara leunde met haar rug tegen een omgevallen boomstam, ik lag met mijn hoofd op een van haar brede dijen en ik praatte of zweeg, al naar gelang. Ara streelde mijn hoofd.

Vanaf mijn tiende waren dit de enige momenten in mijn

jeugd waarop ik me volkomen rustig voelde. Ik had nog geen andere manieren leren kennen om rustig te worden dan door zo in Ara's schoot te liggen, alleen met haar en met niemand anders in onze buurt. Zelfs als ik mijn boeken las, thuis, weggedoken in een grote leunstoel, bleef iets in mij gespitst op de anderen in huis, op mijn moeder in de keuken, op Chrisje, die zat te spelen, en op mijn afwezige vader en broers, die desondanks in huis rondwaarden, verbonden met alle dingen in die ruimte, die alleen zin hadden omdat ze herinnerden aan hen.

Zoals alle mensen die denken dat ze nog een leven voor zich hebben, dacht ik dat ik later manieren zou vinden om net zo rustig te worden als ik bij Ara was, dat die vriendschap met haar een voorproef was van hoe ik ooit met een geliefde zou zijn, hoe ik zo'n nabijheid kon verdragen en genieten.

Ik wist nog niet dat het eenmalig was en dat ik nooit meer, op die manier, met iemand anders zou zijn als ik toen, in die uren, met Ara was.

Ara en ik konden ons niet voorstellen dat we ooit niet bij elkaar zouden zijn. Ik zei tegen haar dat niemand mijn lichaam zo rustig kon maken als zij en zij zei dat ze altijd in mijn woorden wilde wonen.

Dat kwam goed uit.

Meestal waren ze ook voor haar bedoeld.

Ara onthield woordelijk wat ik ooit gezegd had. Op een dag zou zij het juiste moment bepalen om mij te herinneren aan een opmerking over haar. Dan boog ze zich voorover, peilde me met een rustige en strenge blik en vroeg mij of ik nog wist dat ik op die en die dag, toen we op mijn kamer waren en ik die bloes droeg en die broek en wij voor het eerst die nieuwe chips aten, die met een paprikasmaak, dat ik toen tegen haar gezegd had, dat zij zich vergiste, dat ze pijn en honger onterecht met elkaar verbond en dat haar buikpijn geen motief, maar een excuus was voor de honger en dat niemand zich nog schuldig wilde voelen. Ze zou mij vragen om dat nog een keer uit te leggen en ze zou daarbij altijd voluit mijn naam noemen.

Catherina.

Ze zou er alles aan doen om te voorkomen dat ik ontsnapte aan haar blik, zodat ik goed kon zien hoezeer ze verlangde naar een antwoord. Op haar gezicht stond te lezen dat ik alles tegen haar kon zeggen, dat ik me nergens voor hoefde te schamen, en tegelijkertijd zou het die uitdrukking hebben die ik zo goed van haar kende, omdat ze die altijd had wanneer ze ontdekte dat een van haar woorden was zoekgeraakt. Haar gezicht werd dan getekend door een wrevelige, verontwaardigde paniek om haar eigen onwetendheid.

'Waarom eet ik dan zoveel, Catherina?' zou ze me vragen.

Ik gaf haar altijd een antwoord.

Al met al kun je gerust stellen dat je ongestoord een vrouw kunt worden, met jongens kunt vrijen, ontmaagd kunt worden, voor het eerst met een jongen naar bed kunt gaan – wat in mijn geval natuurlijk weer niks met ontmaagd worden van doen had – zonder een ander, rijper, wijzer of sterker mens te worden. Er gebeurt niks. Je straalt een dag of wat omdat je denkt dat je je nu heel anders moet voelen, maar die glans komt meer van de inbeelding dan van de werkelijkheid, want er verandert niks noemenswaardigs.

Ik vraag me meer en meer af hoe het moet, volwassen worden.

Ik wil het zo graag zijn.

Op mijn twaalfde leken mensen van twintig ouder en wijzer dan ik mij nu voel. Dan waren ze vaak al verloofd en stonden op het punt van trouwen, maar er is geen haar op mijn hoofd die aan trouwen denkt. Handje in handje met een jongen over straat lopen valt mij ook vies tegen. Het leek mij zoiets prachtigs toen ik er nog niet aan toe was, maar er is niks aan. Ik voel mij een volslagen imbeciel als een jongen mijn hand vastpakt en zo met mij over straat wil gaan, maar alle jongens willen dat graag. Het is nog behoorlijk lastig om de jongen met wie je officieel gaat, duidelijk te maken dat je los wilt lopen, op jezelf, en dat je niet wilt zoenen in het café en ook niet bij daglicht op straat, want het is wel duidelijk dat er dan geen gelegenheid overblijft, wat voor mij na een week of wat ook de ideale situatie is, want dan verveelt al dat zoenen me allang.

Ik weet niet wat het is met dat zoenen, maar voor mij voelt het alsof het op iets anders moet uitlopen, dat dat de eigenlijke bedoeling van het zoenen is, maar het kan een kwartier duren en dan leidt het nog nergens toe en daarom vind ik het zo verschrikkelijk saai. Het is een soort eten, maar dan zonder dat je iets binnenkrijgt, en waarom zou je zoiets stoms doen.

Zodra je afhaakt beginnen jongens onmiddellijk te zeuren dat je niet genoeg van ze houdt, wat natuurlijk waar is, maar wat ik dan met mijn achterlijke kop heel hard ga zitten ontkennen, zodat ze me nog meer willen zoenen en strelen en in hun armen willen houden en vanaf een bepaald moment kan ik daar helemaal niet meer tegen, dan verstijf ik als een lijk wanneer zo'n jongen me alleen maar aankijkt of een vinger naar mij uitsteekt. Het is onvoorspelbaar wanneer het gebeurt, maar het overkomt me steeds weer en altijd abrupt. Dan loop ik echt over van walging en dan ruik ik opeens de geur van iemands kleren of van zijn lippen na een zoen, en dan verdraag ik het niet eens meer om nog naar iemand te kijken, zo gigantisch is mijn afkeer, daar is geen verbergen meer aan.

Als dat weer eens zover is, heb ik het binnen een week uitgemaakt. Uitmaken is een naar karwei, want sommige jongens worden helemaal bleek van verdriet en dan heb je kans dat ik zo met ze te doen heb, dat ik nog een week doormodder, maar ze dan zo kil behandel, dat ze vanzelf wel inzien dat het niks meer wordt tussen ons en dat treuren en zeuren geen zin heeft. Het is ook altijd wel een beetje hetzelfde soort jongen waarmee ik omga, zo'n bleke, mooie jongen met smalle heupen, die nooit een cowboy of Marlon Brando naäapt, maar die zichzelf gemodelleerd heeft naar een of andere manisch-depressieve blueszanger met veel leed en geen andere mogelijkheid om zich te uiten dan door het zingen van droevige liedjes over harteloze ouders, mislukte liefdes en te veel drank. Ze spelen allemaal gitaar, schrijven Engelstalige gedichten, zeggen dat ze zich down voelen en ze rijden niet op een brommer. Zo'n soort jongen dus, die je niet graag verdriet zou willen doen.

Tot nu toe is anderhalve maand het absolute record. Langer hou ik het niet met iemand uit. Iedere keer neem ik me voor om er voorlopig nog niet aan te beginnen, omdat ik er toch niks aan vind om bij iemand te horen, maar na een maand of wat word ik wel weer verliefd en dan denk ik dat die verliefdheid groter is dan ooit en dat ik geen rust heb als ik die jongen niet krijg. Ik vergeet steeds dat achteraf blijkt dat die verliefdheid zelf het mooiste is, dat je het beste dan wel gehad hebt, en dat het veroveren van zo'n jongen er alleen maar voor zorgt dat je het mooiste wat je bezat om zeep helpt. Je kunt dat tien keer bedenken, het helpt geen zier. Een verliefdheid drijft je steeds naar de vernietiging van die verliefdheid toe.

Volgens mij zit het met de liefde pas goed als het je lukt om je verlangen te vervullen, zonder je verlangen zelf te vernietigen.

Meestal mislukt dat.

Behalve bij Ara.

Sinds ik een vrouw geworden ben, is de liefde wel een onderwerp dat erbij gekomen is en waarover ik net zo graag nadenk als over God, geluk, Ara en de dood. Ik ben bang dat ik een beetje raar ben in de liefde, want andere meisjes hebben veel meer voor een jongen over dan ik.

Omdat ik een grote mond had, werd ik op de MAVO ieder jaar tot klasseleidster gekozen en dan was het de bedoeling dat je het klasseboek bijhield en dat je anderen hielp met schooldingen, maar de problemen die ik op mijn bord kreeg waren voor tachtig procent liefdesproblemen, vooral van meisjes. Zo ontdekte ik in ieder geval dat de meeste meisjes de jongen met wie ze gaan niet zo snel mogelijk weer kwijt willen, zoals ik, maar dat ze hem het liefst voor altijd aan zich willen binden en dat ze daar alles voor doen. Ik schrok me rot toen ik voor het eerst van een van hen hoorde dat ze bang was zwanger te zijn. Dat betekende dat ze het met die jongen had gedaan. En ze was nog jonger dan ik, pas veertien of zo.

Verder waren die liefdesproblemen oninteressant, want ze staken altijd op dezelfde manier in elkaar. Of iemand wilde iemand anders en wist niet hoe die te krijgen, of iemand was verlaten door iemand en wist niet meer hoe verder te leven.

Pubers zijn walgelijk dramatisch.

Eigenlijk verbaasde het me nog het meest dat mijn klasgenoten zo schaamteloos konden zitten puberen, zonder ook maar een seconde in de gaten te hebben dat ze het hele scala van pubertoestanden doorliepen die al die stomme pubers in waardeloze puberboeken voorgeschreven krijgen om mee te maken. Je moest wel heel lang zoeken naar iemand die niet bezig was met problematische ouders, puisten, protesten tegen de hele wereld en die niet leden aan de liefde.

Wij puberden niet bij ons thuis.

Bij ons leed ook niemand aan de liefde.

Mijn moeder zei dat we ons van die liefde vooral niet te veel moesten voorstellen en dat we er voorlopig beter niet aan konden beginnen, dat we nog tijd zat hadden voordat we ons met handen en voeten zouden binden aan iemand anders en dat we zo lang mogelijk moesten genieten van onze vrijheid.

Dat deden wij ook.

Mijn oudere broers waren al in de twintig en die hadden nog steeds geen meisje voor vast. Je zou denken dat mijn moeder daar dan ook blij om was, maar dat was ze niet. Ze verzuchtte regelmatig dat het toch wel raar was dat die van ons nou nooit eens aan een leuk meisje bleven hangen en dat de vrienden van mijn broers allang onder de pannen waren.

'Waarom moet ik nu weer zulke abnormale kinderen hebben?' zei ze.

Als Willem en Makkie in het weekend thuiskwamen en hun tassen met vuil wasgoed in de bijkeuken neerzetten, zei ze dat ze het geen wonder vond, dat die van ons geen meisjes konden krijgen, als je er zo bijliep, met dat lange piekhaar en in die flodderige, gore spijkerbroeken. Mijn haar kwam nu ook tot ver over mijn schouders en ik zei tegen mijn moeder dat ik toch ook lang haar had, maar dat je aan jongens nu eenmaal veel beter kunt zien dat het hippies zijn en dat mijn broers er in een grote stad, op zo'n universiteit, wel zo bij moesten lopen, omdat ze anders uitgestoten zouden worden als excentriekelingen en dat zij er nog honderd keer meer verdriet van zou hebben, als onze jongens met de nek aangekeken zouden worden door anderen.

'Dat is ook weer waar,' zei mijn moeder.

Met mijn moeder kun je goed praten. Als het erop aankomt is ze altijd voor rede vatbaar.

Ze vroeg zich af van wie wij die drang tot lezen en leren hadden geërfd, want het kon niet aan onze vader liggen en ook niet aan haar. Sinds hun huwelijk hadden zij allebei geen ander boek meer in handen gehad dan het missaal en heus niet omdat ze niet van boeken hielden. Zij las graag, als kind, en zij had niets liever gewild dan doorleren, net als haar zussen en broers, maar ze zou niet weten waar ze de tijd en de rust vandaan had moeten halen, met zo veel kinderen.

'Begin er maar nooit aan,' zei ze tegen mij, 'je hebt er alleen maar leed van.'

Het is waar. Ik ben er zelf getuige van.

Om mij hebben ze ook zorgen, maar minder dan om de jongens.

'Naar ons Kit hebben we geen omkijken,' zegt mijn moeder tegen mijn vader en die beaamt dat en die zegt dan dat ik het zonnetje in huis ben. Dat vind ik wel een prima taak voor mijzelf, het zonnetje in huis te zijn, want als iemand in een familie heel erg zwaar op de hand is, dan moet er ook iemand zijn die flink tegenwicht biedt, anders stikt het zaakje.

Volgens mijn moeder kan een meisje zich in dit leven beter redden dan een jongen. Een man heeft een vrouw nodig, maar een vrouw kan het best zonder man stellen.

In het dorp kun je dat goed aflezen aan de mannen en vrouwen die overblijven als hun wederhelft gestorven is. Mannen verkommeren binnen een maand en de weduwen bloeien op en beginnen eindelijk eens aan een leven voor zichzelf.

Voor haar had het niet gehoeven, zei mijn moeder, dat haar kinderen goed konden leren en naar de universiteit gingen. Anderen hadden het een stuk gemakkelijker met hun kinderen, die gewoon waren en na een beroepsopleiding keurig in het pak liepen en de kost gingen verdienen, zodat die ouders nog wat aan hun kinderen hadden en zoals dat voor ons soort mensen ook in de lijn van de verwachtingen lag en goed was. Wij haalden ons vreemde dingen in het hoofd, omdat we altijd met de neus in de boeken zaten en daarin dingen lazen, die voor eenvoudige mensen onbegrijpelijk waren.

Ik had met haar en met mijn vader te doen.

Dit is een roteeuw voor ouders.

Ze hadden al een oorlog meegemaakt en een hongerwinter, waren zelf nooit als kinderen behandeld en ze wilden het allemaal goed doen voor ons, zodat wij het beter hadden, en dan bleek opeens dat het onmogelijk is om een goede ouder te zijn in de twintigste eeuw. Zonder ooit een letter van Freud te hebben gelezen wisten zij dat.

'Hoe we het ook doen, we kunnen het als ouders toch

nooit goed doen, wij krijgen altijd de schuld,' gaf mijn moeder als de kernachtige samenvatting van hun lot.

Ik besloot nog een tijdje bij hen te blijven, een vaste vriend te nemen, een echt diploma voor ze te halen en eens een kokerrokje te proberen.

Vandaar dat ik nu op de pedac zit en met Matthias ga. In een kokerrok valt met geen mogelijkheid normaal te lopen, dus ik hou het op een plissérok voor de zondagen, ook al zijn die niet erg modern.

2

Van het leren heb ik aardig de smaak te pakken, van de liefde nog steeds niet.

Sommige vakken beginnen mij een vermoeden te geven van wat ik leuk vind en het enige nadeel van de pedac is dat ik nog steeds zo veel onzin moet leren, wat ik zonde vind van de ruimte in mijn hoofd. Wat echt leuk is, zijn pedagogiek en psychologie, en een van de leraren die we daarvoor hebben ook. De psychologieleraar heet Verkruysse en hij ziet eruit zoals je je een psycholoog voorstelt, wanneer je er nog nooit een hebt gezien.

Verkruysse is onze klasseleraar. De eerste opmerking die hij maakte was waarom een jongedame, op de natuurlijk zeer eerbiedwaardige en bovendien uiterst aantrekkelijke leeftijd van negentien jaren, met de eindcijfers HAVO die ik behaald had en met een dossier waar Freud zich de vingers bij zou aflikken, zich bereid getoond had om de drempel van de natuurlijk onvolprezen, maar desalniettemin verguisde pedagogische academie te overschrijden.

Dat legde ik hem zo goed en zo kwaad als het ging uit.

Uit de toon waarop hij daarna tegen mij zei: 'Je legt een lange weg af, Buts,' klonk geen cynisme meer door en daarom moest ik ervan blozen. Hij maakte het nog erger door dichter bij mij te komen staan en tegen mij te zeggen dat nederigheid de mens siert en dat het einde nu in zicht was en dat ik over twee jaar met het echte werk kon beginnen.

Het is aan de ene kant prettig als iemand hoge verwachtingen van je heeft, maar aan de andere kant kan ik er ook helemaal niet tegen. Ik heb er geen idee van wat ik over twee jaar zal gaan doen. Bovendien is het toch wel verschrikkelijk oenig dat je, als iemand ook maar een beetje aardig voor je is en het goed met je voorheeft, dat je dan onmiddellijk zo verliefd op iemand moet worden.

Het zal wel iets met de hormonen te maken hebben.

Ook al wil je niet puberen, die hormonen zijn dwars tegen jouw wil in heel hard aan het werk op deze leeftijd.

De uitleg die ik hem gaf was niet eens van mijzelf. Ik had hem gezegd dat ik het leren had moeten leren en dat was letterlijk wat Barten van Nederlands enkele jaren eerder op de MAVO tegen mij had gezegd.

Barten was aangesteld op de middelbare school in ons dorp in het jaar dat ik de tweede klas moest overdoen. Ara zat al in de derde en de enige tijd die ik tot dan toe aan huiswerk besteed had, waren de uren waarin ik Ara hielp met de vreemde talen. De vreemde talen waren voor haar moeilijker dan wiskunde, natuurkunde en scheikunde, want ze moest een woord eerst horen, voordat ze het kon gebruiken. Spellend kwam ze er niet achter hoe ze een woord moest uitspreken.

'Met alle woorden die ik spreek en schrijf moet ik eerst persoonlijk kennismaken,' zei ze. 'Een woord dat ik nog nooit onder handen heb gehad, daar schrik ik van, dat is voor mij ontoegankelijk.'

Ik had haar gezegd dat ze een enorm geheugen moest hebben, beter dan wie ook, want alle woorden die ze kende zaten dus ook allemaal opgeborgen in haar hoofd en de enige die dat ook had was onze Willem, maar die hoefde de woorden niet te leren, want die had een fotografisch geheugen en als hij een woord één keer gezien had, dan was dat voldoende om het een leven lang te onthouden.

Van de vergelijking met onze Willem genoot Ara en ze zei dat ze zich alleen maar knap voelde als ik in de buurt was en dit soort dingen tegen haar zei. Van pure vreugde begon ik te ratelen en ik zei dat ik wel permanent naast haar wilde zitten, waar ze ook was, voor eeuwig en altijd, in de klas en overal daarbuiten, zodat ik haar de woorden die ze nog niet kende, kon influisteren en haar daarmee hielp om iedere dag een aantal woorden te veroveren die nog niet eerder in haar hoofd hadden rondgedoold.

Ze keek me ernstig aan en zei dat ze dat wel zou willen, maar dat het toch niet zo zou gaan, ons leven.

'Waarom niet?' vroeg ik angstig en nieuwsgierig.

'Jij zult op een dag weggaan,' zei ze overtuigd.

Voor het eerste opstel dat ik bij Barten indiende gaf hij mij een negeneneenhalf en hij vroeg mij of ik het hardop wilde voorlezen, aan de klas. Ik weigerde, want ik had het alleen voor hem geschreven.

Hij wilde mij na de les graag even onder vier ogen spreken, zei hij en daarom had ik vijftig minuten lang geen woord verstaan van wat er allemaal gezegd werd, zo opgewonden was ik door het vooruitzicht om met hem alleen te zijn en misschien van hem te horen waarom hij het een goed opstel vond.

We hadden uit drie titels mogen kiezen: *Je eigen kamer*,

Niemand begrijpt mij en *Partir c'est mourir un peu.* Ik had de laatste titel gekozen en deze zo naar mijn hand gezet, dat hij boven een nauwkeurig verslag van een van mijn favoriete fantasieën kon staan, over hoe het was om iedereen van wie ik hield te verlaten en mij te begeven op de weg naar de dood.

Het was een heel ingewikkelde fantasie, waarvoor ik inderdaad in gedachten steeds dezelfde weg moest afleggen, die vanuit mijn slaapkamer leidde naar Het Land van Moer en dan verder en nog verder, totdat ik het Grote Niets naderde en mij levendig kon voorstellen zonder iemand te zijn en ten slotte zelfs zonder mijzelf. Dat laatste kon ik nooit helemaal denken, want ik was bang dat ik dan gek zou worden. Daarom had ik het opstel ook besloten met de opmerking dat je in het leven alleen maar kunt nadenken over een beetje doodgaan, want als je je het helemaal kunt voorstellen, dat je dan mal wordt in je hoofd. In een opstel moet je je altijd aan de titel houden.

Barten wachtte geduldig tot iedereen de klas verlaten had en vroeg aan Mieke Theunissen, die natuurlijk een eeuwigheid bij mijn tafeltje had staan treuzelen in de hoop dat ze bij het gesprek mocht blijven, of ze de deur achter zich dicht wilde trekken. Toen waren we alleen. Ik was bang dat ik van de zenuwen en van de verlegenheid geen woord over mijn lippen zou kunnen krijgen en ik hoopte ineens vurig dat het gesprek niet over mijn opstel zou gaan. Ik schaamde me dat ik het geschreven had en ik vroeg mij af wat ik daarmee bij Barten had willen bereiken.

De tafel van de leraar stond op een kleine verhoging. Barten was ervan afgestapt en liep naar een van de banken in de voorste rij. Hij trok een stoel naar achteren en gebaarde mij op de stoel naast hem plaats te nemen.

Ik vond een leraar alleen al aantrekkelijk omdat hij leraar was, maar Barten was ook nog eens echt mooi. Hij was jong, mager, lang, had sluik haar en liep met een wat gekromde rug, wat hem een gekweld aanzien gaf. Om hem heen hing de zoete geur van pijptabak. Ik vermoedde dat hij in zijn vrije tijd gedichten schreef, die hij aan niemand liet lezen. Ook niet aan zijn eigen vrouw.

De trekken in zijn gezicht waren zacht en vriendelijk, zonder week te zijn, maar het bijzonderste in zijn gezicht waren zijn ogen. Ze zijn van een zeldzame soort en ik had ze pas een keer eerder in mijn leven gezien, bij Hendrik.

Ik denk dat dit het soort ogen is waarvan ze zeggen dat ze diepliggend zijn. Ze hebben iets Chinees, want van het bovenste ooglid kun je niks zien, zodat er alleen maar zo'n mooi, strak streepje overblijft, dat dan het zicht op minstens de helft van de iris wegneemt. Als het gebied tussen de wenkbrauwen en de iris vlak is en als dat iele lijntje ook nog eens schuin naar beneden loopt, dan lijkt het of de mensen die dat hebben, heel veel weten en daar weemoedig van geworden zijn.

Barten had dat en Hendrik ook.

Vanaf mijn twaalfde mocht ik ieder jaar op zomerkamp, met de meisjesclub, en tijdens het derde kamp heb ik Hendrik ontmoet. Hij zat in het jeugdwerk en deed iets met moeilijk opvoedbare kinderen. In die zomer van 1970 werkte hij samen met een andere jongen als vrijwilliger op de boerderij waar wij onder begeleiding naar toe togen en gillend met zijn dertienen binnendromden.

Het eerste wat mij aan hem opviel waren die ogen.

Ik werd pas verliefd op hem nadat hij mijn handen verbonden had.

De dagen van het zomerkamp waren van ontwaken tot bedtijd vol van spelen en uitstapjes. Op de derde dag van ons verblijf, werden we in het begin van de avond in groepen verdeeld. Iedere groep kreeg een opdracht en moest die binnen een bepaalde tijd vervullen. De groep van vier, waartoe ik behoorde, moest de krant van die dag bemachtigen. De boerderij lag aan de rand van een dorp en het dichtstbijzijnde huis bevond zich op enkele honderden meters afstand. We holden naar buiten en op de pas geplaveide oprit van de boerderij struikelde ik, viel en probeerde met mijn handen de val te breken. Tegen de overige meisjes riep ik dat ze verder moesten rennen, ik krabbelde op en wachtte tot ze terug kwamen. Ik had pijn. Mijn handen waren geschaafd, bloederig, en ze zaten vol kleine kiezels.

Hendrik was echt bezorgd. Hij nam me mee naar de keuken, haalde een EHBO-trommel te voorschijn, nam mijn handen in zijn handen en verwijderde met een pincet, een voor een, de steentjes uit mijn handpalmen. Hij deed het zacht en uiterst voorzichtig.

Het duurde heel lang.

Het duurde mij te kort.

De daaropvolgende dagen week ik niet van zijn zijde.

Daardoor kon ik hem ook betrappen met die andere jongen.

Ik schrok er niet eens zo van. In mijn rode boekje had ik er al over gelezen en daarin stond dat het normaal was en veel voorkwam. Ze hadden het over minstens twintig procent van alle mensen en dat had ik toen niet kunnen geloven, want dan zouden ze ook bij ons in het dorp moeten wonen en op school moeten zitten en ik had er nog nooit een gezien.

Hendrik en die jongen waren wel geschrokken en Hendrik vroeg me of ik het eng vond, om ze zo samen te zien. Dat vond ik niet, maar ik vond het er wel een beetje klungelig en onpassend uitzien.

'O nee,' zei ik, 'helemaal niet.'

Hendrik liep naar mij toe, tilde mij op en droeg mij naar de keuken. Zoals hij dat sinds mijn val dagelijks had gedaan, wikkelde hij het verband van mijn handen en maakte de wonden opnieuw schoon door ze te deppen met jodium. Hij vroeg mij altijd of het pijn deed. Dit keer glimlachte hij nog vaker naar me dan anders en toen hij klaar was keek hij mij aan en zoende mij zacht op mijn mond. We hadden een geheim, wist ik.

Barten zou mij zonder omhaal van woorden zeggen wat hij had gedacht toen hij mijn opstel gelezen had. Hij had gedacht dat het onmogelijk was dat iemand die zo'n opstel schreef, een klas moest overdoen.

Verbaasd over de wending van het gesprek had ik gezegd dat het logisch was dat ik bleef zitten, want ik deed nooit iets aan mijn huiswerk en ik leerde niet voor de proefwerken.

Het stelde me licht teleur dat ons gesprek niet over mijn gedachten en de dood ging en dat hij me niet vroeg naar wat ik van het leven vond. Intussen zat ik mij af te vragen wat het schrijven van opstellen te maken had met hoe goed je was in andere vakken, maar ik durfde Barten geen opheldering te vragen over dat verband. Hij wilde van mij weten waarom ik mijn huiswerk verwaarloosde en mijn proefwerken niet voorbereidde.

'Lui, dom?' zei ik op een vragende toon.

'Daar geloof ik niks van, Kit,' zei hij, 'dan zou je niet

zo'n opstel schrijven. Verveel je je soms, hier?'

Ik aarzelde of ik hem eerlijk antwoord zou geven. Het moet toch vreselijk beledigend zijn voor een leraar om te horen dat je je dood verveelt tijdens de lessen. Dan is het toch alsof je zegt dat het geen goede school is en dat de leraren saaie pieten zijn en misschien vertelde hij dat wel door aan de directeur en dan moest ik weer een strafochtend uitzitten op de vrije zaterdag.

'Soms,' zei ik.

Ik zei er snel bij dat het niet door de school zelf kwam of door de leraren en dat ik Nederlands hartstikke leuk vond, het leukste van alles, maar dat het echt aan mezelf lag, dat ik mij nu eenmaal snel verveelde en dat ik ook al die boeken die ik in het tweede jaar kreeg al eerder gelezen had, omdat ik Ara hielp met haar huiswerk, en dat ik daardoor dacht dat ik het allemaal al kon en niks meer hoefde te leren, maar dat ik dan bij een proefwerk toch niet genoeg onthouden had om het helemaal goed te doen.

'Ara is Barbara Callenbach?'

'Ja,' zei ik, 'dat is mijn vriendin.'

Met een groeiend enthousiasme vertelde ik hem over hoe bijzonder ze was en hoe gek het met de woorden zat in haar hoofd en hoe ik bijna niet kon wachten om naar de derde te gaan, want dat Ara daar zoiets prachtigs had geleerd, bij biologie, van juffrouw Mares, iets waardoor je kon uittekenen of een kind blauwe of bruine ogen kreeg als het geboren werd.

'Genetica,' zei Barten. 'Biologie vind je dus niet vervelend?'

'O jawel,' zei ik, 'Plantjes vind ik alleen leuk om te tekenen, maar om ze te leren herkennen vind ik oersaai. Ik had ook een vijf voor biologie, maar die genetica, dat lijkt me leuk.'

'Wat vind je nog meer leuk?'

'Gymnastiek, tekenen, literatuur van alle talen, werkstukken en de schoolkrant maken en godsdienst,' zei ik, 'dus eigenlijk alleen maar stomme dingen.'

'Leren kun je ook leren, Kit,' zei Barten toen.

De volgende dag reikte hij mij een map aan en zei met een glimlach dat het niet uit ijdelheid was dat hij mij een werk van eigen hand liet lezen, maar uit vertrouwen. Het was zijn afstudeerscriptie pedagogiek, die hij geschreven had tijdens zijn laatste jaar op de kweekschool, in 1964.

Hij had er een briefje aan toegevoegd, zei hij, waarop stond welke delen voor mij belangrijk waren. De rest hoefde ik niet te lezen. Als ik iets niet snapte, kon ik bij hem terecht en als ik de scriptie uit had, moest ik hem even waarschuwen, dan zouden we het erover hebben.

'Schrik maar niet van de titel,' zei hij bij het weglopen.

Op school vertelde ik het aan niemand, zelfs niet aan Ara, maar eenmaal thuis pochte ik tegen mijn moeder dat Barten, die nieuwe van Nederlands, een verschrikkelijk aardige man, de aardigste leraar van de hele school, dat die belangstelling voor mij had en dat in die roze map zijn eigen afstudeerscriptie zat, die ik aan niemand, maar dan ook aan niemand anders mocht laten zien en dat hij graag wilde dat ik die las om er iets van te leren en dat ik nu gauw naar mijn eigen kamer ging om daarmee te beginnen.

Op iedere andere dag drentelde ik al een half uur voordat wij gingen eten rondom mijn moeder, in de keuken, om haar bezig te zien met het maken van de soep, met het schoonmaken van de groenten en om die heerlijke geur op te snuiven van het sissende vlees, dat net met de hete boter in aanraking is gekomen.

Ik had altijd honger.

Liggend op mijn buik op bed, had ik de geur opgesnoven van het vergeelde, keurig volgetypte papier, was begonnen op de eerste pagina van Bartens werkstuk en had geen honger gevoeld. Zelfs toen mijn moeder beneden aan de trap riep dat het eten klaar was, bleef mijn maag stil en het kostte me moeite om het werkstuk achter te laten en naar beneden te gaan.

'Daar moet wel iets heel bijzonders inzitten, in die map,' zei mijn moeder, 'dat die jou van de keuken weg kan houden.'

'Ja,' zei ik.

'Hoe heet het?'

'*Lastpakken*,' antwoordde ik, 'maar het is gunstig bedoeld, hoor.'

Het was zo gunstig bedoeld dat ik me onmogelijk kon voorstellen dat ik iets gemeen had met de kinderen die Barten beschreef. Na ieder hoofdstuk volgde een soort verhaal over een kind, waarmee Barten tijdens een stageperiode gewerkt had op een school voor moeilijk lerende kinderen. Cases heetten die verhalen in zijn werkstuk en ze droegen allemaal de voornaam van een meisje of een jongen. Meestal van een jongen. Het ging om kinderen die een klas op stelten zetten uit verveling, maar volgens Barten verveelden ze zich niet omdat ze de lessen te moeilijk vonden, maar te gemakkelijk. Sommige van die kinderen deden zich ook expres dommer voor dan ze waren, omdat ze anders bang waren door de klas of door hun familie uitgesloten te worden.

Ik was daar helemaal niet bang voor. En van de lessen vroeg

ik mij niet eens af of ze moeilijk of gemakkelijk waren; ze waren vooral vervelend, omdat ze nergens op sloegen. Wie wil er nu in zijn hoofd hebben zitten op welke breedtegraad Belgrado ligt of wat kruisbestuiving is? Het was doodzonde van de ruimte in mijn hersens, vond ik, om daar zulke stomme dingen in toe te laten en over kinderen die bang waren dat ze niet genoeg plaats hadden in hun hoofd stond niets in *Lastpakken*.

Misschien kwam het nog. Aan de hoofdstukken vier en vijf, die mij speciaal door Barten waren aangeraden, was ik nog niet toegekomen. Ze hadden als titel 'Buiten' en 'Binnen' en volgens Bartens briefje zou de case van Johnny uit hoofdstuk vijf mij wel aanspreken.

Het was nog veel erger. Na het lezen van het vijfde hoofdstuk uit *Lastpakken* deed mijn hart pijn, omdat ik zo verlangde naar het onmogelijke: ik wilde dat ik in 1962 een leerling was geweest van de LOM-school, in de hoedanigheid van mijzelf, maar dan met het karakter van Johnny, dat ik daar dan dat lastige kind was, waarop Barten vanaf de dag van zijn binnenkomst zijn liefdevolle en begrijpende blik liet vallen en dat hij sedert dat moment uit volle macht probeerde te redden van een gewisse ondergang.

Johnny is veel origineler dan ik en hij is er ook stukken slechter aan toe. Zijn moeder drinkt en zijn vader is er nooit en Johnny speelt dan een beetje voor vader bij hem thuis. Hij zorgt goed voor zijn jongere broertje en zusje, dat is werkelijk ontroerend om te lezen. Barten schrijft dat Johnny zich niet alleen zo verveelt in de klas omdat hij slimmer is dan de rest, maar ook omdat hij de spanning mist die hij thuis altijd voelt.

Voor mij gaat dat allemaal niet op. Ik kan zo vier kinderen uit mijn klas noemen die tien keer slimmer zijn dan ik en wij hebben nooit ruzies thuis. Mijn moeder neemt alleen met nieuwjaar een advocaatje met slagroom en mijn vader zie ik iedere dag wel even.

Wat Johnny en ik wel gemeen hebben is dat we houden van opstellen schrijven. Johnny schrijft zich ook suf en Barten heeft hem zover gekregen dat hij zijn dagboeken aan hem heeft laten lezen. Daar moet ik niet aan denken, dat iemand mijn dagboeken ooit zou lezen. Ik zou mij doodschamen.

Ik moet tegen Barten zeggen dat ik snap wat hij bedoelt met binnen en buiten en ook met de moeilijke woorden daarvoor: interne en externe motivatie. Hij heeft daar volkomen gelijk in. Net als Johnny voer ik ook geen steek uit als ik zelf ergens de zin niet van inzie. Verder moet ik hem vragen wat je ervoor moet doen om zo'n werkstuk te kunnen schrijven, want dat is nu nog eens echt interessant, om zoiets te kunnen doen. Eigenlijk weet ik al wat hij dan gaat zeggen. Dat dat dus met externe motivatie te doen heeft.

Het duurde een hele tijd voordat ik in slaap viel. Het laatste wat ik bedacht was dat ik toch nooit tegen Barten durfde te zeggen wat ik allemaal bedacht had dat ik tegen hem zou gaan zeggen.

3

Eerst kwam het onregelmatig, na een jaar niet meer en in november 1974 werd ik, enkele dagen na mijn negentiende verjaardag, om elf uur des ochtends, door dr Van Dalfsen in het ziekenhuis in de stad met een eendebek ontmaagd. Die was voorverwarmd.

Er zijn meisjes die het slechter treffen dan ik. Met de levensgeschiedenis die zich tot op dat moment had voltrokken, vond ik de gang van zaken heel goed bij mij passen. Om de een of andere reden krijg ik de dingen nooit zoals ze van zichzelf zijn.

'Heb je geen pijn meer?' had mijn moeder me weleens gevraagd.

'Nee,' zei ik dan.

'Gelukkig maar.'

Ik vertelde er niet bij dat ik ook nooit meer bloedde.

Dat vertelde ik pas toen ze me wat lacherig vroeg of ze voor mij niet nog eens wat nieuwe maanddingen moest aandragen en ik haar antwoordde dat dat niet nodig was, omdat ik er weer vanaf was.

'Hoe, vanaf?'

'Ik heb het niet meer.'

'Sinds wanneer niet?'

'Ik weet het niet. Een poos. Een jaar ongeveer, denk ik.'

De huisarts deed niks inwendigs met mij; hij schreef mij een pillenkuur voor. Daar zou het vanzelf wel weer door op gang komen.

Van binnen kwam niets op gang, maar van buiten wel. In een mum van tijd groeide er vier kilo extra vlees aan mijn lichaam en ik schrok als ik onverwacht een glimp van mijzelf opving in een etalageruit. In plaats van een kleine spriet liep daar een bolvormig wezen dat ik eigenlijk niet kende. In mijn hoofd woog ik nog zevenenveertig en wat ik daar zag hobbelen paste niet bij dat gewicht.

Het kwam door de hormonen, zei de huisarts en hij schreef mij nog een tweede kuur voor.

'Een knappe meid die het hier niet van wordt,' zei hij toen hij mij het recept aanreikte.

Na weer een bloedeloze maand was ik opgeblazen tot drie-envijftig kilo en werd ik door de huisarts verwezen naar het ziekenhuis. Als ik mensen ontmoette die mij een maand lang niet gezien hadden, schaamde ik me.

Dr Van Dalfsen was vast wat omzichtiger met mij omgesprongen, als hij geweten had dat ik nog maagd was en dan had hij mij zeker niet ook nog eens door drie mannelijke co-assistenten laten betasten. De enige die iets in de gaten had was een verpleegster, die naast het hoofdeinde stond van de bank waarop ik lag, en die af en toe het zweet van mijn voorhoofd wiste. Ik hield onmiddellijk zielsveel van haar, maar als ik haar de volgende dag op straat was tegengekomen, had ik haar niet herkend.

Het komt omdat je er zo bespottelijk bijligt en je onge-

makkelijk voelt. Heimelijk probeerde ik van mijn ontmaag-
ding te genieten, door erover na te denken en steeds maar
voor mijzelf te herhalen dat dit een belangrijk moment in
mijn leven was, hoe dan ook. Door mij als een gewone patiënt
te behandelen, die iets met haar lichaam had, hielp de verpleegster mij om dat genot van een bijzondere inwijding
verborgen te houden.

Als iemand jou in een penibele situatie laat merken met je
te doen te hebben en je op de een of andere manier wil helpen, dan krijg je zoiets slaps over je, dat je van pure dankbaarheid alles voor die ander zou willen terugdoen. Maar als
je er zo bijligt zoals ik erbij lag, kun je geen kant op en omdat
je zo hulpeloos bent, komt vanzelf de liefde over je.

Om je eens heel erg verliefd te voelen, moet je gewoon een
keer met iemand een ongeluk krijgen of je met zijn tweeën
laten opsluiten in een hok van een bij een en je laten gijzelen
door een halve krankzinnige, dat werkt altijd. Samen in een
bootje zitten en overvallen worden door een storm doet het
ook goed. Dan word je zelfs verliefd op iemand aan wie je
geen seconde aandacht zou besteden als je bij je volle verstand bent en je leven niet bedreigd wordt door de dood,
maar gewoon, onaangedaan voortkabbelt.

Liefde en angst hebben met elkaar van doen, dat kan niet
anders. Volgens mij praten ze daarom ook over een huwe-
lijksbootje, omdat je, als je eenmaal samen in een bootje zit,
natuurlijk geen kant meer op kan en omdat de liefde, als je
zo afhankelijk van elkaar bent, vanzelf over je komt.

Het wijde gevoel tussen mijn benen was niet onaangenaam,
maar het maakte dat ik liep alsof ik urenlang had paardge-

reden. Voordat ik terug mocht naar de kleedkamer, had de dokter me verzocht plaats te nemen, omdat hij nog een formulier moest invullen. Ik kon aan niks anders denken dan dat ik geen onderbroek aanhad en omdat ik toch een beetje verliefd wilde zijn op de man die mij ontmaagd had, wist ik niet wat ik op zijn vragen moest antwoorden. De inhoud ervan kwam niet door. Hij voelde mijn handen, mompelde 'nat' en noteerde iets op een formulier. Hij stelde vragen, kreeg geen antwoord, bromde toen dat daar beneden alles piekfijn in orde was en dat er nu maar eens een dokter daarboven in dat doosje moest gaan kijken.

Ik begreep niet wat hij bedoelde.

Ze hadden al aan mijn hoofd gezeten, met kabels en elektriciteit, waarvan ik niks gevoeld had, maar wat toch een uitslag opleverde waar mijn eigen huisarts blij om was geweest.

'De hersens zijn goddank in orde,' had hij nog tegen mij gezegd en dat er daarom een inwendig onderzoek moest plaatsvinden. Die woorden hadden me verbaasd, want dat betekende dat het hersenonderzoek niet voor inwendig doorging. Ik kon mij met geen mogelijkheid een inwendiger onderzoek voorstellen dan dat iemand met behulp van een apparaat iets te weten kwam over hoe het brein in mijn hoofd werkte.

Terwijl ik in de kleedkamer stond en mijn kleren aantrok, klopte iemand zachtjes op de deur en opende die zonder mijn reactie af te wachten.

'Ik denk dat je dit wel nodig zult hebben,' zei ze en ze reikte mij een Kotex aan.

Het was waar. Ik had het niet eens opgemerkt.

In de geel betegelde gang zat mijn moeder op een houten

bank. Ze zat op mij te wachten. Daarvoor noch daarna heb ik mijn moeder ooit met zo'n zachte blik naar mij zien kijken. Ze had compassie met mij, ik zag het. Tot mijn verbazing schoten mijn ogen opeens vol tranen. Het was vreemd, want het laatste wat ik wilde was dat ik voor mijn moeder iemand zou zijn met wie zij te doen had, maar ik vond het veel te ingewikkeld om haar duidelijk te maken dat zij geen medelijden met mij hoefde te hebben en dat mijn tranen niks te maken hadden met de reden waarom zij zo naar mij keek.

'Kom,' zei ze, terwijl ze mij haar arm aanbood 'we gaan een heerlijk gebakje eten bij De Gulden Zwaan.'

Met een dichtgeschroefde keel van geluk liep ik naast haar, overweldigd door dankbaarheid jegens de dokter en zijn eendebek en jegens de verpleegster en bovenal jegens mijn moeder, die daar had gezeten, op dat bankje in het ziekenhuis en toen zo naar mij keek. Het enige dat ik op dat moment betreurde was dat ik haar niet kon zeggen waarom ik hondsgelukkig was.

Ze schrok er wel erg van toen ik zei dat ik van de dokter nu met de psychiater van het ziekenhuis moest gaan praten.

'Het zal wel allemaal door mij komen,' zei ze.

Ik bezwoer haar dat het routine was en hoorde bij het hele onderzoek en dat zij zich geen zorgen hoefde te maken, want dat zij een fantastische moeder was, dat vonden we allemaal, en dat wij heel blij waren met zulke ouders als zij en papa en dat zij alles voor ons over hadden en wij daar allemaal heel dankbaar voor waren, ook al was het moeilijk om dat te uiten, vooral voor de jongens, maar dat dat niet wilde zeggen dat zij dat niet ook vonden, want het waren toch goede jongens, ook al hadden ze nu wat te lang haar, ze waren toch niet aan de drugs en zo, en ze kwamen ons ieder weekend opzoeken en dat dat bijna nooit voorkwam, in andere gezinnen, dat kinderen die al uit huis waren, zo trouw en regelmatig thuis bleven komen.

'Ja,' zei mijn moeder, 'ik ben misschien wel veel te goed geweest.'

Bij onze terugkeer uit de stad bleek Ara een bos veldbloemen bezorgd te hebben, die ze op mijn slaapkamer had neergezet. Naast de vaas lag een dichtgeplakte enveloppe. Ik wachtte tot mijn moeder mijn kamer uitliep, voordat ik hem opende en de kaart las die erin zat.

'Lieve Kit. Ik hoop dat de dokter je geen pijn heeft gedaan. Daar zou ik niet tegen kunnen. Het is niet prettig dit voor het eerst kunstelijk mee te maken. Natuurlijk is fijner. Ik denk al de hele dag aan je. Ara.'

Ara snapte het ook niet. Het gaf niet. Het was waarschijnlijk ook iets raars met mij, dat ik er sterk aan twijfelde of ik natuurlijk wel prettiger zou vinden dan kunstmatig.

'Ze kan toch wel heel lief zijn, soms,' zei mijn moeder, toen ik weer beneden was, maar toen ik mijn jas aantrok en aanstalten maakte om Ara onmiddellijk op te zoeken, was ze waarschijnlijk een beetje beledigd, omdat we samen zo'n bijzondere middag hadden gehad en ze nu misschien dacht dat ik niet genoeg had aan haar.

'Het is Ara voor en Ara na,' zei ze gepikeerd. 'Ze hoeft maar een kik te geven of jij bent in alle staten. Je draagt haar de kont na, Kit. Je zou je niet zo moeten laten kennen.'

Ik dacht eraan hoe mijn moeder op mij had zitten wachten in het ziekenhuis en besloot haar gelijk te geven. Ze had ook gelijk, maar het maakte mij niet uit. Ara kon zich nu eenmaal veel beter beheersen en was een trotser en onafhankelijker iemand dan ik.

Ik ben verschrikkelijk afhankelijk van Ara, geloof ik.

Mijn moeder zegt dat het komt omdat ik te eenkennig ben en al mijn zinnen heb gezet op Ara en dat ik al die andere vriendinnen te goed laat voelen dat ze gerust mijn vriendin kunnen zijn, maar dat ze altijd het vijfde rad aan de wagen zullen blijven, omdat ik Ara al heb.

Het is wel eens voorgekomen dat ik, als ik vroeg thuis was van de pedac en zeker wist dat Ara ook thuis was, dat ik dan een uur wachtte, om uit te proberen of Ara een keer het heft in handen nam en mij kwam opzoeken, omdat ze net zo verlangde naar mij als ik naar haar en de gedachte onverdraaglijk vond dat ik daar maar thuis zat en zij in haar eigen huis en wij al een uur samen hadden kunnen doorbrengen. Het werkte nooit. Ara kwam niet. Na een uur hield ik het niet meer vol en ging, licht verongelijkt, naar Ara toe.

'Waarom kwam je niet naar mij?' vroeg ik dan.

'Hoezo?'

'Ik ben al een uur thuis.'

'Weet ik.'

'Waarom kwam je dan niet?'

'Ik weet toch dat jij komt,' zei Ara dan, terwijl ze me mysterieus en machtig toelachte.

'Maar heb je dan geen behoefte om mij onmiddellijk te zien?'

'Nee,' zei ze, zonder haar gezicht te vertrekken. 'Ik hoef je niet per se te zien. Jij bent toch altijd bij me.'

Dat is een van de dingen waarom ik Ara zo bewonder.

Ze kan zonder blikken of blozen opmerkingen maken waarvan jij denkt dat het niet hoort, omdat die zo keihard of zo superromantisch zijn.

'Ach, laat ik ook maar hier blijven,' zei ik tegen mijn moeder en trok mijn jas weer uit. Ik was opeens heel moe en misselijk. Dat heb ik wel vaker als ik niet weet wat ik moet doen, omdat ik twee dingen tegelijk wil.

'Heel verstandig, kind,' zei mijn moeder. 'Jij hebt het toch niet nodig om achter iemand aan te lopen. Laat ze maar naar jou toe komen. Blijf maar fijn hier, dan zet ik nog een lekker kopje koffie voor ons tweeën. Of zal ik wat warme chocolademelk voor je maken? In de koelkast staat ook nog zo'n mager toetje, van mijn dieet, maar dat mag je wel hebben als je daar zin in hebt.'

Sinds ik dieet denk ik alleen nog aan eten en sinds ik aan eten denk, word ik alleen maar dikker. Van ieder koekje, iedere snee brood, plak beleg, van ieder grammetje gestoofd of gebraden vlees, van iedere schep groente en aardappelen en van ieder stuk fruit, chocolade of taart weet ik inmiddels hoeveel calorieën erin zitten.

Ik kan niks meer in mijn mond stoppen zonder tegelijk een getal op te eten.

Als het getal dat bij een bepaalde etenswaar hoort, mij onbekend is, dan durf ik niet te eten voordat ik weet wat het me aan calorieën kost.

Op het moment dat ik mij erover begon te verbazen dat ons Chrisje gewoon drie borden friet at, met mayonaise en met een frikadel speciaal (minstens 1600 calorieën), zonder dat hij daar in één klap dik van werd, terwijl ik mij beperkte

tot een handvol friet, de mayonaise ingeruild had voor picca-
lilly en de knakworsten voor een zure bom en daardoor aan
die hele friet niks meer aan vond, begon ik ook te begrijpen
waar de fout zat. Vooral toen ik een uur na het eten alle
koude frikadellen opat die nog over waren, omdat mijn
moeder er maar niet aan kon wennen dat ze veel minder
hoefde klaar te maken sinds de jongens uit huis waren.

Je wordt niet dikker van eten als je niet al dik bent.

Het zit hem namelijk niet in het eten, maar in het verbod
dat je jezelf hebt opgelegd.

Ik moest er gewoon mee ophouden steeds aan verboden
eten te denken.

Maar toen ging het al niet meer.

Nog een jaar lang kon ik niet eten zonder daarbij tegelijkertijd aan het eten te denken. En dan bedoel ik niet te
denken of het mij wel of niet smaakte, maar dan bedoel ik
denken aan de verbintenis tussen hoe lekker het eten was
en wat dat genot ongeveer aan calorieën opleverde.

Ik ben ermee opgehouden om te zeggen wat het aan calorieën kostte, omdat ik ermee opgehouden ben het voedsel de
schuld te geven.

Voedsel is schuldeloos.

Alleen mensen kunnen schuld hebben.

Wat ik nog niet wist was, dat ik moest ophouden met het
denken aan eten als ik níet at. Dan kon je wel denken aan koken, aan het inslaan van ingrediënten en hoe je die allemaal
zou gaan mengen en je verheugen in het genot van de smaak
die in de zeer nabije toekomst lag, maar je moest niet denken
aan eten zelf. Het denken aan eten als je niet eet is namelijk
een van de essenties van de verslaving en van de obsessie,
maar dat wist ik toen net zomin als dat ik wist dat ik een

wetenschapper zou worden die van de verslaving haar obsessie zou maken.

Ara was verbaasd toen ik haar uitlegde hoe het zat, met dat dikker worden van diëten en denken aan verboden eten.

'Dacht je daarvoor dan nooit aan eten?' vroeg ze.

'Niet dat ik weet,' zei ik.

Ze zei dat ze vanaf haar vijfde de hele dag aan niets anders dacht dan aan eten en dat het voor haar bijna onvoorstelbaar was dat anderen niet ook altijd aan eten dachten.

'Als ik 's morgens wakker word, is het eerste wat ik mij afvraag, of ik mij deze dag kan beheersen, of het mij vandaag zal lukken om niet te veel te eten. Bij het ontbijt eet ik minstens een boterham te veel en dan is de dag al mislukt. Dan heeft het brood het weer gewonnen en dan wint al het voedsel het ook de rest van de dag.'

Voor het eerst begon mij iets te dagen over een verschil tussen Ara en mij, een verschil dat ik al jarenlang voelde, in de vorm van een kolk in mijn hoofd of van een tegendraadse beweging in mijn maag, iedere keer als Ara iets beweerde waarvan ik niet kon begrijpen hoe iemand zoiets kon denken, maar waarvan ik nooit eerder had kunnen zeggen waar het hem in zat. Nu Ara vertelde over haar dagelijkse strijd tegen het voedsel, begreep ik opeens dat haar manier van verklaren het omgekeerde was van wat ik zelf dacht over het hoe en waarom van bijvoorbeeld zoiets als eten en dat wij, in het verlengde daarvan, meestal exact het tegendeel dachten over kwesties van oorzaak en gevolg.

Ik aarzelde of ik tegen haar zou zeggen wat mij te binnen schoot, of ik het onmiddellijk in een onaffe staat weg zou geven en haar daarmee gelukkig zou maken, of dat ik het nog een poos voor mijzelf zou houden, zodat ik op de gedachte kon broeden en dan in het geheim meer van haar zou begrijpen. Van het verzwijgen van een gedachte had ik bij Ara bijna net zo veel profijt als van het uiten ervan, want het bezit van een verborgen kennis over haar voelde zij haarscherp aan en de wetenschap dat ik over haar nadacht, maakte haar trots en liefdevol, ook al kende ze de inhoud van de gedachte niet.

'Het voedsel is je meest geliefde vijand, Ara,' schreef ik die avond in mijn schrift. 'Jij beschouwt het als iets grilligs en onvoorspelbaars dat jou vanaf buiten beloert en bedreigt, iets verleidelijks waarvan jij afhankelijk bent. In plaats van het eten te zien als iets waar jij controle en macht over hebt, als iets dat jij kunt willen en weigeren, van binnenuit, zie je het als iets dat de macht heeft overgenomen en over jou heerst. Jij hebt er de strijd mee aangebonden, alsof het buiten je staat en niets met jou te maken heeft. Misschien juist daarom. Misschien is eten een manier om iets buiten te houden wat binnen hoort.

(Dit klinkt wel heel gek.)

Als je vecht kun je verliezen of winnen en jij denkt dat het voedsel wint. Volgens mij is het steeds iets van jezelf, een ingebakken vijand, die iedere dag weer zegeviert. Maar wie die vijand is, dat weet ik niet. Jij ook niet, vrees ik.'

'Ik dacht tot voor kort nooit aan eten,' zei ik die middag.

'Het moet heel prettig zijn om niet aan eten te hoeven denken,' zei ze.

'Dat had inderdaad wel iets prettigs,' zei ik.

4

Ik was nog behoorlijk zenuwachtig voor dat bezoek aan die psychiater. Eigenlijk ben ik het ook niet gewend dat iemand mij dingen vraagt over mijzelf, want zelfs Ara doet dat niet vaak. Ara en ik denken meestal dat wij alles van elkaar weten, ook zonder dat we daarover praten. Zodra ze het wel doet en mij over iets ondervraagt, weet ik van verlegenheid niet waar ik het moet zoeken en dan kost het me heel veel moeite om een eerlijk antwoord te geven. Het is hartstikke stom, want achteraf ben ik er altijd heel gelukkig mee dat zij de moed heeft gevat om iets dat tussen ons in hangt, te bespreken en dat de lucht dan opgeklaard is. Het is ook nog eens zo dat moeilijke gesprekken geheid eindigen met dat je weer eens tegen elkaar zegt hoeveel je toch van elkaar houdt en dan kan ik haar ook gewoon zeggen dat die vriend-schap tussen ons het mooiste is wat ik in mijn leven heb en soms ben ik zelfs zo vreselijk opgelucht, dat ik tegen haar zeg dat ik niks aan het leven zou vinden als ik haar niet had. Ik weet niet eens zeker of dat wel zo overdreven is, maar dat je, als je je zo gelukkig voelt, alles een beetje aandikt, dat is ook wel waar.

Ara is een stuk rustiger dan ik. Die zegt zonder een spier te vertrekken dat wij voor elkaar bestemd zijn en dat niemand daar ooit verandering in kan brengen. Dat ze dat weet.

'Wij zijn elkaars lot,' zegt Ara.

Dan beaam ik dat wel min of meer, vooral omdat ik Ara niet wil ontmoedigen en omdat die manier van zeggen ook precies de zwaarte heeft waarvan ik hou, als het om zoiets als onze vriendschap gaat, maar ik kan er niet volmondig mee instemmen, omdat dat draaierige gevoel in mijn hoofd mij zegt dat ik eigenlijk iets anders denk.

'Ja,' zeg ik tegen Ara, 'ik denk ook dat wij elkaars lot zijn, maar ons lot heeft wel een logica.'

'Hoe bedoel je dat, Kit?' vraagt Ara.

'Je bent een verkozen lot,' zeg ik.

De enige personen die een lot zijn dat is de familie.

Alle andere mensen met wie je je, buiten de bloedverwanten die je hebt, in je leven verbindt, zijn geen lot, maar een keuze. Iedere keuze heeft een geschiedenis en een logica, ook al is die voor een deel persoonlijk, ondoorgrondelijk en soms niet meer te achterhalen.

Het lot zonder logica blijft uit je leven totdat je het uit vrije wil herhaalt en zelf een familie gaat stichten.

En dat was nu precies wat ik niet wilde.

Zo zei ik het ook tegen de psychiater.

Hij vroeg me of er een jaar geleden soms iets voorgevallen was, wat er de oorzaak van kon zijn dat de maandstonden abrupt afgebroken waren.

Ik vertelde hem dat ik bang was dat ik er zelf de oorzaak van was dat het bloed niet meer kwam, omdat ik dat ook zo graag gewild had en dat je geest, als je iets zo graag wilt, waarschijnlijk sterk genoeg is om iets in je lichaam te veranderen.

Ruim een jaar geleden had ik een bezoek gebracht aan

onze huisarts. Ik had het verzwegen voor mijn moeder en was daarom de hele tijd bang geweest dat er iemand de wachtkamer binnen zou komen, die tegen mijn moeder zou zeggen dat ze mij bij de dokter had zien zitten. Het leek mij niet echt leuk voor mijn ouders dat ik me wilde laten steriliseren.

Onze huisarts moest een beetje lachen toen ik hem vroeg of hij mij een verwijskaart kon geven voor het ziekenhuis, want dat ik mijn baarmoeder wilde laten weghalen omdat ik er toch niks aan had. Ik wist zeker, zei ik tegen hem, dat ik nooit kinderen wilde krijgen en, omdat ik dat zo zeker wist, had het helemaal geen zin om iedere maand zo'n pijn te lijden, want het was helemaal niet erg om pijn te lijden als je wist waarvoor je het over moest hebben, maar als je toch zo pertinent zeker wist dat je die baarmoeder nergens voor nodig had, ook niet voor later, dan kon je toch veel beter alles in een keer laten weghalen, dan schiep je ook wat meer duidelijkheid, voor jezelf, omdat het dan weer beter klopte tussen iets wat je met je verstand wilde en hoe je lichaam zich gedroeg. Nu was ik iedere maand een week uit mijn gewone doen en minstens twee dagen helemaal uit de roulatie, omdat ik niet kon zitten, lopen of fietsen van de pijn en dat alleen maar omdat mijn lichaam zo nodig een ijzeren wet moest gehoorzamen, door zich steeds maar weer voor te bereiden op een gebeurtenis waarvan ik nooit wilde dat die zou plaatsvinden, nooit. Het had geen enkel nut, zei ik. Bloeden was bij mij een farce.

'Ik heb je nog met mijn eigen handen op de wereld gezet,' zei de dokter.

Het was onsportief van hem, vond ik, om met zoiets sentimenteels aan te komen zetten. Om hem te laten zien dat ik sterk in mijn schoenen stond, serieus en onvermurwbaar was, zei ik koel dat ik mij daar niks meer van kon herinneren, maar dat ik ervan gehoord had en dat ik niet naar hem toegekomen was om mij het leven te laten benemen, maar om bevrijd te worden van mijn nutteloze en pijnlijke baarmoeder.

Op zijn vraag waarom ik zo zeker wist dat ik nooit kinderen wilde, was ik voorbereid en ik gaf hem mijn argumenten alsof ik overhoord werd in de les. Toen ik bij het argument was dat er, mocht ik later onverwacht toch naar kinderen verlangen, voldoende zielige kinderen rondliepen die je gelukkig kon maken als je ze adopteerde, onderbrak hij mij.

'Als je wat ouder bent zul je wel begrijpen dat het daar bij het kinderen krijgen niet om gaat. Je wilt juist eigen kinderen, omdat je dan iets van jezelf hebt, om zelf voort te kunnen leven in jouw kinderen.'

'Maar dat is juist zo egoïstisch,' zei ik verontwaardigd, en dat me dat net zo tegenstond aan al die mensen die maar kinderen kregen en er eigenlijk niet eens blij mee waren, alleen maar omdat ze gehoor gaven aan zo'n stomme natuurdrift die de mensen opjoeg om zich blindelings voort te planten en die dan al die arme kinderen opzadelden met een leven waar ze niet om gevraagd hadden en dat ook nog eens hartstikke moeilijk was, bijna te moeilijk voor de mensen, voor kinderen én voor ouders, dat het bijna ondoenlijk was om elkaar gelukkig te maken, al helemaal als je echt veel van elkaar hield, en dat iedereen maar onder elkaars bestaan leed en zich verschrikkelijk zorgen om elkaar maakte, dat ik dat ongelooflijk egoïstisch vond.

'De menselijke natuur is egoïstisch,' zei de dokter kalm. 'Het bloed gaat zijn eigen weg.'

Ik zei hem dat je je ook tegen de natuur kon verzetten en geen gehoor hoefde te geven aan de wetten van het bloed en dat je er dan beter aan deed om de zorg op je te nemen van zo'n kind dat toch eenmaal bestond en dat door de ouders verlaten was, dat je dan tenminste geen schuld had aan dat bestaan zelf en dat je vanaf dat moment het leven van zo'n kind alleen maar kon verrijken en dat, als het erom ging zelf voort te leven, er nog wel andere manieren te verzinnen waren om jezelf ergens in op te slaan.

'Welke dan?' vroeg de dokter rustig.

'Kunst bijvoorbeeld,' antwoordde ik.

'Boeken en schilderijen zijn wel even iets anders dan levende wezens.'

'Daarom juist. Die kun je dus ook niet ongelukkig maken.'

'Hoe oud ben je nu?'

'Achttien.'

De dokter schoof met de papieren die voor hem lagen. Het gevoel mijn eerste rechtszaak verloren te hebben, bekroop mij en ik kon nog maar nauwelijks de concentratie opbrengen om naar zijn slotpleidooi te luisteren. Er was geen arts in Nederland te vinden die, zonder medische urgentie, een kerngezonde achttienjarige zou steriliseren, het leven zou er voor mij over een paar jaar anders uitzien en hij gunde het mij dat ik er nog een paar keer in mijn leven over zou kunnen twijfelen.

Enkele uren na het bezoek voelde ik pas enige opluchting, omdat ik geen operatie hoefde te ondergaan, maar pas ver in de namiddag ebde mijn woede helemaal weg, toen ik gebogen over mijn schrift de troost vond van een mooie formule en mijn baarmoeder omdoopte tot *het orgaan van mijn twijfel*.

Het was dezelfde middag waarop ik die narigheid met

Karel had en ik vroeg mij af of ik de psychiater ook daarover moest vertellen.

Karel was een vriend van onze Makkie. Voordat Makkie in de stad ging wonen, speelden ze samen in een band en zaten ze urenlang in de slaapkamer van de jongens, om daar naar muziek te luisteren. Ze hadden permanent de blues, lazen Jack Kerouac en liftten in de zomer door Europa. Ik had er nooit iets van gemerkt dat Karel verliefd op mij was. Ik dacht dat de vrienden van mijn broers niet verliefd konden worden op mij, omdat ik binnen de muren van ons huis een dochter en een zus was en dus niet zozeer een meisje. Het was ook heel moeilijk om de vrienden van mijn broers als gewone jongens te zien, want het waren in mijn ogen vooral vrienden en dat zorgde ervoor dat zij daardoor geen partij voor mij waren.

Enkele maanden geleden had Karel mij gevraagd of ik zijn meisje wilde zijn, omdat hij al jaren verliefd op mij was.

Ik heb wel eens meegemaakt dat ik een dikke spin ontdekte achter de kast in mijn slaapkamer. Waar ik toen helemaal ziedend en misselijk van werd, was niet zozeer dat ik verschrikkelijk bang was voor die spin op het moment dat ik haar ontdekte, maar dat ik er steeds maar aan moest denken dat ze er misschien al maanden had gezeten en mij bespiedde, zonder dat ik daarvan wist.

Zo ziedend en misselijk werd ik ook van het aanzoek van Karel. In plaats van mij gevleid te voelen, werd ik kwaad. Ik voelde mij verraden, begluurd in mijn eigen huis. Hij had naar mij gekeken als naar een meisje, dat nota bene te hebben was. Het kon mij geen snars schelen dat hij verdrietig werd van mijn weigering.

In de maanden na zijn aanzoek zorgde ik dat ik niet in huis

was als hij Makkie in het weekend kwam opzoeken. De keren dat hij onverwacht kwam, wist ik niet hoe snel ik het huis moest verlaten. Makkie was daar heel lief over.

Op de dag dat ik terugkeerde van het bezoek aan onze huisarts en op mijn kamer zat om in mijn schrift te schrijven, werd er aangeklopt. In de veronderstelling dat er niemand anders in huis was dan mijn moeder en Chrisje, sloeg ik zachtjes mijn schrift dicht, schoof het onder een leerboek en zei: 'Binnen.'

Ik schrok vooral van het gezicht van Karel. Het was lijkbleek, had opengesperde, branderige ogen en zijn voorhoofd glom van het zweet. Hij had een baard en snor laten groeien en snorren vind ik soms wel meevallen, maar aan volle baarden heb ik echt een hekel. Karels lippen trilden helemaal toen hij zei dat hij het een laatste keer bij mij wilde proberen, dat hij geen andere vrouw wilde dan ik, dat hij al maanden depressief was, onder behandeling stond van de dokter, kalmeringstabletten en slaappillen slikte, en zichzelf wat aan zou doen als ik opnieuw weigerde.

'Ik heb de pillen bij mij,' zei hij en haalde met bibberende handen wat doosjes en een flacon te voorschijn.

Omdat ik zittend geen kant op kon en bovendien niet gedekt was in mijn rug, stond ik met een ruk op en draaide mijn rug naar de raamkant. Eer ik in de gaten had wat er gebeurde, klemde Karel zijn armen om mij heen en legde snikkend zijn hoofd in mijn nek. De haartjes van zijn baard kriebelden tegen mijn wang en met walging voelde ik hoe het bij mijn oor nat werd van zijn tranen en zijn speeksel. Hij smeekte huilend dat ik hem moest aanraken en eens lief tegen hem moest doen, dat ik dat heel goed kon, want hij wist zeker dat ik het liefste meisje van de wereld was, dat hij niet meer kon leven zonder mij en dat ik ook wel van hem zou gaan houden als ik hem eenmaal wat beter leerde kennen, want ik hield toch ook van zo'n moeilijk iemand als Ara, dat zag hij.

Ik kon niks zeggen.

Ik kon mij ook niet meer bewegen.

Ik haatte hem.

Mijn moeder had uit gewoonte op de deur geklopt, wachtte niet op de permissie en stormde mijn kamer binnen. In een oogopslag nam ze de situatie op, keek bezorgd naar mij en nam Karel bij zijn schouders, om hem van mij af te plukken.

Mijn moeder is er de vrouw niet naar om te knuffelen of zich te laten knuffelen en je kan haar al helemaal niet zomaar om de hals vallen, dus mijn afschuw werd nog groter toen Karel tegen mijn moeder aan ging hangen en haar smeekte om hem vast te houden. Over zijn schouder heen knikte ze mij toe. Met wat grimassen van haar mond maakte ze me duidelijk dat zij het wel zou klaren en dat ik me uit de voeten moest maken.

Ik was veel te bang dat Karel mijn moeder iets aan zou doen en ik durfde pas weg te gaan toen mijn moeder ongeduldig werd en geïrriteerd met een hand gebaarde dat ik weg moest gaan. Bij het verlaten van mijn kamer ving ik nog op dat ze tegen hem zei dat hij geen handvol, maar een landvol kon krijgen, een opmerking die ze, met de variant dat je er aan iedere vinger van elke hand wel tien kunt hebben, al wel duizend keer tegen mij had gemaakt en die mij altijd verschrikkelijk ergerde, maar die mij nu ontroerde.

In de huiskamer heb ik gewacht tot ze naar beneden kwamen. Het duurde tien minuten. In die tijd heb ik mijn nagels tot bloedens toe afgebeten. Nagelbijten is een slechte gewoonte, die we allemaal hadden thuis, behalve mijn moeder, en sinds hij gitaar had leren spelen, deed onze Makkie het voor vijftig procent ook niet meer. Makkie had nagels aan zijn rechterhand en mijn moeder beet geen nagels. Nooit gedaan ook.

'Ik weet niet of het er allemaal mee te maken heeft,' zei ik tegen de psychiater, 'maar ik vertel het u maar gewoon.'

'Het is wel degelijk van belang,' zei de psychiater, terwijl hij een blik op mijn handen wierp. 'Denk je niet zelf ook, dat jij het buitengewoon vervelend vindt om als vrouw begeerd te worden?'

Het duurde even voordat ik begreep wat hij bedoelde.

'Denk jij dat ik het vervelend vind om als vrouw begeerd te worden?' vroeg ik 's middags aan Ara.

Ara heeft van heel veel dingen meer verstand dan ik, vooral van vrouwendingen en zo, van wat natuurlijk is, omdat het bij alle mensen voorkomt en volgens Ara iets is van het lichaam. Ze versiert het ook. Ara gebruikt parfums en heel veel make-up, vooral op haar ogen. Ze trekt met een potlood een dikke zwarte lijn op haar bovenste ooglid, laat die in een smalle punt op haar slaap uitlopen en verbindt het uiteinde van die lijn met de dunne streep die ze onder haar oog tekent. De kunst van het lijntjestrekken heeft ze afgekeken bij Cleopatra, zegt ze, maar boven de spiegel in haar slaapkamer hangt ook een ansichtkaart waar Sophia Loren op staat, en die heeft ook van die ogen. Volgens mij denkt ze zelf dat ze een beetje op Sophia Loren lijkt, wat helemaal niet zo is, maar dat ga ik haar niet vertellen.

Je gezicht opmaken is nou zoiets waarvan Ara zegt dat het

natuurlijk is voor vrouwen om dat te doen. Ze heeft mij geleerd hoe ik mascara op mijn wimpers moet smeren en als ik eraan denk dan doe ik het wel, maar ik vind het niet zo prettig als Ara, om aan mezelf te prutsen. De eerste keer dat ik het deed onder haar toezicht kwam ze niet meer bij van het lachen, want bij Ara ziet het eruit zoals je het wel in de film ziet, maar bij mij ziet het er heel klungelig uit als ik iets op mijzelf smeer, want ik heb van nature geen elegantie.

Sinds Ara het zwart zo dik op haar ogen kalkt, ben ik over die make-up van haar nogal tweeslachtig en als je ergens tweeslachtig over bent, dan valt het je moeilijk om erover te praten, want als je twee dingen tegelijk wilt zeggen kun je net zo goed niks zeggen, vind ik, want je maakt iemand anders alleen maar in de war, terwijl jij het eigenlijk zelf bent die verstrikt is in iets en die gewoon nog langer moet nadenken voordat ze weet wat ze echt van iets vindt.

Als iemand al begint met zo'n opmerking dat alles twee kanten heeft, dan haak ik acuut af, want dat vind ik wel zo'n gruwelijke dooddoener, dat mijn maag er iedere keer van omdraait als ik hem hoor en je hoort hem echt heel vaak. Meestal zeggen mensen dat iets twee kanten heeft als ze je willen laten geloven dat ze ergens diep over hebben nagedacht en na jaren tobben en peinzen tot een wijs oordeel gekomen zijn, terwijl de waarheid is, dat ze het verdommen om na te denken en gewoon geen oordeel hebben, want dat iets meestal twee kanten heeft kan een kind zien, daar gaat het helemaal niet om, het gaat erom naar welke kant je kijkt en wat je daarvan vindt, of je de voorkant mooier, beter, waardevoller en belangrijker vindt dan de achterkant en welke kant je de moeite waard acht om voor te kiezen.

Zolang ik dus zelf zit met zoiets dat ik het aan de ene kant leuk vind dat Ara zich zo opvallend opmaakt en het aan de andere kant afschuwelijk vind, moet ik nog langer nadenken, want dan heb ik iets nog niet goed begrepen.

Je kunt het zo verschrikkelijk niet bedenken, of er bestaat nog een verschrikkelijkere variant van hetzelfde, want al vind ik dat gewauwel over die twee kanten van de zaak echt heel, heel erg verschrikkelijk, wat ik nog veel erger vind is als het onopgemerkt gebeurt, als iemand dus eigenlijk tegelijkertijd twee dingen beweert en dan zo geraffineerd, dat je het nauwelijks in de gaten hebt en dus ook niet weet waarom je opeens radeloos wordt van de zenuwen en besluiteloos rondjes draait, omdat je niet meer weet of er van je verwacht wordt dat je naar voren of naar achteren loopt.

Sinds ik op de pedac zit ben ik gaan begrijpen dat dat komt omdat iemand in één adem tegen je zegt dat je op hetzelfde moment naar voren en naar achteren moet lopen. En dat kan natuurlijk niet.

Vanaf de eerste dag dat ik op die pedac zit, weet ik al dat ik nooit onderwijzeres wil worden, maar voor het eerst in mijn leven leer ik dingen waar ik wat mee kan. Didactiek en pedagogiek zijn op zich niet zulke leuke vakken, maar onderdelen ervan wel. Ontwikkelingspsychologie bijvoorbeeld, dat is een machtig vak en ik kan de boeken die ik daarover wil lezen nauwelijks van de bibliotheek aanslepen. In een van dat soort boeken heb ik ook dat woord gevonden, dat precies zegt wat ik bedoel als ik op ben van de zenuwen, doordat iemand een opmerking maakt waarmee ik geen kant op kan, omdat er twee kanten aan die opmerking zitten.

Van dat woord werd ik zo opgewonden, dat ik moest stoppen met lezen, omdat het me te gelukkig maakte dat het bestond. Als een dolle hond liep ik door mijn kamer, draaiend rondom dat boek, dat ik pas weer durfde te openen toen de opwinding in mijn hoofd een beetje was afgenomen, want het was bijna geen doen om dat vol te houden, om zo veel begrip in een keer te verhapstukken. Het paste bijna niet in mij, zo voelde dat.

Ik had voor het eerst sinds lang geen redeloze honger meer.

De eerste aan wie ik dat toen verteld heb was Ara.

Ik moest niet alleen aan haar kwijt dat ik een woord gevonden had, waardoor ik opeens heel veel was gaan begrijpen, maar ik moest haar per se vertellen over die grote opwinding, dat ik bijna geen adem had kunnen halen van geluk en dat het in mijn buik, maag en hoofd woelde, zodat ik opeens ook wist dat het waar is dat je kunt barsten van geluk, dat dat echt bestond.

Ara is toch de enige die echt begrijpt wat ik bedoel en ik ken niemand met wie ik liever praat over alles wat ik leer en bedenk, dan zij. Als Ara naar je luistert is ze op haar mooist en je zou wel urenlang aan het woord willen blijven, alleen al omdat ze dan zo zacht en dankbaar kijkt en werkelijk geen seconde haar blik van je afhoudt en dat je dan ook goed voelt, dat mensen gelukkig kunnen worden van een beetje meer kennis en je iemand toch echt iets geeft, ook al zijn het alleen maar woorden, die je niet kunt vasthouden.

Ze is zelf heel leergierig, maar een boek lezen kost haar vijf keer zoveel tijd en moeite als iemand anders, dus ze vindt het prettig als ik haar uitleg wat er in de boeken staat die ik lees. Het gekke met Ara is, dat veel van wat voor mij als iets volkomen nieuws uit de hemel komt vallen, voor haar vanzelfsprekend lijkt.

Ik denk dat ze wijs is van zichzelf en ik niet. Ara kijkt gewoon goed naar de wereld en naar de mensen, terwijl ik altijd dubbeltjes vind en niks zie van wat er om mij heen gebeurt, omdat ik nog steeds niet op de aarde kan lopen zonder naar de grond te staren, al heb ik die periode van het lijnen achter me gelaten. Van dieren leert ze ook veel, want ik kan met de meest spectaculaire theorieën komen aanzetten, ik zal maar zeggen over hoe kinderen de eerste beginselen van de mathematica veroveren, ik kan het zo gek niet bedenken of Ara ziet wel kans om alsnog op de proppen te komen met een Balinees biggetje of zoiets, hoe die de tepels van de moeder vindt, dat dat te vergelijken is met het leren van de mathematica. Dat vind ik niet altijd even leuk, maar ik begrijp wel goed dat Ara iets beter kan snappen als ze het met haar eigen ogen heeft kunnen zien of als ze het kan verbinden met iets waar ze wel veel van weet.

Omdat ik het niet zo op dieren heb, ben ik blij als ik eens iets geleerd heb waar met geen mogelijkheid een paling, rat of chimpansee bijgesleept kan worden, omdat het alleen maar iets is dat mensen doen of kunnen.

Dat is toch het enige waarin ik echt geïnteresseerd ben.

Double bind is te menselijk voor woorden, dat komt niet onder de dieren voor, dat wist ik zeker en daarom had ik mij er toen extra op verheugd om Ara eens haarfijn uit te leggen wat dat was en waarom ik dacht dat ik daar al mijn leven lang last van had, ook door haar.

'Ik denk dat je het wel prettig vindt om als vrouw begeerd te worden,' zei Ara kalm, 'maar jij wilt meer begeerd worden om je geest dan om je lichaam, en bij de meeste vrouwen is dat niet zo.'

Zo is Ara dan. Ze is heel tegendraads en ze zegt precies wat ze denkt, ook al heeft een psychiater iets anders gezegd. Het allermooiste vind ik nog dat haar opmerkingen zo weloverwogen zijn, alsof ze er al eerder over heeft nagedacht hoe het bij mij zit, met begeerte en met mijn lichaam. Ze zegt dat dat ook zo is, dat ze altijd over mij nadenkt en dat ik haar meest geliefde studie-voedsel ben. Volgens haar is er buiten mij niemand in de wereld te vinden die van haar denkt dat zij weloverwogen opmerkingen maakt. Ze heeft juist om de haverklap aanvaringen met mensen op haar werk, omdat ze nors is en dingen tegen mensen zegt waar die kwaad om worden, zonder dat Ara zelf in de gaten heeft wat er nu zo aanstootgevend is aan wat ze zegt.

'Ik vroeg het toch heel beleefd,' zegt ze dan tegen mij, verbaasd dat iemand in een café haar mokkend de rug toekeert, als ze verzocht heeft om wat meer ruimte. Zij weet dan zelf niet dat ze met die zwartomkoolde ogen van haar kijkt alsof ze iemand levend kan villen en dan kun je met je mond zo beleefd zijn als wat, die ogen zeggen toch dat je iemand wel ter plekke kan doodslaan.

Nu ik dat van die double bind wist, kon ik haar beter uitleggen waarom ze mensen beledigt zonder dat ze zelf in de gaten heeft waaraan dat ligt.

Van de theorie over de double bind was Ara niet zo onder de indruk als ik, dat zag ik, en ik had zeker niet tegen haar moeten zeggen dat zij mij, door een opmerking die ze maakte, geen prachtiger voorbeeld had kunnen geven van hoe je iemand kunt verscheuren, door iets tegelijkertijd af te keuren en te bewonderen en dat dat nou precies was wat ze deed.

Ze sprak daarna een week niet met mij.

5

Komt een moeder thuis met een geschenk voor haar dochter-
tje. Twee truitjes heeft ze voor haar gekocht, een rode en een
groene. Kind reuzeblij, holt naar haar eigen kamer, trekt
eerst de rode trui aan en stormt naar beneden om aan haar
moeder te laten zien hoe mooi die staat. Zegt die moeder:
'Vind je de groene dan niet mooi?'

Het voorbeeld ging mij door merg en been, zo schrijnend
vond ik het en ik had het vol vuur aan Ara verteld.

'Verschrikkelijk toch?' zei ik tegen haar, toen ik zag dat ze
niet bijzonder onder de indruk was.

'Dat is toch geen doen, voor dat kind,' probeerde ik nog.

'Ze kan toch tegen haar moeder zeggen dat ze die groene
ook mooi vindt, maar dat die rode nu eenmaal bovenop lag,'
zei Ara droog en met een begin van irritatie.

'Dan is het leed al geschied,' zei ik vermoeid.

Ze zeggen weleens van mij dat ik net een jojo ben, omdat
mijn stemming kan omslaan als een blad aan een boom,
ik het ene moment nog schaterlach en een seconde later in
huilen uitbarst, en dat is ook zo, maar dat komt dan wel door
dit soort dingen. Ik ben helemaal niet slap, maar je kunt mij
met een opmerking vloeren en andersom ben ik onder een
hoedje te vangen als er onverwacht weer wat aardigheid
doorbreekt.

Ara vindt het vervelend als ze denkt dat ze iets niet begrijpt op de manier waarop ik het begrijp, of als ze het idee heeft dat ze mij kwijtraakt, omdat ik over iets een enthousiasme aan de dag leg dat mijn liefde voor haar zou kunnen overtreffen. Meestal hou ik rekening met haar angst, maar ik was teleurgesteld dat het voorbeeld haar nauwelijks raakte en ik wilde haar niet sparen.

'Je snapt er niks van,' zei ik en dat ik lang zou moeten nadenken, om met een beter voorbeeld aan te kunnen komen.

'Wat snap ik dan niet, Catherina?'

'Het drama. Je snapt het drama van de verscheurdheid niet.'

Waarschijnlijk had Ara gemerkt dat ik echt triest werd van de mislukte uitleg, en soms trekt ze zich daar niets van aan, maar meestal zegt ze dat ze niet tegen mijn verdriet kan. Ook dit keer besloot ze om haar eigen chagrijn opzij te zetten en mij weer in een vertelstemming te brengen, door te zeggen dat ze de theorie zelf wel begrepen had en dat ze het zo leuk aan mij vond, dat ik er zo zichtbaar van genoot om na te denken.

Bij mij werkt dat direct.

Uit dankbaarheid vertelde ik haar over het geluk dat ik gevoeld had op het moment dat ik las over de double bind, over het volraken van een woord en wat het allemaal aan ideeën losmaakte en aan begrip, dat ik het gevoel had dagen zonder eten te kunnen, omdat ik zo door gedachten verzadigd was. Ik zei tegen haar dat ik opeens besefte dat een woord, een zin, een opmerking, iets aan je leven kan veranderen.

'Daar benijd ik je om,' zei Ara 'dat je houdt van nadenken en daardoor altijd genoeg hebt aan jezelf.'

Toen zei ik tegen haar dat ze het nu deed, dat dit dus een goed voorbeeld was.

Ze keek me met een ijzige blik aan, maaide blindelings met een volle hand in de zak pindanoten die voor haar lag, en sloeg de noten in een klap naar binnen.

'Negentig calorieën,' zei ik.

Daarop zweeg ze een week.

Het kwam weer goed door mijn eerste dronkenschap.

Ara en ik bezochten zelden dezelfde uitgaansgelegenheden, omdat zij heel andere kennissen had dan ik. Zij hield niet van mijn vrienden en ik kon het met de hare nergens over hebben. Zij vond mijn vrienden theatrale, onechte, overdreven aanstellers en ingebeelde kunstenmakers. Ik vond haar vrienden slap, week, dom en oninteressant, want het enige kenmerk dat ze allemaal gemeen hadden was dat ze zich door Ara lieten verleiden en haar allemaal kritiekloos adoreerden.

Ik adoreer Ara ook, maar niet kritiekloos.

Waar ik bijvoorbeeld een ontzettende hekel aan heb is als ze de fatale vrouw uithangt en met zo'n versierkop de stad ingaat, de mannen om haar vinger draait en ze dan heel geraffineerd nog maandenlang aan het lijntje houdt, door ze voortdurend van haar bestaan op de hoogte te houden en naar haar toe te lonken, om die jongens vervolgens met voldoende onduidelijkheid of ze de volgende keer bij haar een kans maken, naar huis te laten terugkeren.

Daarom kunnen we in het weekend beter niet 's avonds in dezelfde kroeg zitten, want ik word dol van ergernis als ik haar zie lonken naar zo'n slapjanus die zich ook zou laten versieren door de eerste de beste onbenullige trut met een IQ van 60. Ze kijkt niet eens naar wat ze aan de haak probeert te slaan. Het gaat haar helemaal niet om haar prooi.

Als iemand een seconde naar haar kijkt is dat voldoende aanleiding voor Ara om haar eigen blik in het geweer te brengen, ook al wordt ze op dat moment aangestaard door een roodharig, krom mormel van achter in de veertig, dat achter iedereen aan zou sjokken die dat toe zou staan. Het maakt haar nog trots ook, dat het lukt.

Ze hoeft zo iemand maar aan te kijken en ze kan hem een hele avond lang met haar blik in haar macht houden, zodat die man geen andere kant meer opkijkt dan de hare en toch niet dichterbij durft te komen, omdat Ara iemand met die blik ook op afstand houdt.

Ik zie het zelf liever nooit meer onder mijn eigen ogen gebeuren, want dan haat ik haar echt een beetje.

'Kijken is mijn verkeer,' zegt Ara, als we het er weleens over hebben. Ze zegt dat anderen elkaar met woorden kunnen versieren, maar dat zij het met haar ogen moet doen, dat ze nu eenmaal brutaler is met haar lichaam dan met haar mond.

'Jij hebt de taal,' zegt ze, 'ik niet.'

Ze hoeft maar lang genoeg door te gaan en weer te vertellen dat ze altijd bang is dat er kortsluiting optreedt in haar hoofd, dat er woorden in een fout kanaal zitten, zodat die niet naar buiten kunnen of dat ze de juiste verbinding kwijt is en zich nog wel herinnert dat ze ooit geweten heeft dat op een bepaald moment een woord als 'cultureel' het enige woord is dat in die zin hoort, maar ze dat woord verloren heeft en van lieverlede 'crimineel', 'fideel' of 'natureel' zegt, of ik loop weer over van ontroering en medelijden en vervloek mijzelf, omdat ik haar niet gewoon haar gang laat gaan en erop vertrouw dat zij goede redenen zal hebben om gedrag te vertonen dat ik belachelijk en slecht vind.

Ik moet me af en toe dwingen om zo te blijven denken, want we krijgen de laatste jaren steeds vaker ruzie om dit soort dingen.

Zij kan mij aardig van streek maken als zij zegt dat ik op andere mensen het effect heb van een koekoeksjong en dat ze dat ook moeilijk vindt om aan te zien.

'Zodra jij je mond open doet krijgt iedereen de neiging om er iets in te stoppen en voor je te gaan zorgen.'

Ik wist dat niet.

Ik dacht dat ik heel goed voor mijzelf kon zorgen.

'En hoe komt dat dan?'

'Je kunt aan jou zo goed zien dat je een onstilbare honger hebt, een mateloos verlangen naar iets, aandacht, contact, liefde. Je hebt verdriet in je ogen en dat is onverdraaglijk. Van mij zal toch niemand dat ooit denken, Kit. Zo toon ik niet. Als je er zo uitziet zoals ik, denken anderen van je dat je niets en niemand nodig hebt. En dat vind ik eigenlijk ook wel prettig zo.'

Ara zegt het allemaal heel bedachtzaam, zodat ik niet de indruk heb dat ze mij wil pesten of iets uit haar duim zuigt, alleen maar om mij in de war te maken, maar ik kan het gevoel niet kwijtraken dat ze net zo'n gruwelijke hekel heeft aan wat zij mijn koekoeksjongeffect noemt, als ik aan wat ik haar blikwerk noem.

Volgens Ara is het ook het beste voor ons als we gescheiden uitgaan en niet bij elkaar zijn in het gezelschap van andere mensen.

'Ik wil uniek zijn voor jou,' zegt Ara. 'Ik zou het niet prettig vinden als je met iemand anders hebt, wat wij met elkaar hebben.'

Dat zou ik ook vreselijk vinden, als zij met iemand had wat ze met mij heeft, maar ik begrijp niet hoe ze daar bang voor kan zijn. Het is wel waar dat ik ook met anderen omga en, sinds ik op de pedac zit, heel veel met Marga optrek, maar het is de hele wereld duidelijk dat Ara mijn enige echte vriendin is en zal blijven. Zelfs Marga, die toch echt niet in de wieg is gelegd om tweede viool te spelen, schikt zich in dit lot, omdat ze niet twijfelt aan de ernst van mijn vriendschap met Ara. De enige die daar ooit aan durft te twijfelen is Ara zelf.

Soms ben ik doodmoe van het telkens weer aan de mensen van wie ik houd duidelijk te moeten maken dat ik echt van ze hou.

Je kunt bewijs na bewijs blijven aandragen, sommige mensen spelen het klaar om jou steeds opnieuw het gevoel te geven dat je niks om ze geeft, of niet genoeg, of op de foute manier.

Het zal wel onzekerheid zijn, want mijn moeder heeft er ook een handje van en zij is, net als Ara, een bodemloze put, waar je zo veel liefde in kunt storten als je maar op kunt brengen, het helpt altijd maar eventjes. Mijn moeder zegt dat ze aan vroeger een minderwaardigheidscomplex heeft overgehouden en nu is mijn moeder de enige van wie ik dat woord verdraag, want bij een gewone vrouw als mijn moeder klinkt het nogal schattig, als ze met zo'n modewoord op de proppen komt, omdat je dan precies weet waar ze het de afgelopen jaren in de *Libelle* over hadden en dan kan ik mij voorstellen dat er voor mijn moeder ook woorden zijn die haar gelukkig maken, omdat ze haar opeens iets duidelijk maken, over haar leven en zo, maar voor de rest is het een woord dat ik haat, want je kan echt niemand meer tegen-

komen die zichzelf geen minderwaardigheidscomplex toedicht en als iedereen het heeft, dan is er iets anders aan de
hand, dan is er gewoon weer eens een nieuwe afwijking in de
mode.

Voor mijn moeder vind ik het zielig, want ik kan er nu eenmaal niet tegen als de mensen van wie ik houd ongelukkig
zijn en van zichzelf denken dat ze niks waard zijn, maar er
zijn dagen dat ik het wreed en beledigend vind als mijn moeder en Ara mijn liefde weer in twijfel trekken.

In die pedagogiekboeken wordt me te veel gehamerd op
het belang van de liefde voor het kind. Er staat nooit eens dat
het omgekeerde net zo belangrijk is of misschien nog wel belangrijker, dat die immense, onvoorwaardelijke en machteloze liefde die dat kind in pacht heeft voor de ouders, dat die
ook opgemerkt, erkend en ontvangen moet worden.

Ik werd voor het eerst dronken in disco de Think.

Na drie dagen haar zwijgen verduurd te hebben, had ik Ara
opgebeld om te vragen of ze mee ging naar De Scherf.

De Scherf is een café aan de haven van een kleine stad in de
buurt van ons dorp. Het was het enige café waar Ara en ik
vaker samen naar toe gingen, omdat niemand van onze
vrienden het kende en het ook niet zouden bezoeken als ze
het wel kenden. Er kwamen alleen oude binnenvaartschip-
pers, mannen en vrouwen met ruwe, rode huiden, die dan-
sten op accordeonmuziek en die geen oog hadden voor Ara's
blikwerk of voor mijn koekoeksjongeffect. Het rook er naar
verschaald bier, op de tafels lagen dikke, rode, tapijtachtige
kleedjes en Ara en ik koesterden de plek zoals wij vroeger
Het Land van Moer gekoesterd hadden, als een geheim oord,
dat het mogelijk maakte gesprekken te voeren en dingen

tegen elkaar te zeggen die we in geen andere ruimte tegen elkaar konden zeggen.

Plaatsen hebben die merkwaardige eigenschap dat ze een gedrag mogelijk maken dat nergens anders mogelijk is. Zodra je de drempel overschrijdt voel je het, dat je hier kunt spreken over iets wat je elders niet over je lippen zou kunnen krijgen. In de keuken voer ik een ander soort gesprekken met mijn moeder dan in de voorkamer, voor mijn vader is de auto en zijn garage het oord van de openbaringen en Ara en ik hebben sinds kort dat café.

Ze had geantwoord dat ze andere plannen had voor de avond, groette me en legde de hoorn op de haak.

Sinds wanneer ik bezig was met het maken van een optelsom van het leed weet ik niet, maar Ara's weigering was het teveel. Ze wist dat meegaan naar De Scherf meer betekende dan mij vergezellen naar de een of andere plek. Wat ze mij weigerde was een mogelijk gedrag. Ze onthield me de geruststelling, het herstel, de opheldering en zij ontzegde me de vertrouwde ontmoeting met haar gezicht, met haar vriendelijke, spottende lach, als ze de angst in mijn ogen las en van zichzelf wist dat ze die met één aanraking weg kon nemen, die macht had ze. Ze wilde mij pesten door mij willens en wetens in onzekerheid te laten.

Ik kan niet tegen onzekerheid.

Daar moet ik van overgeven.

In mijn hoofd begonnen de getallen van de optelsom een gestalte aan te nemen en een stem te krijgen. Tussen de kakofonie van verwijten, klachten, smeekbeden en misprijzingen hoorde ik het lijzige geneuzel van Karel, het machteloze weeklagen van mijn moeder, maar vooral de stompzinnige, kille superioriteit in de stem van Ara. Om ze allemaal in een keer tot zwijgen te brengen, klaagde ik ze aan in een lange, zinloze, ongehoorde monoloog en scheldpartij, legde de woede aan de dag die ik nooit durfde te tonen en verwoordde de zwakte die ik het liefst verberg.

Ik eindigde met: 'Barst!', gaf over, poetste mijn tanden, schoot in mijn zwarte broek met plooi, haalde mijn bromfiets uit de garage en reed naar de stad, op zoek naar Marga, bedwelmend luide soulmuziek en een manier om een einde te kunnen maken aan het denken, het liefhebben, mijn afhankelijkheid en aan het gehate besef dat anderen de macht hadden om mij te maken of te breken.

Met die muziek is het raar gesteld, want ze verdeelt de stad al sedert het eind van de jaren zestig in minstens twee hoofdkampen. Er is soul en er is rock 'n roll. Je mag niet van soul houden als je ook van blues en rock 'n roll houdt. Over jazz, country en klassiek wordt nauwelijks gepraat, want jazz is iets voor intellectuelen en freaks, country iets voor behoudzuchtige boeren en klassiek iets voor de ouders van rijke vrienden.

Ara draait naar hartelust alle lp's van Johnny Cash tot en met Waylon Jennings, ze danst op de nieuwste krakers van de Heikrekels en ze draait de gospels van Mahalia Jackson met Kerstmis. Ik weet niet of ze het weet, van country, dat die muziek verguisd wordt omdat ze voor conservatief doorgaat en ik zeg het haar ook niet, omdat ik het veel te leuk vind dat Ara volkomen haar eigen gang gaat, zonder er zich iets van aan te trekken of country hoort of niet.

Marga is een soulkikker. Als je een soulkikker bent, kun je niet zomaar in een spijkerbroek naar de disco, want een

Levi's is de broek van de blues en bij Tambla Motown horen in de plooi gestreken, zwarte terlenka broeken, soepel vallende gabardine bloezen in plaats van rood- of blauwgeblokte flanellen houthakkershemden, en spitsgepunte schoenen van soepel leer in plaats van suède booties of tuigleren cowboylaarzen met een schuine hak.

Ik ben nergens van.

Ik hou zelfs van Freddy Quinn.

Volgens mijn oudere broers heb ik totaal geen smaak op muziekgebied, omdat het uitgesloten is dat je én van James Brown én van Elvis Presley houdt. Freddy Quinn kan echt niet, net zo min als Herman van Veen of Edith Piaf en wie onder de douche luidkeels *San Quintin I hate every inch of you* kweelt, die moet eigenlijk standrechtelijk geëxecuteerd worden. Vinden zij.

Dat begrijp ik wel, maar het deert mij niet. Ik vind het wel goed bij me passen om geen smaak te hebben op het gebied van muziek. Als je eenmaal aan een smaak vastzit, dan kun je de helft van de disco's en cafés in de omgeving van ons dorp niet meer binnenkomen, mag je nooit eens een andere broek aantrekken dan een vale spijkerbroek, en dan zou ik helemaal uitgesloten zijn van de plekken waar Marga en Ara op zaterdag en zondag dansen.

Ik heb liever mijn vrijheid dan goede smaak.

Ik wist wel dat ik Marga in de Think zou kunnen vinden.

Marga ziet er altijd prachtig uit, ze weet precies wat haar wel en wat haar niet goed staat. Je kunt het toch wel aan een meisje merken of ze met zusjes opgroeit of niet, want net als Ara weet Marga alles van make-up, schoonheidsmiddelen en trucjes waarmee je een jongen aan je moet binden.

Van Marga weet ik minder goed wat ze leuk aan mij vindt dan van Ara, want met Marga heb ik heel andere gesprekken en als ik eens uitpak over een boek dat ik lees of een gedachte die ik heb, dan verzucht ze al gauw dat dat voor haar allemaal te diep en te moeilijk is en dat ze mij niet goed kan volgen. Zij wil wel echt onderwijzeres worden, want haar moeder is hoofd van een lagere school in de stad en een aantal van haar zusjes staat al jaren voor de klas.

De boeken die we moeten lezen voor literatuur vindt ze over het algemeen dodelijk saai, behalve de kinderboeken zoals *Alleen op de wereld* en *Winnie de Poeh*, dat kan ze nog net behappen, zegt ze dan lachend, maar het liefst leest ze flutboekjes uit de Bouquet-reeks, want zij houdt van romantiek en van dagdromen. Ze zegt het zonder schaamte. Dat vind ik zo apart aan haar.

Marga legt mij de tarotkaarten, leest mijn hand, doet mij voorspellingen en ze zegt 'lieve schat' tegen mij. Marga is dus zo ongeveer alles wat ik niet ben en wat ik ook nooit zal worden en waar zij het meest van houdt is voor mij allemaal een beetje verboden, omdat het oppervlakkig, onbelangrijk en onwetenschappelijk is, dat weet ik wel van mijn broers.

Als je een soulkikker bent, moet je heel veel weten van kledingmerken en van de Molukken. Omdat ik van allebei geen verstand heb, ben ik toch altijd onzeker als ik bij Think binnenstap, want er zijn heel veel Molukkers en iedereen ziet aan je of je merkkleding draagt of niet.

Marga stond aan de bar en ze viel me uitgebreid om de hals, zoende mij op beide wangen en veegde daarna met een professioneel gebaar de lipstick er af.

In tegenstelling tot Ara praat Marga heel druk en heel veel en zij moest mij wel tien keer zeggen hoe heerlijk ze het vond dat ik haar had opgezocht en nu bij haar was. Zij had een arm om mijn heupen geslagen en wiegde mij op de muziek. Zij was omringd door jongens die Mas, Sly of Annis heetten en ze zei tegen iedereen dat ik haar vriendin was en dat ze zo gelukkig was dat ze me bij zich had.

Ze had ooit in mijn handen gelezen dat ik het type was dat gemakkelijk verslaafd raakt aan welk narcoticum dan ook en dat ik daarvoor moest oppassen. Ik dacht dat het allang zover was, want net als mijn broers en vader rookte ik al sinds mijn twaalfde sigaretten en ik was niet van plan daar ooit niet aan verslaafd te zijn. Marga had mij bezorgd aangekeken en gezegd dat het niet om de sigaretten ging, dat ze dat kon zien aan de lijnen in mijn palmen, maar dat het om een ergere verslaving ging.

'Je mag nooit, nooit met dat vieze, witte spul beginnen, lieve schat,' had ze bezorgd en dwingend gezegd, 'daar heb ik al te veel jongens aan kapot zien gaan.'

Het maakte mij helemaal wee dat zij zich met mij wilde bemoeien, maar ze had het me niet hoeven verbieden, ik haat drugs. Ik heb Willem een keer aan zijn haren een café uitgesleept waar hij een vreemd geurende sigaret stond te roken en hem op straat zo de huid vol gescholden, dat hij het nooit meer in zijn hoofd zal halen om ooit nog naar dat spul om te kijken. De jongens en de meisjes in dat café kon ik ook met het grootste gemak belachelijk maken, waar Willem heel gevoelig voor is, want als je omgaat met mensen die allemaal op dezelfde manier praten en niks anders te melden hebben dan dat jointjes, blowen en stoned zijn helemaal te gek is, weet je wel, dan lijd je aan verstandsverweking, of je loopt het op z'n minst op als je geprobeerd hebt langer dan een uur met zo'n duffe hippie te praten.

Marga gaf een rondje en iedereen nam een Cuba Libre.

'Wat is dat?' vroeg ik haar.

Ze zei dat het een heerlijke mix was, met Coca Cola, waar je een beetje tipsy van werd. Ze bestelde er ook een voor mij.

Tot dat moment had ik alleen afwisselend tomatensap en Spa Rood gedronken in een kroeg.

Marga kon natuurlijk ook niet weten dat dit het was, dat ze mij op die avond voorstelde aan mijn liefste vijand en dat het de drank was die ze had zien staan in mijn hand.

Na een Cuba Libre had ik het al gemerkt, dat het invloed had op mijn hoofd, dat het me licht maakte en spraakzaam, vergevingsgezind en overmoedig, schaamteloos, onverschillig en onbehoedzaam. Alles wat mij tot dan toe binnen de perken gehouden had, verdween na het eerste glas. Ik danste met Marga op James Brown, liet me zoenen door Sly en mijn borsten betasten door Annis, terwijl het enige dat me werkelijk bezighield de volgende Cuba Libre was.

Net zoals de eerste tien pakjes sigaretten mij niet gesmaakt hadden, zo smaakten mijn eerste glazen drank mij ook niet.

Het gaat ook niet om de drank, het gaat om het effect van het drinken.

Ik wilde alleen nog meer drinken om nog minder nuchter te worden, om de grenzen te bereiken van mijn schaamteloosheid en onverschilligheid. Het enige dat ik voelde was dat er niemand op de wereld bestond die mij op dat moment zou kunnen tegenhouden, dat niemand de macht bezat om mij te verbieden zoveel te drinken als ik wilde of een grens te stellen aan mijn gedrag.

Ik voelde mij onaantastbaar en onafhankelijk. Ik voelde mij soeverein, vrij en goddelijk eenzaam.

In mijn hoofd waren de monologen verstild en ik hoorde alleen nog het krachtige ritme van slechts één woord: Barst!

Marga had een aantal jongens geroepen om de deur van de wc open te kunnen trappen. Ik was in een soort slaap gevallen waaruit ik niet wakker kon worden, ook al hoorde ik Marga's bezorgde stem en het bonken op de deur.

Later zei Marga dat het geen vrolijk gezicht was geweest, hoe ik daar gelegen had, maar daarover wilde ik liever geen details horen. Het enige dat ik mij herinnerde was dat het mij een onoplosbaar probleem leek aan welke lichaamsopening ik de voorrang zou verlenen, of ik eerst op de wc-pot zou gaan zitten of erboven zou gaan hangen. En dat ik er niet uitkwam.

Dat Ara de Think binnenkwam herinner ik mij nog goed.

Marga had mij met behulp van Mas, Sly en Annis opgetild, op een van de pluchen banken aan de rand van de dansvloer neergezet en Ara gebeld.

Ara had een auto.

Ara had al onze dromen waargemaakt, want wij droomden van een auto en alle dromen die duur waren kon ik niet waarmaken, maar Ara wel.

'Mijn dromen kosten geld en jouw dromen kosten je je ziel,' heeft Ara weleens gezegd.

In het schemerdonker van de disco ontdekte ik de contouren van Ara. Haar blik was al vanuit de verte op mij gericht en zij baande zich een weg naar mij toe, zonder haar ogen van mij af te houden. Ze zag er onverzettelijk uit en de golf van misselijkheid die ik voelde, werd dit keer veroorzaakt door haar aanblik, door een gevoel van liefde dat te groot was voor mij.

Ik verzamelde wat me nog aan ongeschonden, geordende woorden ter beschikking stond, om haar gepast te kunnen begroeten.

Ik kon nog 'Ara' zeggen.

Veel meer hele woorden kon ik nergens vinden en daarom herhaalde ik alleen dat: 'Ara.'

Ara, Ara, Ara.

Ze knielde voor mij neer, boog zich over mij heen en veegde met twee vlakke handen zachtjes het haar uit mijn gezicht. Ze glimlachte en keek bezorgd.

'Kit, wat heb je nu toch gedaan?' zei ze half lachend en half verbaasd.

'Ara,' zei ik.

6

Dat met Matthias werd niks en dat lag aan mij.

Je hebt van die mensen die er een gewoonte van maken om zichzelf overal de schuld van te geven en die de hele dag lopen te roepen dat ze mislukkelingen zijn, maar zo ben ik helemaal niet, zulke mensen vertrouw ik voor geen cent. Als je op de grond gaat liggen voordat je geslagen wordt, ben je gewoon laf en dan kom je er niet eens aan toe om ergens in te mislukken, want voor mislukkingen zijn pogingen nodig en voor het pogen is moed vereist. Dat is nu net waaraan het die mensen ontbreekt, maar wat je ze nooit zult horen zeggen.

Dat met Matthias lag echt aan mij, dat zeg ik niet om eigenlijk stiekem iemand voor mij in te nemen.

Ik kon er niet tegen dat hij mij wilde aanraken, dat was het.

Matthias vertrouwde mij niet, want hij zag dat ik mij in het café en in de disco door iedereen liet aanraken, en ik kon hem maar niet aan het verstand brengen dat die aanrakingen in het openbaar van een andere orde zijn dan bij hem.

Het zijn de disco en de kroeg, die het verdragen van dat soort aanrakingen mogelijk maken.

Zolang het speels gebeurt en nergens op hoeft uit te draaien, vind ik omhelzingen heerlijk, maar als ik alleen met iemand ben en die iemand mij serieus vasthoudt en streelt, raak ik in paniek en word ik stijf van angst. Het komt doordat ik denk dat er iets van mij verwacht wordt, dat die aanrakingen niet op zichzelf staan, maar een bedoeling hebben en ergens toe moeten leiden, tot iets wat ik moet gaan voelen of doen. Maar het enige dat ik voel is angst en dat is nu net niet wat Matthias wilde dat ik voelde.

Het is een aardige man, maar ik denk nu toch dat je geen verhouding met iemand moet beginnen om je ouders een plezier te doen. Daar is het veel te moeilijk voor. Dat voelt zo'n man toch.

Er is er maar een die me aan kan raken zonder dat ik verkramp en dat is Ara. Zij zegt vaak dat ik heel raar ben met aanraken en dat ik mij gedraag als een mishandeld dier, zo schichtig ben ik.

'Maar hoe kan dat nou,' heb ik tegen Ara gezegd, 'ik ben in mijn hele leven niet één keer geslagen.'

'Je bent ook in je hele leven niet aangeraakt,' zei Ara rustig. 'Niet aangeraakt worden is ook mishandeling.'

Ara legde de klemtoon verkeerd toen ze mishandeling zei. Ze legde hem op mis, waardoor je eigenlijk veel beter begrijpt waar het precies om gaat. Ze had het al vroeg bij mij ontdekt, zei ze, toen we elkaar pas leerden kennen, op de lagere school, en zij een keer onverwacht haar hand op mijn buik legde. Ze had gevoeld dat die zich schokkend samentrok en ze had gezien dat ik daarna nog wel een half uur nasidderde, omdat het vel van mijn buik de schrik maar langzaam te boven kwam.

Ara beweert ook dat koeien meer melk geven als je ze streelt en dat jonge poezen, die tijdens de eerste zes weken van hun leven niet opgepakt worden door mensen, hun leven lang schuw en onaanraakbaar blijven.

'Je had niet zo braaf van de borst moeten afzien,' grapte ze goedmoedig.

Het was een onderdeel van het verhaal dat ik mijn moeder zo vaak tegen haar zin liet vertellen. Hoe ze ernstig ziek werd na mijn geboorte en mij niet kon voeden. Hoe ze het later toch nog probeerde, maar dat ik weigerde bij haar te drinken.

'Je kon zo hongerig zijn als wat,' zei ze, 'zodra ik met de borst in je buurt kwam, hield je op met huilen en kneep je je lippen stevig op elkaar. Zo klein als je was, je merkte toch dat het mij te veel pijn deed om je te voeden. Maar ik heb er veel leed van gehad. Ik dacht dat ik niet goed voor je zorgde. Het was toen nog niet als nu. Vandaag de dag is het modern als vrouwen geen borstvoeding geven, maar als je vroeger je eigen kind de borst onthield, dan was je een ontaarde moeder.'

Om Ara te kunnen vertellen over hoe het met Matthias ging, in bed, moest ik zo veel schroom overwinnen, dat ik, op het moment dat ik er wel toe in staat was, mij er eigenlijk te moe voor voelde.

Ik schaam me ervoor dat ik me zo schaam.

Ik beperkte me ertoe om haar te zeggen dat ik vreselijk verlegen word van de naaktheid, van zijn en mijn naaktheid, dat ik die onnatuurlijk vind en dat ik het niet verdraag als er iets van mij verwacht wordt, een gevoel, tederheid of opwinding.

'Maar je bent vaak opgewonden,' zei Ara overtuigd.

'Hoe weet je dat nou,' riep ik lacherig van de zenuwen uit.

'Dat weet ik toch,' zei Ara licht verontwaardigd. 'Dat zie ik altijd aan mensen, Kit, en al helemaal aan de mensen die ik goed ken.'

'Ja,' gaf ik met een rood hoofd toe, 'ik ben altijd zo verschrikkelijk opgewonden in mijn hoofd.'

Ara heeft er moeite mee te geloven dat ik mij schaam voor mijn lichaam. Ze zegt dat het meer voor de hand zou liggen als zij zich zou schamen, omdat ze dik is, abnormaal, zegt ze, en dat ik een lichaam heb waarvoor ik mij niet hoef te schamen, omdat het een gewoon lichaam is, mooi en klein en fijn, zegt ze.

'Het ligt ook niet aan de vorm,' probeer ik haar te verduidelijken, 'het ligt aan de abnormaliteit van de naaktheid.'

'Naaktheid is toch het natuurlijkste wat er is.'

Dat is nu net wat ik niet vind.

Natuurlijk is het lichaam de natuurlijkste zaak van de wereld, maar dan wel met kleren aan. Voor Ara is de wereld verdeeld in lichaam en geest, natuur en cultuur, en zij heeft het lichaam en de natuur in pacht voor haarzelf en de geest en de cultuur voor mij. Van dat soort duidelijkheid hou ik erg, want ze bespaart je een hoop gedoe. Wij hoeven ons nooit af te vragen wie wat het beste kan, want Ara doet alle praktische dingen en ik ga gelukzalig voor onhandig door.

Sinds haar moeder lid is geworden van wel tien clubs en allerlei cursussen volgt, eet ik vaak met Ara alleen in hun huis. Zij doet de inkopen, kookt en dekt de tafel. Na het eten ruimt en wast zij af, terwijl ik dan weer in een boek duik. Bij ons thuis kan ik me er nog weleens naar over voelen, dat wij nooit iets in het huishouden doen en onze moeder in haar eentje maaltijden bereidt voor iedereen, dekt, afruimt en de afwas doet, maar de jongens en ik kunnen haar honderd keer aanbieden om een keer de afwas te doen, ze zegt altijd dat het niet nodig is, dat wij maar lekker tv moeten gaan kijken of op onze kamers moeten gaan studeren.

In de buurt van Ara word ik nooit onrustig of zenuwachtig als zij staat af te wassen en ik in een stoel hang, wat voor mij uit staar, lees, of in mijn schrift schrijf, omdat ik het heerlijk vind om bij haar een klungel te zijn. Zij vindt zichzelf het meest geschikt om voor het echte voedsel te zorgen en ik moet dan maar voor het geestelijke voedsel zorgen, zo drukt zij het uit.

Alleen red ik het de laatste tijd niet op alle fronten met deze verdeling. Ze staat me onvoldoende begrip toe, van mijzelf, van haar, van anderen.

Soms probeer ik het aan Ara uit te leggen, dat ik weiger om gefrustreerd te zijn en dat ik, als ik haar moet geloven, wel gefrustreerd ben, omdat je alleen voor niet-gefrustreerd doorgaat als je naaktheid natuurlijk vindt, want natuurlijk betekent dan opeens hetzelfde als vanzelfsprekend en normaal.

'Frustraties komen uit de geest,' zegt Ara en dan denk ik dat ze wel gelijk heeft, maar dat dat nog niet wil zeggen dat remmingen daarom onnatuurlijk of onzinnig zijn, want waarom zou de geest geen natuur zijn? Hij komt toch ergens vandaan?

Bijkans buiten adem van onvermogen vertel ik Ara dat je bijvoorbeeld kleren, over het algemeen, volgens mij veel beter kunt beschouwen als natuur, als een tweede natuur voor mijn part, maar in ieder geval als natuur. De verschillen in kleren, de modes en zo, die kun je dan wel zien als cultuur.

Ara blijft geïnteresseerd luisteren, maar met een frons in haar voorhoofd. Ik kom er niet uit. Zodra we het erover hebben ga ik stuntelen en stotteren, wat ik afschuwelijk vind, want ik doe er graag mijn best voor om iets duidelijk uit te leggen en te verklaren.

Volgens mij kom ik er met moeite uit, omdat ik de gedachte nog niet rond heb en er dus nog niet lang genoeg over heb nagedacht. Praten voordat je hebt nagedacht vind ik oerstom en daarom ben ik nog boos op mijzelf ook.

'En omdat ik niet gefrustreerd wil zijn, vind ik het verschil tussen natuur en cultuur niet kloppen,' eindig ik koppig het gesprek met Ara en dan barst ze in lachen uit, omdat ze weet dat ik verloren heb en omdat ze mij lachwekkend vindt als ik koppig ben.

'Kom hier,' grinnikt ze.

Het is heel gemakkelijk om met een mokkend gezicht, wat onwillig, dichter naar haar toe te schuiven, want ik ben de beledigde partij en ik merk dat dat zijn voordelen heeft, dat je daardoor het gevoel hebt dat je niets hoeft te doen en dat niemand je kan deren. Ik voel me opeens het kind dat ik nooit was, nukkig, onhandelbaar, bars, een soort kind als onze Makkie, zo een waarvoor je je flinke moeite moet getroosten om het opnieuw met jou te verzoenen en het in een wat vriendelijkere stemming te brengen.

Met een vaste hand buigt ze mijn hoofd voorover en streelt mijn nek. Voordat ik het weet lig ik plat op mijn buik, trekt ze mijn trui uit en streelt ze mijn naakte rug totdat ik in een lichte slaap val.

Ara kan met mij doen wat ze wil, echt waar.

Praten hielp vaak minder goed dan deze strelingen, merkte ik. Ara kon mij honderd keer zeggen dat ze mijn lichaam mooi vond, het maakte mij niet minder schuw.

Ik vind haar buitensporige lichaam ook mooi, maar dat

zegt niets. Het zijn de liefde en de geschiedenis die ervoor zorgen dat je schoonheid ziet of niet. Schoonheid is mensen-werk, het resultaat van verhoudingen tussen mensen, tussen haar en mij. Als Ara lonkt en ik haar een beetje haat, dan vind ik haar afstotelijk en oerlelijk.

De natuur is niet mooi, lelijk, goed of slecht.

Als iemand een wilg mooier vindt dan een beuk, een varken lelijker dan een koe, een gier boosaardiger dan een eekhoorn, dan komt dat door ons, door de geschiedenis van de blik, door de boeken, schilderijen, films, door de woorden en de beelden, door wat mensen over de natuur beweerden en hoe zij haar afbeeldden, vroeger en nu.

Ik vind Ara de mooiste vrouw die ik ken.

Nu ze ouder wordt, is haar gezicht hoekiger, harder en nog knapper dan vroeger. Vanaf haar eenentwintigste schitteren de eerste zilverwitte haren aan haar slapen, wat er prachtig uitziet, omdat ze het zwarte haar meer doen glanzen. Ze draagt het sinds enkele jaren wat langer, tot op de helft van haar zuilvormige hals, en omdat het zulk stug, golvend haar is, kan ze het gemakkelijk naar achteren kammen, waardoor haar gezicht altijd omkranst is en haar eigen lijst bij zich draagt.

Van Ara zul je niet gauw zeggen dat ze zomaar een hoofd heeft. Ara heeft een kop. Zelfs als ze tien kilo aangekomen is, kun je dat niet zien aan haar gezicht, want de ruimte tussen haar hoge, brede jukbeenderen en haar kaken, blijft die vlak-ke strakheid behouden die daar sinds haar achttiende de bol-le wangen verjoeg en nooit meer wegging. Als ze van zichzelf zegt dat ze weer wat moet afvallen, omdat het de spuigaten uitloopt met haar gewicht, dan heb ik niet eens in de gaten gehad dat ze dikker geworden is.

Ik heb geen goed oog voor uiterlijkheden, geloof ik. Ara zegt dat ik röntgenogen heb. Ze bedoelt dat ik niks zie van wat er om me heen gebeurt, of hoe iemand eruitziet, maar dat ik zie wat iemand denkt.

Dat is niet zo.

Ik kan niet zien wat iemand denkt.

Echt niet.

Ik vind het wel prettig dat Ara dat van mij denkt, dus ik laat het haar graag geloven. Het is namelijk goed dat ze mij toch een soort vermogen om te zien toedicht, want ik kan wel aan haar merken dat ze het niet alleen maar prettig vindt als ik er blind voor ben dat zij kilo's aangekomen is. Zij denkt dan toch dat ik helemaal geen oog voor haar heb en dat wat ze doet, hoe ze beweegt, handelt, zich kleedt, dat mij dat allemaal ontgaat.

Ook dat is niet waar. Ik zie wel veel, maar dan anders. Het zal mij eerder opvallen dat een kleine nuance in haar stem verandert, dat zij afscheid neemt met 'hoi' in plaats van met 'dag' en dat haar linkeronderooglid begint te trillen zodra zij het over haar vader heeft, dan dat haar heupen aan weerszijden vijf centimeter in omvang zijn toegenomen.

Ara's vader woont al een jaar of drie op een flat in de stad, met een veel jongere vriendin.

'Zij was zijn overwerk,' zegt ze afgemeten, als ze het er sporadisch over heeft. Haar ouders zijn niet officieel gescheiden, maar Ara wil haar vader nooit meer zien. Ze woont nu alleen met haar moeder, met wie ze erg te doen heeft, omdat haar moeder een perfecte vrouw wilde zijn voor de man die haar vader is en omdat ze daarin mislukte. Ara's moeder was al poetsziek, maar ze schuurt nu het vel van haar eigen lichaam, om nog schoner te worden.

'Zelfs de ruiten slijten bij ons,' zegt Ara, 'ze worden almaar dunner van dat dagelijkse schrobben.'

Het is wel goed van Ara dat ze grapjes kan maken over die ellende.

Het allerliefst zat ik naast Ara in de auto, opgesloten met haar geur en de onontkoombare omvang van haar grote lichaam schemerend in mijn linkerooghoek. Na een paar minuten zakte ik onderuit en dan hoefde ik niet eens meer opzij te kijken om haar te kunnen zien. De enkele keer dat ik mijn hoofd naar haar toedraaide en de kaarsrechte gestalte achter het stuur voluit in mij opnam, kon ik dat nooit doen zonder mij te bedenken hoe gelukkig ik mij voelde als we bij elkaar waren, hoe weinig nodig was voor dat geluk en hoe bedwelmend mooi ik haar vond. Ze negeerde zulke blikken nooit. Ze reageerde op iedere blik van mij door haar ogen van het wegdek af te halen, mijn blik te beantwoorden en dan te glimlachen.

Zij is dan ook gelukkig, dat weet ik.

Ara heeft het goed aangepakt, dat met dat aanraken van mij. Ik denk dat zij daar zo bekwaam in is, omdat ze gewend is met beesten om te gaan. Ara kan zelfs een dolle stier op de knieën dwingen.

We maakten reizen vanaf 1976. Ara was toen tweeëntwintig en zij was voor die tijd nog nooit zonder haar familie op reis geweest naar het buitenland. Ze maakte vaak uitstapjes met haar moeder. In een vreemd land konden we niet ergens onze tent opzetten, of we werden 's ochtends wakker van een stel magere, verwaarloosde honden, dat rusteloos om onze tent heen liep, en blafte en huilde totdat zij naar buiten kwam en de honden een aai over hun kop gaf of hun flanken streelde.

Zo doet ze dat bij mij ook.

Daarom zal ik langzamerhand ook wel een pesthekel gekregen hebben aan die eeuwige meute dociele, hongerige honden voor onze tent.

Ze waren er steeds. Of we nu in Spanje, Frankrijk of Griekenland kampeerden, op de ochtend van onze eerste dag op een camping werden we wakker van snuffelende en blaffende honden voor onze tent.

Tijdens onze eerste reis vond ik het nog wonderbaarlijk en dacht ik dat de beesten in de buurt al van verre haar magie geroken hadden en de hele nacht huilend van verlangen op zoek waren geweest naar Ara, de vrouw van de beesten. Pas tijdens onze tweede reis begreep ik dat ze die loslopende honden al had gevoederd en aangehaald, voordat ze onze tent had opgezet.

Zoiets kan ik dus niet, tenten opzetten.

Als Ara met de stokken en het doek in de weer ging, zat ik op een terrasje een boek te lezen.

Pas toen ik zag hoeveel moeite het Ara kostte om afscheid van haar moeder te nemen, toen wij voor het eerst met een volgepakte Volvo naar Spanje vertrokken, maakte ik een begin met het besef dat Ara minder soeverein en onafhankelijk was dan ik tot dan toe gedacht had. Omdat het te moeilijk was om te geloven dat ik daarin gelijk had, zette ik het van mij af en ik dacht de veel verdraaglijkere gedachte dat ik mij vergist had, dat ze bij het afscheid van haar moeder een dikke keel en opengesperde ogen had, omdat ze zich zorgen maakte om haar en medelijden met haar had, nu ze haar alleen achterliet.

Het was ondenkbaar dat Ara angst had, dat ze bang was om zelfstandig te reizen en dat ze afhankelijk was van haar moeder.

Zo was Ara niet. Ara was van niemand afhankelijk.

Ik had haar nog nooit zenuwachtig, onzeker of onhandig gezien.

Die zenuwachtige, aanhankelijke stumper, dat was ik.

7

In de herfst van 1977 werd ik eenentwintig en die verjaardag vormde de aanleiding tot de felste ruzie die ik met Ara
maakte.

Ik ben heel slecht in ruziemaken, maar nadat ik *Who's afraid
of Virginia Woolf* had gelezen, vond ik dat niet langer een goed
teken. Als Ara en ik werkelijk een vriendschap hadden die
alles kon doorstaan, dan moesten we ook hartstochtelijk
ruzie kunnen maken, zoals George en Martha, door tegen elkaar te schreeuwen en te gillen en door elkaar desnoods een
klap in het gezicht te geven. 's Nachts en overdag droomde ik
van de verrukkelijke wanhoop, het schaamteloos en onge-
straft kwetsen en verwijten, de ongekende, onvoorstelbare
intimiteit van een knetterende ruzie.

Die hadden we enkele dagen na mijn verjaardag en ze
maakte me allesbehalve gelukkig.

Het is wel vreemd dat je iemand van wie je houdt, geen
slechte motieven kunt aanwrijven.

Het was nooit in mij opgekomen te denken dat Ara om
andere dan goede redenen altijd was weggebleven op mijn
verjaardagsfeesten. Ik was ervan overtuigd dat zij haar beslissingen nam op grond van haar goedheid en dankzij een
scherp inzicht in mijn aard en dat het slechtheid was van mij

om zo heftig te verlangen naar haar aanwezigheid op mijn feesten.

Ik wilde alleen maar met haar pochen. Ik wilde haar tonen aan mijn vrienden, zodat ze met eigen ogen konden zien hoe uitzonderlijk Ara was en zich ervan konden vergewissen dat deze buitengewone vrouw van niemand anders zoveel hield als van mij. Haar ontoegankelijkheid, zwijgzaamheid en on- plooibaarheid werkten in mijn voordeel, want iedereen kon op tien vingers uittellen dat ze bij mij al deze nurksheid liet varen en dus een andere kant bezat die alleen ik kende, die ze aan niemand anders liet zien dan aan mij. Ik wilde eer met haar behalen.

Ara keek dwars door mij heen en hoe ik ook smeekte en aandrong, zonder er verder ophef over te maken of het mij openlijk te verwijten weigerde ze resoluut om zich te laten lenen voor zoiets achterbaks. En dan kon ik haar niet alleen maar gelijk geven, maar dan moest ik haar ook nog eens dankbaar zijn, vond ik, omdat zij mij zo goed kende, zo veel slechts van mij wist en mij toch nooit iets kwalijk nam.

'Ik consumeer je zoals je bent,' zei Ara vaak en daar moest ik steeds weer om lachen.

Ze voelt zelf wel dat ze het foute woord gebruikt, maar soms vind ik het zonde om haar te verbeteren, omdat het woord dat ze omzeilt veel slechter uitdrukt wat ze bedoelt. Ara wil zelf het liefst het juiste woord gebruiken, dus dat vul ik dan wel voor haar in, maar volgens mij is dat een woord waar Ara het niet mee kan vinden, want ze krijgt het nooit goed over haar lippen. Naast: 'Ik absorbeer je zoals je bent,' zegt ze ook: 'Ik obsedeer je zoals je bent.' Ze moet er ook steeds zelf om lachen, en soms verdenk ik haar ervan dat ze zich opzettelijk vergist om mij aan het lachen te maken.

Ze had het met de hand op haar hart beloofd, dit keer zou ze 's avonds wel aanwezig zijn en zich voegen bij het kleine gezelschap vrienden dat ik had uitgenodigd. Eenentwintig was tenslotte een bijzondere verjaardag, gaf ze toe, al vond ze het jammer dat ze net de eenentwintig uitgekozen hadden om bijzonder te laten zijn, want ze hield niet van oneven getallen. Die vond ze scherp.

'Let maar eens op,' zei ze, 'alle oneven getallen zien eruit alsof je je eraan kunt prikken en de even getallen niet, die zijn zacht en rond.'

Aan de zeven had ze nog de allergrootste hekel, die sneed je aan alle kanten in het vlees en de drie vond ze een gespleten acht. Als ik haar erop wees dat er ook even getallen zijn die bestaan uit een even en een oneven cijfer, dan zei ze dat ze met paartjes geen moeite had, omdat die elkaar zacht maakten.

Naar analogie van haar visie op de getallen vond ze alles wat een tweeëenheid vormde mooi. Ze zei dat het lichaam ook zo in elkaar stak, dat het symmetrisch was en je alles aan de rechterkant kon vinden wat je ook aan de linkerkant bezat.

'Waar is dan je andere hart?' vroeg ik.

Op die vroege ochtend in november 1977, werd ik wakker van getik op de ramen van mijn slaapkamer. Omgeven door de nevel van de herfstochtend stond daar een glunderende Ara met een arm vol bloemen. Ze had steentjes tegen mijn ruit gegooid. Het was zes uur.

'Proficiat, kleintje,' fluisterde ze, maar ik verstond het toch.

's Avonds was iedereen er, behalve Ara. Tegen tienen belde ze op om te zeggen dat ze ziek was.

Voor het eerst sinds ik haar kende geloofde ik haar niet.

Ze loog.

Zo luchtig mogelijk vertelde ik mijn vrienden dat Ara ziek was en zonet had afgebeld. De meesten van hen hadden haar nog nooit gezien, maar des te meer over haar gehoord. In de pauzes op school kon ik aan de kantinetafel breed uitmeten over Ara. Ik had de onbedwingbare neiging om steeds weer over haar te praten, over hoe bijzonder ze was. Ik vond mijn hele feest niks meer voorstellen en ging daardoor te druk doen.

'Trek je er maar niks van aan,' zei mijn moeder, nadat ze me achterna gelopen was, de kelder in, waar ik een schaal met hapjes wilde pakken. 'Laat die Ara toch voor wat ze is, ze bezorgt je alleen maar verdriet.'

'Ze zal wel haar redenen hebben,' zei ik bars.

'Wat je een reden noemt,' zei mijn moeder met een kwaaiig gezicht, 'het is pure jaloezie.'

Pas toen ik het cadeau van Ara, een gipsen beeldje van een uil dat ik 's ochtends van haar had gekregen, 's nachts weer terug zag in mijn slaapkamer, besefte ik dat ik het een smakeloos, truttig, lelijk ding vond. Ik opende het raam en keilde de uil de boomgaard van de buren in.

Barst! dacht ik.

Drie dagen lang liet ik niks van mij horen, een record. Mijn schrift raakte boordevol vloeken en verwijten.

In een rustigere stemming zette ik mijn grieven genummerd op een rijtje, zodat ik haar voor eens en voor altijd duidelijk zou kunnen maken wat mij dwars zat, als ik haar weer zag. Ik kwam tot zeventien.

Zij belde op de ochtend van de vierde dag. Of ik die avond kwam eten. Ik stemde toe, probeerde zo kortaf mogelijk te klinken, hoorde haar grinniken om die halfslachtige poging en gooide wit van woede de hoorn op de haak, zonder afscheid te nemen.

Ruzies zoals in *Virginia Woolf* zijn verschrikkelijk en ze hebben geen enkele zin. De dag die volgde op mijn bezoek aan haar, kon ik mij nauwelijks herinneren wat ik allemaal gezegd had, waarom ik, net nadat ze het eten had opgediend, bruusk was opgestaan, zij zich verbaasd had opgericht, ik tegenover haar stond, met twee gebalde vuisten tegen haar schouders sloeg en zonder mijn jas aan te trekken het huis was uitgerend. Van de zeventien grieven had ik er hoogstens drie gespuid.

Ik heb tegen haar gezegd dat ik haar getreiter spuugzat was, dat ze tegen mij gelogen had, dat ze mij behandelde als een hond die je moet africhten en mij trainde met trucjes die ik niet doorzag en begreep, dat zij mij voortdurend beproefde door mij te belonen en te straffen en dat ik nooit echt begreep waarom, waarom ik in vredesnaam straf verdiend had, en dat ik verdomme niet een van haar achterlijke honden was, die je kunstjes kon leren en dat ik ook nooit zo'n kwijlerig slijmballenbeest zou worden, nooit.

Meer niet.

Thuis, in bed, was het enige beeld dat ik voor mij zag hoe Ara in de weer was met het eten, hoe ze vanuit de keuken de kamer binnenkwam en trots een mooie schaal op tafel zette, waaraan ze duidelijk een hele middag had gewerkt. Het was mijn lievelingsgerecht, gestoofd konijn met pruimen. Ze had zelfs de pootjes versierd met een groen papieren ringetje.

Op het moment dat ze mijn bord vol schepte, had ik mij niet langer kunnen beheersen en was tegen haar uitgevaren.

Ik had geen hap genomen van het voedsel en het volle bord onaangeroerd gelaten.

Uiteindelijk zag ik alleen nog dat achtergelaten, verwaarloosde volle bord en die groene papieren ringetjes voor me en ik voelde me beroerd en wreed, een harteloos wezen dat een bord met liefde ontkend en geweigerd had. Ondanks mijn lege maag moest ik die nacht drie keer overgeven. Op het laatst kwam er alleen nog gele gal.

Toen ik weer terugkroop in mijn bed en mijn ogen sloot, kwamen er alleen nare, superzielige herinneringen in mij op, die allemaal te maken hadden met eten en pijn.

Daar heb ik er heel veel van.

Makkie en ik spelen in de schuur van het huis van mijn grootouders. De schuur ligt op een heuvel, een kleine twintig meter bij het woonhuis vandaan. Mijn grootmoeder is klein en oud. Ze komt op haar sloffen de heuvel opgeklommen. In haar hand heeft ze twee sneden witbrood, besmeerd met boter en met stroop. Ze reikt Makkie en mij ieder een snee aan, maar Makkie zegt dat hij niks hoeft, dat hij zo'n soort boterham niet lust. Ik zeg tegen mijn grootmoeder dat ik ze wel allebei opeet, dat ik het heerlijk vind, een boterham met stroop. Tien minuten later trek ik zo hard aan Makkies haren, dat ik tot mijn verbazing even later een pluk in mijn handen houd.

Willem vertelt bij thuiskomst dat hij in de Mensa het lekkerste voedsel gegeten heeft sinds ooit: Indonesische rijsttafel. Als hij het daaropvolgende weekend thuiskomt heeft mijn moeder een verrassing: Indonesische rijsttafel. Ze heeft een gebonden boekje met recepten gekocht, uit de verste uithoeken kruiden en ingrediënten verzameld, drie verschillende soorten vlees dagenlang laten marineren, gehakt, gesneden en gestoofd. Ze zegt dat ze zich niet kan voorstellen dat het zal smaken, omdat ze vindt dat die spullen zo gek ruiken, muf en vissig, zegt ze. De tafel staat vol met bakjes, kommen en schalen. Het oogt zoals op de foto's in het boek dat ze gekocht heeft. Ze zegt dat we nu gezellig een hele avond kunnen tafelen. Na een half uur zijn de schalen leeg. De jongens vragen of ze naar *Studio Sport* mogen kijken.

Nadat ik een halve boterham van mijn vader heb opgegeten, denkt hij dat ik zijn boterhammen lekkerder vind dan de mijne. Hij bewaart nu iedere dag een halve boterham van zijn lunchpakket, om die 's avonds aan mij te kunnen geven. Ik durf hem niet te zeggen dat dit niet de bedoeling is. Pas als mijn moeder ingrijpt en zegt dat mijn vader zich het eten uit de mond spaart voor ons, zeg ik hem dat mijn moeder gelijk heeft en dat hij zijn boterhammen zelf moet opeten en ze niet voor mij hoeft te bewaren.

De buurvrouw heeft pannekoeken gebakken met kersen erin. Ze klopt op de deur en ze reikt mijn moeder een bord aan, met een dikke pannekoek erop. Ik wil er onmiddellijk een stuk van proeven, maar met haar ogen maakt mijn moeder mij duidelijk dat ik dat niet moet doen. Als de buurvrouw weg is, pakt mijn moeder het bord op, laat de pannekoek in de pedaalemmer glijden en wast het bord af. Ze zegt dat de buurvrouw niet hygiënisch is. Ik moet het schoongewassen bord terugbrengen. Tegen de buurvrouw kan ik er niet over uit hoe heerlijk die pannekoek van haar smaakte, bijna nog lekkerder dan die van mama, zeg ik.

Voor het eerst ga ik niet ter communie. Ik vertel het als ik thuiskom, aan mijn vader en aan mijn moeder, dat ik de hostie niet genomen heb. Ik vraag of ze het heel erg zouden vinden als ik voorlopig niet meer naar de kerk toe ga. Mijn moeder zegt dat hun dat heel veel verdriet doet, maar dat wij op dit punt zelf onze beslissingen moeten nemen, dat zij ons niet kunnen dwingen om te geloven.

Mijn vader zegt dat ik ooit in mijn leven nog eens heel alleen zal zijn, dat hij dat weet, en dat ik op dat moment niemand meer heb tot wie ik mij kan richten. Hij zegt dat hij dat een onverdraaglijke gedachte vindt. Ik probeer te zeggen dat ze niet bang hoeven te zijn, dat het minder met geloof te maken heeft, dan met de vorm waarin het zich uitdrukt, dat ik het domweg niet meer klaarspeel om de hostie die God is, door mijn keel te krijgen, maar dat vind ik veel te moeilijk en ik zie ervan af om ze dat duidelijk te maken. Ik zeg alleen maar dat ze zich geen zorgen om mij hoeven te maken.

In de nacht na mijn ruzie met Ara nam ik mij voor haar, mijn ouderlijk huis en het dorp te verlaten. Ik zou het advies van Verkruysse opvolgen en een universitaire studie gaan doen. Ik ging naar de stad. Ik ging niet naar de universiteitsstad waar mijn broers woonden, want ik wilde vooral heel ver weg.

Ik wil even niemand in mijn buurt om van te houden.

Voordat ik in slaap viel rekende ik uit dat ik nog een half jaar de tijd had om Ara, mijn ouders en mijn broers voor te bereiden op mijn vertrek. Dat leek mij wel voldoende.

Ik ben vastberaden.

De persoon die mij kan tegenhouden bestaat niet.

Ook Ara kan dat niet.

Niemand kan dat.

In de weken nadat ik mij had voorgenomen te vertrekken, sliep ik 's nachts slecht, had ik aanvallen van flauwtes en moest ik opstaan om over te geven zodra ik in bed was gestapt en enige minuten op mijn rug lag.

Terwijl ik niets liever wilde dan aan deze stompzinnige ontwikkeling een einde maken, aan deze pijn van het nest, voelde ik me laf, schuldig, een verraadster die het zinkende schip ging verlaten en iedereen in de steek liet. Het maakte me ziek te bedenken dat ik het opgaf, dat ik Chrisje niet verder zou zien opgroeien, dat ik gefaald had om mijn ouders mijn dankbaarheid te tonen en mijn moeder gelukkig te maken, om Ara te overtuigen van mijn trouw, om het meisje te zijn van Matthias, om een vak te kiezen waarvan ik echt hield, om de jongens te leren hoe ze moesten leven.

Zodra ik een gevoel van opwinding bij mijzelf ontdek, een groot verlangen naar breken, naar zover mogelijk weggaan, naar onverschilligheid, naar ontdekkingen, studie, stad, naar alleen zijn, naar nooit meer van iemand houden, schaam ik mij en kwel me met een onmetelijk medelijden met iedereen die achterblijft en van wie ik denk dat ze zichzelf niet kunnen redden.

Zonder het te willen komt het beeld van onze koelkast mij treiteren, hoe schoon die is en hoe geordend mijn moeder daarin alles opgeborgen heeft. Het denken aan de etagedoos met vleeswaren doet mij het meeste zeer. Als ik inzoom op de rauwe ham voor mijn vader, de cervelaat voor Willem, de gekookte ham voor Makkie en het fijne rookvlees voor ons Chrisje, begin ik weer te twijfelen en vraag ik mij af of ik niet voor altijd bij haar moet blijven.

Op de ochtend dat ik mijn eerste voorbereidingen wil treffen om mijn moeder in te lichten over mijn plannen, tref ik haar zoals zo vaak huilend aan. Ze zit aan de keukentafel en ze verbergt haar gezicht in een theedoek. In haar rechteroog is een adertje gesprongen, haar oogleden zijn rood en gezwollen en onder de ogen staan diepblauwe kringen. Ze maakt zich altijd zorgen. Ze slaapt maar drie uur per nacht. Ze wrijft ruw met de droogdoek over haar gezicht en slaat een reeks horterige zuchten als ik de keuken betreed.

'Wat is er, mama?'

'Och, niks, alles, die verschrikkelijke koppijn,' zegt mijn moeder. Haar mond trekt scheef. Ze heeft zin om uren achtereen te huilen, dat zie ik.

'Huil maar,' zeg ik.

Dat doet ze ook. Ik ga tegenover haar zitten, zoals altijd. Het lukt mij niet om naast haar te gaan staan en een arm om haar heen te slaan of over haar rug te wrijven, want ik weet dat ze het niet prettig vindt als ik aan haar zit.

'Wanneer krijg ik het nu eens eindelijk?' vraagt mijn moeder aan niemand in het bijzonder.

We moeten eens wat aan die ellendige taal doen, schiet het door mij heen. Het is de schuld van de taal, want ze veroorzaakt vergissingen en van die vergissingen worden de mensen doodongelukkig, wordt mijn moeder ongelukkig. Krijgen en geluk horen niet bij elkaar en vinden en geluk ook niet.

Mensen die maar blijven wachten op het geluk, die wachten op iets wat nooit komt. Geluk ligt niet voor het oprapen. Het is niet het grote, geheime geschenk dat het leven voor iedereen in petto heeft en ergens voor jou verborgen houdt om het op het juiste moment aan jou uit te reiken, omdat je er recht op hebt. Niemand heeft recht op geluk.

Binnen een kwartier heb ik mijn moeder gekalmeerd, daar

ben ik heel goed in. Je kunt tegen mijn moeder gerust zeggen dat ze geen irreële verwachtingen moet hebben van het leven en dat het geluk niet ergens op haar ligt te wachten, daar heeft ze oren naar, ook al neemt dat gepraat haar verdriet niet helemaal weg. Ik gooi regelmatig onszelf in de aanbieding, ons, wij, de jongens en ik. Waarom ze dan niet kan zien wat ze heeft, ons, wij, die zoveel van haar en papa houden. Niemand is aan de drugs. Ze heeft toch goede kinderen?

'Ik zie toch dat jullie ongelukkig zijn,' zegt mijn moeder met haar onverbiddelijke, stuitende eerlijkheid, 'je hoeft mij toch niks wijs te maken.'

Het is waar, dat kan ik ook niet.

Over mijn voornemen na de examens het huis uit te gaan, besluit ik voorlopig te zwijgen. Misschien stel ik dat hele vertrek wel uit en blijf ik in de buurt, zoek ik in een of ander dorp in de omgeving een baan als onderwijzeres. Dan heeft ze tenminste een kind onder de pannen. Ik denk dat haar dat goed zou doen.

Ara was de eerste aan wie ik over mijn plannen vertelde. We zaten in De Scherf. Ze had het mij niet kwalijk genomen dat ik boos was geweest over haar afwezigheid op mijn verjaardag, maar wel dat ik weggelopen was.

'Dat doe je niet met mij,' zei ze. 'Als er iets tussen ons is, moet je erbij blijven, het aan durven zien.'

Ik had haar gelijk gegeven.

'Hoe weet je dat allemaal,' vroeg ik haar, 'dat het zo moet tussen mensen?'

'Zoiets voel ik,' zei ze. 'Ik vertrouw op mijn gevoel.'

Onze ruzie lag mij nog te vers in het geheugen om haar tegen te spreken, ook al had ik dat in het verleden wel gedaan. Dan ging het altijd over hoofd en hart en waarom zij met een zekere trots concludeerde dat waar zij het had over intuïtie en gevoel, ik altijd sprak over analyse en denken, alsof dat minder was, alsof ik geen hart zou hebben.

Het hart is de meest geknede, bewerkte, gemangelde en bedrogen spier die we hebben. Als in onze eeuw één orgaan in het menselijk lichaam object is geweest van bedrog en infiltratie, dan is het deze bloederige pomp. Ik begrijp niet dat vrouwen er trots op kunnen zijn om voor gevoelig en intuïtief door te gaan, als dat alleen maar inhoudt dat ze zichzelf ontslaan van de verplichting om iets te verklaren en uit te leggen. Wat heb je nou aan kennis die je niet kunt overbrengen? Hoe kun je iets begrepen hebben als je niemand anders kunt verduidelijken wát je begrepen hebt?

Het hart en de hersens moeten een verbinding hebben, want kennis kan pijn doen en ontroeren, en een liefde kan het begin zijn van grote inzichten. Nu hebben ze de band tussen die spier en het hoofd doorgesneden en aan het hart niet alleen een zelfstandigheid toegeschreven die het niet heeft, maar het bovendien opgehemeld, verfraaid en versierd en het vervolgens met veel bedrieglijke omhaal aan de vrouwen geschonken. Daar ben ik niet blij mee.

Ik laat mij niet met een kluitje in het riet sturen.

Je maakt mij geen compliment als je mij zegt dat ik zo gevoelig ben.

Zodra je het hart beschouwt als autonoom en eigenzinnig, kun je niet meer zien welke strenge, desnoods hoogstpersoonlijke logica schuilgaat achter een zogeheten passie of een overweldigend gevoel. Hart en hersens horen bij elkaar. Het gevoel is verstandig en het denken is gevoelig.

Zolang Ara dat niet zag en bleef denken dat haar hart haar

meest betrouwbare raadgever was, kon ze nooit ingrijpen in de onverbiddelijke logica van haar eigen drama en haar eigen geluk.

Ik zweeg en knikte. Ze merkte aan mij dat ik vergevingsgezind wilde zijn en niet opnieuw wilde bekvechten over een meningsverschil, maar ze nam het mij niet in dank af. Haar wenkbrauw veranderde in een circonflexe. Ik deed alsof ik het niet zag. Ik wilde haar vertellen dat ik wegging en dat ik niet in de meest voor de hand liggende stad ging studeren, maar veel verder weg, in een stad waar ik niemand kende.

Omdat ik mij uitgedaagd voelde en geprikkeld, wilde ik mijn aankondiging aandikken, dramatiseren, wilde ik doen alsof het haar schuld was dat ik ver van haar ging wonen, wilde ik nu, ter plekke, dat mijn vertrek gepaard ging met een breuk, met het voor eens en altijd beëindigen van deze vriendschap, die net als al mijn andere verhoudingen te moeilijk voor mij was, te onmogelijk, te pijnlijk, te veel doordrenkt van onbegrip, misverstanden en onvermogen.

Ik deed het niet.

Voor het eerst sinds de kennismaking met mijn liefste vijand bestelde ik weer een Cuba Libre. Na drie glazen verklaarde ik haar mijn liefde, zei ik tegen haar dat ik nooit een andere vriendin zou nemen en vertelde ik haar dat ik vertrekken moest.

'Ja,' zei ze, 'jij moet vertrekken, dat heb ik altijd zo gevoeld.'

Vanaf de dag dat mijn ouders weten dat ik inderdaad vertrek, timmert mijn vader tafels en kasten en koopt mijn moeder de noodzakelijke spullen voor mij: potten en pannen, handdoeken, lakens, een servies; dure dingen.

'Ik hou niet van goedkope rommel,' zegt ze. 'Je moet van alles het beste kopen,' adviseert ze mij, 'dat heb ik ook altijd gedaan. Van iets goeds geniet je langer.'

Ze pakt de dozen lacherig in.

'Jij gaat toch nooit trouwen,' zegt ze, 'dan beschouwen we dit maar als jouw uitzet.'

Bij het woord uitzet lacht ze. Ze vindt het helemaal niet bij mij passen.

Ik hou ervan als ze lacht. Ik bedank haar, voor alles wat ze doet.

'Ja,' zegt mijn moeder, 'jullie mogen ook wel dankbaar zijn. Ik wou dat er vroeger iemand zo goed voor mij gezorgd had.'

Een enkele keer probeert ze mij nog van mijn besluit af te brengen. Dan zegt ze dat ik een goede onderwijzeres zou zijn, dat ik zo veel brieven krijg van de kinderen uit de klassen waar ik stages loop, dat het hoofd van de school in ons dorp al geïnformeerd heeft wanneer ik afstudeer, omdat er een vacature komt, dat ze niet begrijpt waarom ik nou nog hogerop wil, onderwijzeres is toch een prachtig beroep voor een meisje, waarom wij met iets eenvoudigs niet tevreden zijn en naar de grote stad willen, nog meer leren, dat zij er met haar verstand niet bij kan, dat dat voor mensen als zij en papa allemaal maar moeilijk te begrijpen is, dat ze de wil om te studeren eigenlijk nog wel kan begrijpen, maar de keuze voor die stad echt niet, dat ik nou net voor zo'n gevaarlijke plek, tweehonderd kilometer verderop moet kiezen, dat het toch veel geruststellender zou zijn als ik in de meest nabije stad ging studeren, waar de jongens wonen en wij voor elkaar kunnen zorgen, maar dat ze kan praten wat ze wil, dat ze toch niks over ons te zeggen heeft, als puntje bij paaltje

komt, doen wij toch precies wat wij ons in het hoofd gehaald hebben.

Op de ochtend van mijn vertrek wekt Ara mij weer door het
gooien van steentjes tegen mijn raam.

'Je gaat weg,' fluistert ze, maar ik versta het toch. Beneden
open ik de achterdeur van ons huis voor haar en wij omar-
men elkaar minutenlang.

'Het is goed,' zegt ze.

Ik hoor iets ongewoons in haar stem. Als ik mijn hoofd op-
richt en haar aankijk, zie ik dat haar ogen vol tranen staan. Pas
op dat moment dringt het tot mij door dat ik Ara nog nooit
heb zien huilen. Het maakt me angstig en trots.

'We blijven toch altijd bij elkaar,' zeg ik.

'Ja,' zegt ze, 'dat weet ik.'

Ze haalt diep adem en herstelt zich snel.

Ze zegt: 'Kijk een beetje uit, kleintje, daarbuiten in die
jungle.'

'Wees maar niet bang,' zeg ik, 'ik hoor bij de roofdieren.'

III

WERK EN LIEFDE

1

Ik ben dertig en ik heb nog nooit liefdesverdriet gehad. Dat komt omdat ik nog nooit een liefde heb gehad die ik niet zou kunnen missen. Sinds mijn tiende ben ik geen moment van de dag zonder de wetenschap dat ik altijd iemand heb en die iemand dat is Ara.

Ik ben het niet meer gewend een leven te hebben waarin veel gebeurt, achter elkaar. Voor mij hoeft het leven niet afwisselend te zijn.

Ik houd niet van dat soort avonturen.

De afgelopen tien jaar heb ik binnen gezeten, in een kamer van drie bij zes, op twee hoog, achter geblindeerde ramen, zonder krant of telefoon, tussen en met de boeken. Iedere verandering, ieder avontuur dat ik beleefde, speelde zich af binnen deze vier muren. Ik heb hier een aantal vrienden en kennissen, zo nu en dan kortdurende vrijages en ik had tien jaar lang een minnaar.

Nu niet meer.

Hij heeft mij een week geleden verlaten. Hij wil dat we gewone vrienden worden, omdat hij een nieuwe vrouw heeft, met wie hij wil trouwen en die hij heeft moeten beloven niet meer met mij naar bed te zullen gaan. Ik dacht dat ik nu een keer liefdesverdriet zou krijgen, maar ik was opgewonden en ik vond het spannend om zelf eens een keer verlaten te worden.

Buiten de deur vertelde ik aan iedereen dat Bruno van mij af ging. Binnen wachtte ik op een lijden dat mij onbekend was, op de tragische smart van de verloren liefde, waarvan ik anderen weleens mooi mager had zien worden.

Pas toen Ara mij erop wees dat ik vertelde over de breuk met Bruno alsof ik een hoofdprijs in een loterij had gewonnen, begreep ik dat er van dat lijden niks terecht kwam.

Ik leed niet aan de liefde.

Met Bruno had ik een liefde gehad en verloren, maar het was er niet een geweest waarin hij mij had kunnen verlaten.

Bruno werd mijn minnaar onder Ara's ogen. Tien jaar geleden besloten we om direct na mijn verhuizing samen een week naar Parijs te gaan. In de herfst van 1978 huurden we een Volkswagenbusje en reden daarmee naar het Bois de Boulogne.

Voor het eerst sinds haar jeugd was Ara tien kilo afgevallen. In de maanden die vooraf waren gegaan aan mijn vertrek, hadden we meer tijd samen doorgebracht dan ooit daarvoor. Ze zei dat ze geen honger had als ze bij mij was, dat de gedachte aan eten haar tegenstond en dat ze, zodra ze aan eten dacht, maar naar mij hoefde te kijken en te luisteren, om zich te kunnen beheersen.

'Ik zou niks meer wegen als wij altijd bij elkaar zouden zijn,' zei Ara.

Sinds ze was afgevallen ergerde ik me vaak aan Ara. In het begin stoorde ik mij er niet aan, maar naarmate het langer duurde, vond ik haar soms niet om aan te zien. Vooral haar gezicht, hals en schouders waren smal geworden.

Ara had de gewoonte aangenomen zichzelf voortdurend te betasten.

Zodra we in gezelschap waren trok ze haar hals uit, spande haar kaakspieren zo, dat de ferme spierbundels en botten van de hals een diep reliëf vertoonden, trok haar neusvleugels naar beneden en haar schouders naar voren, zodat er overal holtes en schaduwen verschenen en alles in haar gezicht nog smaller leek dan het al was en dan legde ze haar beide handen in de ontstane holtes of ze bevoelde met haar vingers de kuilen onder haar kaak.

Ze begroet de pezen en botten die jarenlang onder het vlees verborgen hebben gelegen, dacht ik aanvankelijk, en dan kon ik me dat voorstellen, dat het prettig moest zijn jezelf te bevoelen. Maar begroeten houdt toch ooit op en Ara hield niet op.

Ze kon niet langer een normaal gesprek voeren als ze deze grimassen uithaalde, want daarvoor moest ze haar spieren ontspannen. Door het uitrekken van haar hals bogen haar mondhoeken naar beneden, wat haar een grimmig uiterlijk gaf, waar ik niet van hield. Steeds meer vond ik het oprekken en betasten van de spieren bespottelijk en een kwelling om naar te kijken, maar ik durfde er niks van te zeggen. Ze zag er uit als een boze kraai met een van de kou opgezwollen onderlichaam, maar ik wist dat ze zich mooier en normaler dan ooit waande, dat ze de tijd rijp achtte om zich te wreken op vernederingen die ze nooit had onderkend en ik vond haar illusie te breekbaar om erop in te hakken. Ze trok haar hals ook zo uit op het moment dat we Bruno voor het eerst ontdekten tussen de bomen van het Bois de Boulogne.

Naarmate ik ouder geworden was, kwam het steeds minder vaak voor dat ik een man op het eerste oog onweerstaanbaar vond, maar net als Ara vond ik Bruno op het eerste oog onweerstaanbaar.

Het is wel moeilijk om erachter te komen waar hem dat in zit.

Later in mijn leven heeft Ara tegen mij gezegd dat alle mannen van wie ik gehouden heb, allemaal iets hadden van een van mijn broers. Stug en eerlijk, dat werk. En iets in hun uiterlijk, maar dat dan moeilijker te beschrijven is in woorden. Dat het soms alleen maar een oogopslag, kaaklijn of een loopje was. Ara zag het altijd, ik nooit.

Sommige wetenschap staat je eigen hoofd je eenvoudigweg niet toe. Je kunt niet alles van jezelf te weten komen in je leven, vrees ik.

Tien meter van onze Volkswagenbus verwijderd had hij samen met een vriend zijn tent opgeslagen. Ara en ik passeerden hen toen wij 's ochtends naar de campingwinkel liepen om vers stokbrood te kopen. We hoorden Nederlands en zagen twee mannen van om en nabij de veertig in klapstoelen tegenover elkaar zitten. Ze droegen dikke, wollen schipperstruien. Een lange man met vlassig blond haar en een volle baard en snor was druk gebarend aan het woord, die andere luisterde.

Op de terugweg zwaaide de lange man joviaal naar ons en sprak ons aan in een Frans dat niet Hollandser kon klinken. Ara en ik schoten beiden in de lach. Hij bood ons koffie aan en wij deelden ons eerste stokbrood met hen. Die lange heette Pim en die ander, dat was Bruno.

Twee dagen later kroop ik 's avonds hun tent binnen, toen

Pim en Ara een wandeling door het bos maakten. Ik ben in de holte van zijn arm gaan liggen, hij sloeg die om me heen, wreef wat over mijn rug en viel weer in slaap. Ik verbaasde me over de mengeling van opwinding en rust, die ik voelde en ik wist opeens zeker dat het Bruno zou zijn, bij wie ik mijn eerste pogingen ging doen om mij te bevrijden van een ongewenste erfenis van angst, schaamte en schuld.

Het was Bruno.

Het waren pogingen.

Hij was eenenveertig, getrouwd, had twee kinderen, hij speelde trombone in een beroepsorkest, woonde in de buurt van mijn woonplaats en hij zocht mij in januari van 1979 voor het eerst op, omdat het hem, naar zijn zeggen, niet gelukt was mij uit zijn hoofd te krijgen. Daar was ik blij om. Ik had sinds ons afscheid in Parijs voortdurend aan hem gedacht en verlangde met de nerveuze begeerte van een verliefde naar hem. Ik durfde hem te schrijven noch te bellen, omdat hij getrouwd was.

Hij bleef die nacht en werd toen mijn minnaar. Hij kon niet liegen en hij vertelde het zijn vrouw. Drie jaar lang probeerde ze ermee te leven, kon dat niet en deed er daarna nog twee jaar over om van hem te scheiden.

Dat was helemaal niet mijn bedoeling.

Bruno zocht me na zijn scheiding steeds vaker op. In al die jaren dat ik hem kende was mijn verlangen naar hem alleen maar gegroeid. Zodra ik hem zag begon een licht trillen in mijn knieën en dat hield pas op als ik van de been was, kort of lang, dat maakte niet uit en waar we belandden ook niet.

Iedere keer weer was ik er trots op dat ik iemand geworden was die begeerte voelde en die het verdroeg dat iemand anders haar aanraakte. Voor de rest vond ik dat er niets was om trots op te zijn.

Een jaar nadat zijn vrouw vertrokken was, begon Bruno erover. Hij zei dat hij het vreselijk vond om alleen te zijn, in huis. Zoiets was voor mij moeilijk voorstelbaar, omdat ik niets liever wilde dan zoveel en zo vaak mogelijk alleen zijn.

Hij stelde voor te verhuizen, een ruime etage te zoeken, waarin we samen konden wonen. Ik vertelde hem dat ik dat niet wou, samenwonen, dat het ondenkbaar was dat ik ooit met iemand samen in een ruimte ging leven, dat ik dat niet kon en er ook geen zin in had. Ik zei hem dat ik niet de vrouw van iemand wilde worden, ook niet van hem, maar dat ik wel voor altijd zijn minnares, zijn tweedehands geliefde wilde blijven, dat ik niet wilde dat daar ooit verandering in kwam.

'Je tweede en dan voor eeuwig,' zei ik.

Ik zei dat ik altijd naar hem verlangde, maar dat ik ook altijd wilde dat hij weer vertrok, zodat hij terug kon komen, wanneer hij wilde.

Hij zei dat hij van mij hield.

Ik zei dat ik ook van hem hield.

Als hij er niet tegen kon om alleen te zijn, moest hij weer een echte vrouw gaan zoeken, zei ik tegen hem, voor in huis.

Die vrouw heeft hij vorig jaar gevonden.

Een week geleden pas besefte ik dat ik er stilzwijgend vanuit was gegaan dat hij niet zou houden van de vrouw met wie hij wilde samenwonen. Alsof het vanzelfsprekend is dat de liefde en het samenwonen elkaar uitsluiten.

Wat de liefde betreft, gingen Ara en ik in zekere zin gelijk op, want een maand nadat ik verteld had dat ik naar het westen zou vertrekken, koos zij Bing uit de schare aanbidders die de grootste trouw aan de dag had gelegd. Ara en Bing waren net zolang een stel als Bruno en ik, maar dan anders.

Bing is een bonkige, stotterende, in Nederland geboren Chinees. Hij is een kop kleiner dan Ara, heeft stekelhaartjes en een vreemd lachje. Hij is de zoon van een chirurg uit de stad in het zuiden en Ara heeft hem leren kennen via het asiel.

Bing wilde dierenarts worden, maar hij bleek een eeuwige student en hij zakte voor bijna ieder examen.

Ara ziet hem desondanks als een genie, maar ik vind het nogal meevallen, die intelligentie van Bing. Ik vind Bing meer een soort slimme, faalangstige zenuwlijder, die het meest uitblinkt in zijn liefde voor Ara. Ik hield vanaf het eerste moment dat ik hem leerde kennen, van de manier waarop hij van Ara hield en dat doe ik nog steeds. Verder heb ik niks met hem en zie ik ook niet welke talenten dat zijn, waarvan Ara zegt dat hij daarmee rijkelijk begiftigd is.

'Een sudderend talent,' noemt Ara hem en ik snap wel dat je de persoon met wie je bent ook een beetje moet bewonderen, maar iemand een talent noemen zonder dat je dat ergens aan kunt zien, vind ik ergerlijk. Sudderende talenten bestaan net zo min als mislukte genieën.

Talent is de manifestatie van talent.

Wat aan de uiting van talent voorafgaat is het verlangen naar manifestatie, uiting, openbaring, naar het mededelen van een vermogen. Wat suddert is nog niet klaar.

Ara zegt mij iets te vaak dat het Bing niet zo meezit in het leven als het mij meezit.

'Wat meezit?' zeg ik korzelig.

'Alles toch, Kit?' zegt Ara op een soort vragende toon.

Ze kijkt me daarbij bozig aan, alsof het haar verbaast dat dit voor mij niet vanzelfsprekend is.

'Je durft alles en wat je aanpakt, lukt je ook.'

Maar de suggestie als zou mij het geluk in de schoot geworpen worden, maakt me kwaad. Zonder dat voor de zoveelste keer tegen haar te zeggen, grijp ik naar het veel venijniger middel om de vergelijking tussen Bing en mij te vernietigen door Ara de verwantschap tussen Bing en haarzelf duidelijk te maken.

Bing en zij, leg ik haar uit, herkennen elkaars faalangst.

'Dat is waar,' zegt ze.

Dan ga ik verder. Zo rustig mogelijk leg ik haar uit dat haar faalangst misschien veel meer te maken heeft met haar trots en haar hoogmoed, dan met dat veel sympathiekere en hoger aangeslagen gevoel van onzekerheid.

'Kan zijn,' zegt ze.

Haar toegeeflijkheid verzacht mijn venijn en op een zachtere toon probeer ik nog meer gelijk te krijgen, probeer ik haar te winnen voor dit idee, dat faalangst en hoogmoed bij elkaar horen, dat zij noch Bing het risico willen lopen hun waan van bijzonderheid op de proef te stellen, dat zij binnen de vier muren van hun boerderij elkaars eigenwaan in stand kunnen houden, maar het niet wagen om zich door de buitenwereld te laten beproeven. Ara wordt droevig van wat ik zeg. Ze verweert zich er nauwelijks tegen.

'Toch begrijp ik niet dat iedereen jou altijd zo bijzonder vindt en mij niet,' zegt ze nog. 'Ik ben ook bijzonder, maar behalve jij vindt niemand dat.'

'Daar ben ik helemaal niet mee bezig,' zeg ik, 'met wat de mensen van mij vinden.'

Het was een oude controverse tussen Ara en mij en het was mij nog nooit gelukt om haar te overtuigen van mijn gelijk. Van het zwijgen werd ik schamper en onverschillig. Steeds minder vaak nam ik de moeite tegen haar in te gaan en haar opnieuw uit te leggen dat veel van wat zij als geschenken beschouwde, als iets wat je van buiten werd aangereikt en wat je kon nemen of weigeren, volgens mij iets was wat je bewerkte, iets binnenin je, iets wat verbonden was met jouw persoonlijke geschiedenis.

Aan het verlangen naar geluk, talent, en uitzonderlijkheid liggen motieven, redenen en oorzaken ten grondslag, en die kun je ontdekken, als je dat wilt. Talent is een noodzaak.

Het woord 'geluksvogel' kon ik niet meer horen.

Als je de lotto wint, dan ben je een geluksvogel.

Zonder nog te weten waarom, dacht ik op momenten dat ik mij ergerde maar zweeg: Snap dan maar niks, denk nooit na, en blijf gewoon dik.

Bing en ik zouden het zonder de aanwezigheid van Ara geen uur in elkaars gezelschap uithouden. Bij mij stottert hij nog veel erger dan bij Ara en wat zij doet dat wil ik wel, maar dat durf ik niet. Bing blijft hangen in de beginklanken van de woorden en dwars tegen alle wetten in, die voorschrijven hoe je fatsoenlijk met stotteraars moet omgaan, begint Ara luid te steunen en te zuchten als het haar te lang duurt en Bing de drempel van een woord niet kan nemen. Hapert hij bij de p van prutswerk dan vult Ara na een halve seconde al prutswerk in, zodat Bing het woord kan overslaan en zich in een rap tempo naar de volgende hapering toe praat.

Het kan zijn dat het komt omdat hij Chinees is, maar Bing lacht altijd om Ara's ongeduld. Langzamerhand zijn ze zo op elkaar ingespeeld, dat je nooit alleen Bing hoort praten, maar minstens een derde van het gesprek ingevuld wordt door Ara. Als ik ze bezoek en op mijn beurt Ara corrigeer als ze een woord van Bing invult, dan kan het voorkomen dat we zo verstrikt raken in het verbeteren van elkaars woorden, dat we niet meer weten waar het gesprek over ging.

Van Bing heb ik nooit last gehad. Hij kan zich zo bewegen in een ruimte dat je hem niet ziet. Wij maken ook regelmatig reizen met zijn drieën en dat gaat heel goed. Bing sluipt een beetje om ons heen en verrast ons op het strand met drankjes, fruit en lekkernijen. Hij schuift ze naar ons toe, zonder zelf zichtbaar te worden, en dan vertrekt hij weer, om alleen te gaan wandelen of gewoon, te verdwijnen. We slapen met zijn allen in een iets te kleine tent. Ara ligt in het midden en ze neemt niet alleen de meeste ruimte in beslag omdat ze de grootste is, maar ook omdat ze gewend is op haar rug te slapen en bovendien de gewoonte heeft om 's nachts breeduit haar armen en benen te spreiden. Bing en ik liggen links en rechts naast haar, op onze zij. We maken ons zo klein mogelijk.

Ara zegt dat Bing anders is dan andere mannen en dat geloof ik ook, want zodra ik bij Ara ben, glimlacht Bing en dan laat hij ons met rust. Soms gaat hij in de hoek van de kamer zitten en kijkt vergenoegd naar ons. Volgens Ara weet hij wat ik voor haar beteken, dat ik belangrijk voor haar ben, en houdt hij ervan dat wij deze vriendschap hebben. Ik denk inderdaad dat dat heel bijzonder is, van hem, om daarvan te houden.

Ik ben nooit jaloers op Bing geweest, nog geen seconde.

Ik heb in de afgelopen tien jaar alles wat ik belangrijk vind genomen in de mate waarin ik het kon verdragen. Veel werk, weinig liefde en het langzamerhand steeds vertrouwder wordende gezelschap van mijn liefste vijand.

Het is mijn werk om te begrijpen dat er een verband bestaat tussen de geringe mate waarin ik de liefde verdraag en de hoeveelheid drank die ik nodig heb om daar niet voortdurend al te veel helderheid van geest over te bezitten.

Vier jaar geleden ben ik afgestudeerd in de psychologie, twee jaar later in de filosofie en ik werk sinds anderhalf jaar als universitair docent aan de psychologische faculteit. Tachtig procent van mijn tijd mag ik besteden aan mijn promotie-onderzoek, twintig procent van de tijd moet ik lesgeven.

Het lesgeven brak mij vanaf het eerste moment op. Behalve dat ik het vervelend vond om op een vaste tijd ergens te moeten verschijnen, merkte ik dat vooral het urenlange praten mij erg vermoeide en dat ik een grote weerzin voelde tegen de aandacht die ik kreeg van de studenten.

Een van de grootste voordelen van het studeren was geweest, dat ik niet onder de mensen hoefde te zijn als ik dat niet wilde.

Ik wilde zelden.

Na een ochtend achter de katheder snakte ik naar de duisternis, stilte en beslotenheid van mijn huis.

Tegelijkertijd met de bevestiging van de PTT dat ze op die en die datum mijn aanvraag kwamen honoreren en in mijn huis een telefoonlijn zouden aansluiten, ontving ik het bericht dat het pand waarin ik al tien jaar woonde, door de gemeente gerenoveerd zou worden en ik voor de periode van een half jaar gebruik kon maken van een vervangende woonruimte in hetzelfde stadsdeel of kon opteren voor de definitieve verhuizing naar een andere, grotere woonruimte. Ze konden mij niet garanderen dat deze eveneens in hetzelfde stadsdeel gevonden kon worden.

Binnen drie maanden moest ik verhuizen.

Ik trok een fles wijn open.

De enige verhuizing die ik tot dan toe had meegemaakt was die van mijn geboortehuis in het dorp, naar deze kast in de stad. Enkele weken voordat ik vertrok, hadden mijn grote opwinding en het verlangen naar verandering een gevecht moeten leveren met de meest sentimentele zuchten. Ik keek naar het dorp alsof ik de werkelijke schoonheid ervan nog nooit gezien had, ik hield zielsveel van het bos waarvan ik nooit gehouden had, ik bezag mijn ouders en broers als de enige personen in mijn leven die ooit van mij zouden kunnen houden en ik wist opeens zeker dat ik zonder Ara's nabijheid nergens kon aarden. Met doodsangst bedacht ik dat de duur van onze vriendschap nu door niemand meer geëvenaard kon worden, dat iedereen met wie ik kennis zou maken in de stad, mij pas leerde kennen vanaf mijn tweeëntwintigste en dat ik nooit de geschiedenis van mijn jeugd met ze zou kunnen delen. Bovendien had ik niet meer lang te leven, want uit onvermogen om mij een toekomst voor te stellen, gunde ik mij nog hoogstens drie jaar en zou ik rond mijn vijfentwintigste de bevrijdende dood sterven die ik mij al sinds mijn jeugd zo levendig voor de geest had gehaald.

Ik haatte mijn eigen sentimentaliteit, maar ik kon er niks tegen doen.

Ik was jong, onervaren en tot op zekere hoogte romantisch, en het was nog niet de tijd om te weten dat mijn fantasie over de dood eigenlijk het verlangen was om bevrijd te worden van mijn dromen en van de kwellende angst en plicht om die waar te maken.

Iemand die zijn dromen waarmaakt is stante pede romanticus af, maar dat wist ik toen nog niet. Ik kende nog niet de kracht van mijn drift om werk te maken van alles waarvan ik een last had die ik niet wilde hebben.

Hoe dichter de dag van mijn afscheid naderde, des te knellender werd het gevoel dat ik mij iets idioots op de hals haalde, en hoe meer ik het idee kreeg dat ik mijzelf vrijwillig uit het paradijs ging verbannen.

En dat is natuurlijk ook zo.

Het paradijs ontstaat pas op het moment dat je het verlaat of in de tijd voordat je het betreedt. Evenmin als de hel is het paradijs de werkelijke ruimte waarin je verblijft. Het paradijs lag altijd al aan gene zijde en het zal daar ook wel eeuwig blijven. Zo staat het nu eenmaal met volmaakte zaken. Volmaaktheid en werkelijkheid houden zich zelden of nooit bij elkaar op en als ze het doen, dan is het niet voor lang. Ze verwoesten elkaar.

Het ideaal, zelfs de ideale ruimte, zal altijd de prikkel zijn voor het werk, voor het verlangen om van een ideaal werkelijkheid te maken. Zodra het werkelijkheid is, is het ideaal ook ideaal af.

Na twee glazen nam ik een schaar en knipte eigenhandig mijn lange, blonde haar af. Diezelfde nacht nog schreef ik een brief aan Ara, waarin ik haar uitlegde dat ik zonet mijn haar had afgeknipt en er nu uitzag als een debiel, dat ik van streek was, omdat ik voelde dat er een tijd van veranderingen aanbrak en dat ze wel wist hoe bang ik was voor een verandering van omgeving.

Het was niet helemaal waar.

Ara had mij meerdere malen gezegd dat het een van haar grootste angsten was dat ik ooit helemaal om zou slaan en keuzes zou gaan maken die zij niet meer kon volgen, dat ik op een goede dag voor haar deur zou staan om mijn vertrek naar het buitenland aan te kondigen, of dat ik de aanhanger was geworden van een filosofie die haar overbodig maakte. In ieder geval dat ik zou vertrekken naar een oord, ook al was het een geestelijk oord, waarheen zij mij niet meer kon volgen.

Met die angst hield ik rekening toen ik schreef dat ik het veranderen van ruimte haatte en verzweeg dat ik het niet eens zo'n gek moment in mijn leven vond om te voorschijn te komen uit mijn hol en gehoor te geven aan een verlangen dat de laatste jaren steeds vaker de kop opgestoken had en dat ik niet anders kon omschrijven dan het verlangen naar meer werkelijkheid.

2

Ara en Bing hielpen me bij de verhuizing. Ze waren het gewend. Ara was al drie keer verhuisd en na de laatste keer trok Bing bij haar in. Sinds een jaar of zes woonden ze in een kleine boerderij op het platteland van het zuiden, in de buurt van Ara's moeder. Vierhonderd meter van de boerderij vandaan lag het asiel, waarvan Ara eigenaar was geworden. Als ze de auto pakte en hard reed, kon ze binnen twee uur voor mijn nieuwe huis staan.

Bing was bij haar in dienst en deed er het praktische werk, zodat Ara zich kon toeleggen op het trainen en africhten van politie- en blindengeleidehonden.

Ze is er goed in. Ik heb het zelf gezien.

Naar de trainingen die ze in het weekend geeft, ga ik wel eens mee. Bij de mannen en de vrouwen van de politie onderscheidt ze zich niet van de eerste de beste barse commandant, maar bij de blinden is ze zacht en meegaand. Ik vind het altijd prettig om naar Ara te kijken, maar als ze met de blinden bezig is, komt er nog een extra gevoel bij. Volgens mij is het jaloezie, maar je kunt niet voluit jaloers zijn op een blinde, dus het is een lekkere jaloezie, zo een waar ik zelf om moet lachen, zodra ze de kop opsteekt. Het komt omdat het mij alleen maar begerenswaardig lijkt om blind te zijn, zolang je in de buurt van Ara bent.

Op een van de zaterdagen waarop ik haar begeleidde, haalde ze zoals ze gewoon was te doen, de blinden op van het blindeninstituut. Ze vervoerde ze in haar auto naar de wei bij het asiel, waar Ara de blinden les gaf in het omgaan met hun hond. Die keer waren het twee mannen en een vrouw. Ze zaten te wachten aan een tafel, in de kantine van het gebouw. Ik was vooruitgelopen en stond te drentelen bij de ingang, bang om verder te lopen. Ik had geen idee hoe je met blinden moest omgaan. Lang voordat ik Ara had horen aankomen, zag ik aan de blinden dat ze haar zware tred herkend hadden. De drie hoofden gingen in een beweging omhoog en ik zag over alle drie de gezichten een onbedwingbare trek van gelukzaligheid verschijnen. Minuten later, toen Ara werkelijk binnenkwam, zaten ze met schuin gebogen hoofden klaar en wachtten op een aai. Die kregen ze ook. In Ara's gezicht zag ik de trekken verschijnen die zo zeldzaam bij haar zijn, maar waar je helemaal week van wordt als ze die heeft. Heel de nukkigheid was eruit verdwenen en ze was vol zachtheid en medeleven.

'Ik wou dat ik blind was,' zei ik die avond tegen haar.

'Hoezo?' vroeg ze lachend.

'Dan moet je iemand wel vertrouwen, of je nu wilt of niet.'

Ze werd steeds vaker gevraagd voor het geven van trainingscursussen, ook door particuliere hondeneigenaars. De laatste tijd had ze het vaker over het schrijven van een boek, dat ze daar zin in had, om dat eens te proberen. Ze zei dat ze nu zoveel wist van het trainen van honden, dat ze daar weleens geld mee zou kunnen verdienen, met zo'n boekje.

Ze zei het voorzichtig, omdat ze wist dat ze daarmee op mijn terrein kwam, maar ze herhaalde het steeds weer, waarschijnlijk om mij ervan te overtuigen dat het haar ernst was.

Bij de eerste aankondiging van haar plan schoot ik uit mijn slof van woede. Ik verweet haar dat ze, sinds mijn vertrek uit het dorp, zelden de moeite had genomen om te reageren op zelfs de meest smekende van mijn wekelijkse stroom brieven en dat zij mij de mogelijkheid had ontnomen om haar dat kwalijk te nemen, door het te hebben over haar schrijfangst. Of die dan opeens over was, had ik snerend gevraagd.

Een boek was heel iets anders dan een brief, was Ara's reactie. Als je een brief schreef, kon je geen redacteur inschakelen om je schrijffouten te verbeteren en zij zou, als ze mij een brief stuurde, iets lelijks en onvolmaakts de deur uit moeten laten gaan en er was niets zo persoonlijk als je onvolmaaktheid te tonen.

'Daarom juist,' zei ik.

'Ik hou niet van mijn eigen onvolmaaktheid,' zei Ara.

Ze had maar één keer in haar leven een echte brief verstuurd, aan haar vader, toen die een week in het buitenland verbleef, voor een congres. Ze was veertien. Haar vader had haar bij zijn thuiskomst de brief teruggegeven. Hij had haar geroemd om de originaliteit van de inhoud, maar had intussen met een rode pen alle taalfouten in de brief verbeterd.

'Het zag eruit als een bloedbad,' zei Ara.

'Vreselijk,' had ik steeds weer gekreund, wanneer ik Ara opnieuw van deze gebeurtenis liet verhalen.

Het had mij altijd getroost om aan dat voorval te denken, als ik tevergeefs hoopte op een brief van haar hand, want wie zou het ooit in zijn leven aandurven om het risico te lopen nog een keer zo'n vernedering te ondergaan?

Hoe ik haar ook ervan probeerde te overtuigen dat ik ziels-gelukkig was met de zeldzame, altijd zeer korte brieven, die ik in de loop van twintig jaar van haar had ontvangen, dat ze bij mij veilig waren en ik nooit zoiets achterlijks en lomps zou doen als haar vader, ze had stug volgehouden en in die jaren het gros van mijn brieven onbeantwoord gelaten.

Alsof dat niet wreed en vernederend was geweest, zei ik nu.

Ara reageerde kalm, bijna hooghartig. Ze zei dat ze niet de indruk had dat ik haar alleen maar schreef om haar, maar dat ik ook schreef om te schrijven, dat ik dat prettig vond, het schrijven zelf.

Dat kon ik niet ontkennen, maar het was niet de hele waarheid.

'Twijfel je er dan aan dat ze voor jou bedoeld zijn,' vroeg ik, 'dat ze aan jou gericht zijn?'

'Nee,' zei ze, 'ze zijn alleen voor mij, maar ik geloof niet dat het iets uitmaakt of ik erop antwoord.'

Daar wist ik niks op te zeggen.

Ze antwoordde nooit, dus hoe kon ik weten hoe het was als ze wel zou antwoorden?

We spraken er niet meer over.

In mijn studietijd had ik er een gewoonte van gemaakt om colleges te bezoeken op iedere faculteit waartoe ik ingang kon krijgen. Zodra ik iemand ontmoette die een ander vak studeerde dan ik, vroeg ik naar het drukst bezochte college, of het zou opvallen als een vreemde zich tussen de studenten mengde, waar en wanneer het gegeven werd en over welk onderwerp het ging. Het moest wel heel gek lopen wilde het niet een onderwerp zijn waarin ik geïnteresseerd was.

Er waren dagen dat ik acht uur zwijgend, luisterend en schrijvend in de collegebanken zat en de pauzes gebruikte om van de ene faculteit naar de andere te fietsen, zodat ik op dezelfde dag bij de medici de colleges neurologie kon volgen, bij de antropologen luisterde naar de verbijsterende verhandelingen over initiatieriten en bij de biologen mijn eerste kennis opdeed over de evolutieleer.

Ik kon er niet genoeg van krijgen.

Terwijl ik ze meemaakte, vreesde ik dat dit de gelukkigste jaren van mijn leven waren, dat ik nooit zelfgenoegzamer, onafhankelijker en onbevangener zou zijn, dan tijdens die lange dagen dat ik een leerling was en mij met niets anders bezig hield dan met het stillen van een onstilbare honger.

Ara reageerde verbaasd toen ik colleges in de biologie ging volgen en die studie zelfs tot officieel bijvak koos.

'Je verandert zo, Kit,' zei ze, 'vroeger gaf je niks om de natuur.'

'Nog niet,' zei ik. 'Ik ben een biologe die niet van de natuur houdt. Ze doet mij niks. Het botten van de brem of de aanblik op het ontluikende fluitekruid laten me volstrekt koud. Beken, bomen en beesten vind ik als vanouds oervervelend, maar ik krijg toch zulke leuke gedachten van de wetenschap over hoe het dier altijd maar moet jagen, paren, eten, zich moet vermenigvuldigen en hoe het zijn kroost verzorgt of verstoot. Van al dat dwangmatige word ik vreselijk vrolijk. Je hoeft nergens bang voor te zijn, want ik bestudeer de dieren enkel en alleen om ze weg te kunnen schrappen, om te ontdekken wat er aan puur menselijks overblijft, als je het beestachtige van de mens hebt afgetrokken. Kun je je daar iets bij voorstellen?'

'Bij jou wel,' zei ze. 'Je bent toch een animist.'

Ara zei het woord en zoals altijd als ze een fout maakte, raakte ik daardoor ontroerd. Ik besefte dat ze dacht dat animisme vooral iets met dieren van doen had en dat je daar tegen kon zijn, tegen het animale. Pas toen ik zweeg en haar niet corrigeerde, besefte ik dat ze gelijk had, dat ik een animist was en dat het nooit in mij opgekomen was om dat woord voor mijzelf te gebruiken.

Van kennis krijg ik heel vaak van die pijn in mijn hart, die niets anders is dan een soort verliefdheid op een woord of een grote dankbaarheid voor het bestaan ervan. Het is een soort geluk dat er vooralsnog om vraagt met rust gelaten te worden en een vermoeden te blijven in plaats van een kennis die je kunt uiten.

Het woord was geschikt voor mij en ik kon alleen maar voelen dat Ara als een misverstand iets moois had gezegd, iets waardoor ik meer zou kunnen gaan begrijpen. Ik verklapte haar niet dat animisme iets anders was dan zij dacht en omhelsde haar.

Het is helemaal niet moeilijk om af te studeren in twee vakken als je van de verhouding tussen die disciplines je onderwerp maakt, en dat deed ik. Soms schreef ik simultaan. Op de linkerhelft van mijn werktafel lagen mijn aantekeningen voor psychologie, op de rechterhelft die voor filosofie. Wat ik aan de linkerkant *honger* noemde, heette aan de rechterkant *verlangen*.

Daar ging het over.

Honger en verlangen waren de ijkpunten waarop ik twee manieren van denken vergeleek. Door honger en dorst te bezien als de lichamelijke pedant van het verlangen, van dat iele, ongrijpbare ding van de ziel of van de geest, in ieder geval van dat andere, onzichtbare, machtige lichaam, hoopte ik tussen die twee een verzoening tot stand te kunnen brengen. Zowel de geschiedenis van de psychologie als die van de filosofie hadden mij alleen maar aangetoond hoe belangrijk het altijd was gevonden om die twee uit elkaar te houden.

Bij tijd en wijle vond ik mijzelf vooral handig.

Zodra je te kennen geeft bezeten te zijn van een onderwerp, kun je, zolang je in de boeken blijft, alles met alles verbinden en net zo veel universitaire studies afsluiten als je wilt, want je levert alleen varianten op een thema. Het enige dat je iedere keer moet wijzigen is je invalshoek.

Om Ara dat duidelijk te maken en haar bewondering voor zoiets als een universitaire studie in te dammen, kon ik er niet badinerend genoeg over doen. Ik zei tegen haar dat ik met een kleine verandering in de woordenschat met dezelfde artikelen kon afstuderen in de theologie, sociologie, biologie, geschiedenis, letterkunde, en wat al niet meer.

Ze geloofde dat niet.

Het is wel waar.

Ik was nooit tevreden eer ik erin slaagde Ara duidelijk te maken waarmee ik bezig was en wat ik dacht op het spoor te zijn. Zodra ik haar een theorie kon uitleggen, wist ik dat het mij vervolgens zou lukken om mijn ideeën op papier te krijgen. Het bewerken, van wat ik soms met moeite had kunnen ontcijferen in ingewikkelde en saaie boeken tot iets eenvoudigs en interessants, was zo mijn gewoonte geworden, dat ik theorieën niet anders kon verstouwen dan door ze al tijdens het lezen te vertalen in iets simpels, in een verhaal dat ik aan Ara kon geven.

Als ik las sprak ik tegen haar.

Het ontheiligen, vereenvoudigen en banaliseren van wat door de filosofie als hoogstaand en door de psychologie als complex werd opgevoerd, werd mij tot een tweede natuur.

'Zie de filosofie maar als een soort consumentengids,' zei ik tegen Ara. 'Eeuwenlang al doen filosofen niets anders dan het aanprijzen van ontastbare goederen, van het goede, het schone en het ware, en ze doen dit precies als andere reclamemakers: ze beloven je iets, ze beloven je dat je er gelukkiger van wordt. Voor de liefde, de waarheid en het goede is meer reclame gemaakt dan voor welk aards produkt ook. Filosofen vragen alleen een andere prijs. Geluk is niet te koop. Op de keper beschouwd is de prijs altijd dezelfde: inzicht en zelfkennis.'

Ara vroeg me hoe je dat kreeg, inzicht en zelfkennis.

Ik zei haar dat ik meende dat je dat kreeg door na te denken, door je eigen blik niet voor lief te nemen, maar door je af te vragen wat de oorsprong van je blik is, waar je kijk op de dingen en de mensen vandaan komt, door wie en wat je denken en voelen bepaald en beïnvloed zijn.

'En als je dat allemaal weet,' vroeg Ara, 'word je dan dun en gelukkig?'

Dat vond ik altijd knap van Ara, dat ze mij vragen kon stellen waarop ik geen antwoord durfde te geven.

Ik zei haar dat ik hoopte dat het zo in elkaar stak, het leven, dat er een beloning was voor het goede en een straf voor het kwade, maar dat ik het niet zeker wist. Ik voelde een verdriet opkomen dat ik niet wilde hebben en ik zei tegen Ara dat het, hoe dan ook, de moeite loonde om te doorzien hoe je verleid wordt iets te willen hebben, of het nu gaat om een reep chocolade of om een passie, dat je daardoor vrijer wordt, dat ik vrijheid altijd zo zou beschrijven, als het vermogen om verleiding te weerstaan.

Ten overstaan van Ara mocht ik aan de status van de universitaire studie dan wel graag iets afdoen, dat betekende niet dat ik niet volledig in de ban was van een kluwen onderwerpen, die allemaal cirkelden rondom het meest afgelikte vraagstuk aller tijden: de verbintenis tussen lichaam en geest.

'Eigenlijk bestudeer je ons tweeën,' zei Ara weleens.

Als ik in een grootmoedige bui was en haar alle eer wilde geven, bevestigde ik dat en dan zei ik dat het waar was, dat ik er alleen maar mee bezig was om te proberen die vriendschap te doorgronden. In een minder toegeeflijke stemming zei ik haar dat ze er eens mee op moest houden, dat ze zowel haar leven als het mijne beperkte door zich vast te klampen aan een onderscheid en verdeling waar we vroeger nut en plezier van hadden gehad, maar waarmee we ons nu tekort deden.

'Je kunt je beter toeleggen op wat er hetzelfde is aan die twee,' zei ik tegen Ara, 'dan begrijpen we meer van onszelf.'

Pas toen ik in een weekend bij haar thuis kwam met mijn enkel in het verband, slaagde ik er beter in om haar duidelijk te maken wat ik bedoelde.

Het moment van de val herinner ik me haarscherp, vertelde ik Ara, en het werd achteraf mijn verklaring van wat er gebeurt als je te veel drinkt, van waar het om gaat.

Ik heb veel gedronken en fiets naar huis. Het fietsen gaat goed, het is geen enkel probleem om mij door het sporadische nachtverkeer te loodsen en volgens mij rij ik in een kaarsrechte lijn, maar dat denken alle dronken mensen, daar gaat het ook niet om. Het gaat om het moment dat ik erin slaag om bij mijn huis te geraken, mijn vertrouwde straat indraai, rijd tot op de plek waar ik gewoonlijk mijn fiets neerzet en mij laat uitdrijven. Ik ben opeens doodmoe. De fiets komt tot stilstand. Ik herinner mij vaag dat, als ik dit karwei goed wil afmaken, ik nog een belangrijke handeling moet verrichten, maar ik weet niet meer welke. Het komt domweg niet in mij op en het laat mij eigenlijk ook koud. Als de fiets helemaal stilstaat val ik om, omdat ik niet meer weet wat ik moet doen. Door de pijn schiet het me weer te binnen dat je, als je eenmaal op een fiets geklommen bent, er op een bepaald moment ook weer vanaf moet stappen. Ik kom niet meer bij van het lachen.

Ara keek zorgelijk naar me. Dat had ik niet verwacht. Ik had geprobeerd het te vertellen alsof het een hilarisch voorval betrof.

Ik wist niet meer welke conclusie ik aan het verhaal had willen verbinden. In Ara's ogen school iets van compassie en die compassie verwarde me. Alles wat ik zou aandragen als verklaring voor mijn gescheurde enkelband, zou een ontkenning zijn van wat haar medelijden veroorzaakte, van de waarheid daarvan. En dat was een waarheid waarvan ik het onverdraaglijk vond om die zelf in bezit te hebben. Weliswaar was ik er nieuwsgierig naar, maar mijn nieuwsgierigheid overtrof niet het verlangen om de waarheid bij Ara te laten, waar ze veilig was en niet misbruikt werd.

Ara moest veel van mij weten wat ik niet over mijzelf te weten kon komen, dat was een onderdeel van onze vriendschap. Zij had kennis van mij die ik niet over mijzelf had, en ik had kennis van haar die zij niet over zichzelf had. En deze onbekende kennis over jezelf, dit ontoegankelijke bezit dat niemand anders had, behalve die ander, verbond ons.

Die onwetendheid zorgde er tevens voor dat ieder van ons altijd op z'n minst een beetje bang was dat onze vriendschap op een dag zou eindigen, dat ze vernietigd zou worden door de ontdekking waaruit de kennis van haar of van mij bestond, en uit het afkeuren daarvan.

'Ik weet niet meer precies wat ik hiermee wou zeggen, Ara,' zei ik.

'Geeft niet, kleintje,' zei ze.

Verslaving heeft volgens mij altijd te maken met het herstellen van een evenwicht tussen gevoel en verstand. Iemand die veel drinkt benevelt zijn geest en dat benevelen is noodzakelijk om een controle over het lichaam te verliezen. Je houdt dat lichaam alleen maar rechtop, voedt, wast en kleedt het naar behoren, als je nadenkt. Je kunt ook te veel nadenken over het lichaam en het daardoor belemmeren in het ondergaan van plezier, van genot.

Behalve wat het is, vlees, water, bloed en botten, is het lichaam net zo'n talig ding als de woorden zelf. Mensen die hun eigen lichaam niet als een symbool kunnen behandelen, er niet mee kunnen spreken of zichzelf dat spreken om de een of andere reden verboden hebben, die gaan drinken om dat verbod op te heffen, om een onredelijke, te strenge, angstaanjagende geest het zwijgen op te leggen en het lichaam eindelijk eens de kans te geven om te spreken.

Dronkaards haten de leugens van hun nuchtere lichaam, ze haten die taal, hun gesproken woorden, hun glimlachen, het gefnuikte verlangen van hun vlees, het verraad daarvan.

Een verslaving is de uiting van een verboden taal. En daarin is ze zelf weer een taal, een openbaring, een te ontcijferen teken.

Dronken worden is iets anders dan dik worden.

Ik wist alleen wat me te doen stond als ik nadacht en van Ara wist ik dat ze in de war raakte zodra ze na ging denken, maar dat ze altijd meende te weten wat haar te doen stond. De eerste en tot op dat moment enige stelling, die ik had voor mijn proefschrift luidde: Toon mij uw verslaving en ik zal u uw verboden taal leren lezen.

Ik wist niet of ik hem zou gebruiken, omdat ik dat soort uitspraken eigenlijk haat, maar tegelijkertijd vind dat ze in stoutmoedigheid en zeggingskracht iedere uitspraak met ook maar een greintje meer nuance, ver overtreffen.

Ara wist dat zij de aanleiding was tot nagenoeg alles waarvan ik hield om over na te denken. Het was met haar begonnen, met voorzichtige pogingen om verklaringen te vinden voor haar honger, haar eten, haar uitdijende lichaam en voor het lijden dat ze daarmee bij zichzelf veroorzaakte. Zolang ik zelf het gezelschap van mijn liefste vijand had weten te mijden en niet of matig dronk, had ik over verslaving kunnen nadenken zonder het tot me te hoeven laten doordringen dat het iets met mijzelf te maken kon hebben.

Het roken en nagelbijten dat ik deed, waren slechte gewoonten, waardoor je onooglijke handen had en waaraan je doodging, maar het waren geen verslavingen.

Ara was verslaafd.

Aan eten.

Ik dacht na over Ara.

Door mij alleen maar bezig te houden met haar pijn, hield ik de mijne jarenlang buiten de deur. Zonder te weten wat er werkte, werkte het goed, dit monomane puzzelen op haar aard, haar drijfveren en haar geluk. Zo lukte het me de verschrikkingen van het lijden verre van mij te houden tot op de dag dat ik Thomas ontmoette en Ara mij voor het eerst een inzicht gaf in de taal van haar verlangen.

3

Vanaf het eerste moment dat ik Thomas zag moest ik aan Ara denken. Niet alleen had hij haar omvang, grootte en schoonheid, maar ik voelde me op dezelfde manier verlamd en met stomheid geslagen als twintig jaar geleden, toen ik Ara voor het eerst ontwaarde, als een vreemdelinge, op het schoolplein in ons dorp, en ik op dat moment alleen kon denken dat zij een lot was en dat de ontmoeting met haar mijn leven blijvend zou beïnvloeden.

Ik was geen kind meer en mijn gedachten over wat een lot was hadden zich in de loop van de tijd gewijzigd, maar de eerste blik op Thomas werd in mijn hoofd begeleid door het woord *fataal* en hoe ik het ook probeerde, ik kon op geen enkele manier afkomen van de drenzerige herhaling van dat ene woord.

De psychologie heb ik beschouwd als een studie die mij vastklonk aan mijn persoonlijke lot en de filosofie als de studie die mij boven mijn persoonlijke lot kon uittillen door mij het lot met iedereen te laten delen. Dat ze allebei de belofte inhielden dat ik mij, met behulp van de kennis waarvoor ze stonden, tot op zekere hoogte van het lot kon bevrijden, was waarschijnlijk hun grootste aantrekkingskracht.

Er zijn dagen dat ik alleen maar de macht voel van het verlangen ervan af te zijn, het geeft niet van wat, van alles.

Het is nog steeds de God van mijn jeugd bij wie ik aanklop en die ik smeek of het eens even niet hoeft, of ik eventjes van die carrousel af mag en een dag of wat niet mee hoef te draaien.

'Je wordt een beetje dol van dat dagelijks maar moeten leven,' zeg ik tegen Hem.

Het liefst waande ik mij een koppelaarster van twee opvattingen en was ik bezig met pogingen ze dichter bij elkaar te brengen, om wat de filosoof ideeën noemt in de echt te verbinden met wat de psycholoog emoties noemt.

Ik begon pas te begrijpen waarom ik dit alles zo graag wilde begrijpen, toen ik Thomas leerde kennen en ik voor het eerst een aantal hoofdstukken kon lezen uit het script dat aan mijn leven ten grondslag lag. Pas toen kwam ik erachter dat hele delen mij volslagen onbekend waren, omdat ik ze nog nooit onder ogen had gezien, laat staan gelezen had.

Verliefdheid lokt je geheid in de valkuil van een oud drama en ieder drama is het drama van een verbond. Ik wist opeens waarom ik de liefde zo lang uit mijn leven had weten te weren. Ze stond bijgeschreven in een hoofdstuk over pijn, angst, onzekerheid, verwarring, redeloze schuld, machteloosheid, schaamte en een allesverterend medelijden met iedereen, behalve met mijzelf.

Herinneringen zijn in emoties verpakt, ze zijn omkleed met gevoel en daaraan gebonden. Als je het ene niet meer wilt, de pijn en de angst, dan krijg je het andere, de herinnering, het inzicht en de kennis, ook niet te pakken. En dat zijn nu net de instrumenten van je geluk.

Het was Ara die mij duidelijk maakte dat ik van de liefde nooit weet zou hebben als ik me niet tot Thomas bekende.

Ze kon hoogstens vermoeden dat ze mij daardoor ook een blik moest gunnen op haar verboden taal en dat het hebben van die kennis onze vriendschap zou veranderen.

Thomas was een meter drieënnegentig, woog honderdvijftien kilo, was drieënvijftig en had zwart haar waar veel grijs doorheen schemerde. Hij had wonderlijk lichte ogen en zware, donkere wenkbrauwen. Je zag op het eerste oog dat het een humeurige man was, dat was onmiskenbaar. De lijnen in zijn gezicht verrieden eerder een leven van achterdocht en wrevel, dan van verdriet. Zijn ogen niet. Zijn ogen waren het vreemdste aan Thomas en het duurde een tijd voordat ik wist wat ik daaraan gezien had.

Het was angst.

Hij werkte als ontwerper en tekstschrijver voor een aantal reclamebureaus en deed dat werk in zijn eigen huis, alleen en in stilte. Dat hing ook om hem heen, dat autistische en kloosterachtige dat mensen vanzelf krijgen als ze gewend zijn langer dan vijf uur per dag te zwijgen.

Ter ere van de uitgave van een wervingsfolder voor het tehuis waarin hij werkte, had Hendrik een feest georganiseerd.

Hendrik was in de loop van de jaren een van mijn beste vrienden geworden en hij kookte bijna dagelijks voor mij.

Tien jaar geleden wist ik niet hoelang het duurde voordat een ei zachtgekookt was of hoe je een aardappel gaar moest krijgen. Eten klaarmaken was het onbetwiste domein van mijn moeder en ik had nooit enige poging gewaagd haar dat uit handen te nemen. Dat was ook onmogelijk geweest, dat weet ik zeker. Het waren haar tekenen van liefde, en die neem je iemand niet zomaar af.

Ik leerde snel om voor mijzelf te koken, maar ik had het liefst geen afspraken, geen gasten, geen indringers in mijn huis en toog nagenoeg iedere dag naar Hendrik, die elke avond thuis was en daar vanaf zes uur opgewekt experimenteerde met gevulde koolrolletjes, ongewone stamppotten en lillende puddingen.

Zolang ik hem ken heb ik de dag gevreesd waarop er zich een moment zou voordoen dat ik hem te veel zou worden, dat hij mij het gevoel zou geven er eens geen zin in te hebben om inkopen te doen en het eten voor ons klaar te maken, dat het eten pijn zou gaan doen, maar die dag heeft zich nooit voorgedaan. Hendrik stond iedere dag weer blijmoedig in de keuken en hij begroette me nooit anders dan met vreugde en met een stralende blik in die zeldzame ogen.

Hendrik stelde mij aan Thomas voor.
Ara leerde mij hem kennen.

'Dit is mijn beste vriendin,' zei Hendrik, terwijl hij een arm om me heen sloeg, 'en dit is Thomas Herstael.'
'Heeft een beste vriendin zelf ook nog een naam?' bromde Thomas, zonder zijn hand uit te steken.
Het eerste wat ik dacht was dat ik dit wel kende, deze weerbarstigheid, dat ik mij al twintig jaar afwisselend verlustigde in de aantrekkingskracht en afkeer van een onverbloemde nukkigheid, die mij uiteindelijk altijd weer verraste en waaraan ik nooit gewend was geraakt.

'Ik hou nu eenmaal niet zoveel van mensen als jij,' zei Ara zonder cynisme, als ik haar vroeg waarom ze nou niet eens gewoon aardig kon doen tegen mensen van wie ze niks wist en die zo veel barsheid nog nergens aan verdiend hadden.

'Het heeft met houden van niks te maken,' zei ik. 'Ik hou niet zomaar van mensen. Ik haat het, als mensen zeggen dat ze van alle mensen houden. Het heeft te maken met fatsoen.'

'Ben ik dan onfatsoenlijk?'

'Ja,' zei ik, 'een beetje wel.'

'Ik ben gewoon eerlijk,' zei Ara. 'Ik kan dat niet, van die grimassen trekken. Ik hou niet van dat theater. Als ik niks te zeggen heb, dan zeg ik niks, en als er niks te vriendelijken valt, dan kan ik ook niet vriendelijk zijn. Jullie hebben zo'n schakelplank in jullie hoofd, waar je maar op een knopje hoeft te drukken om zus of zo te kunnen gaan knipperen, maar dat heb ik niet.'

Hoe meer ik het idee had dat Ara mij beschuldigde van theatraliteit, onechtheid en huichelarij, hoe groter het verlangen werd om haar gedrag, dat ik niet alleen afkeurde, maar waarvoor ik ook heimelijk bewondering had en waarom ik haar benijdde, met stekende, maar onweerlegbare argumenten af te keuren.

Ik ben soms in zo'n stemming dat het niet waar hoeft te zijn wat ik zeg, als het maar hard aankomt en flink pijn doet.

'Jij bent zo aanhankelijk,' zei Ara. 'Iedereen kan het aan je zien. Ik houd er nu eenmaal van om afstand te bewaren.'

'Maar dat is nu net wat je niet doet,' zei ik. 'De ideale manier om afstand te houden is door iedereen aardig te bejegenen, te doen zoals het hoort en te verbergen in welke stemming je verkeert. Je stemming tonen is juist intiem.'

Ze keek me verbaasd aan. Het kwam vast door mijn gezicht, dat grimmig moest zijn, fel.

'Jij zoent inderdaad altijd zo raar,' zei ze ernstig, alsof ze zich iets afvroeg. 'Voordat je het weet ben jij weer weg en dan heb je niks gevoeld.'

'Juist,' zei ik.

'Gek,' zei ze, 'dat ik me dat nu pas realiseer.'

Zodra ik gewonnen heb ga ik in haar schoot liggen. Ze ontbloot mijn nek en rug en streelt me, want ze weet dat ik daar ontzettend gelukkig van word.

Vijf minuten nadat Thomas en ik aan elkaar waren voorgesteld, zaten we midden in een woordenstrijd. Ik had hem gevraagd of zijn achternaam met ae geschreven werd, dat zijn achternaam dezelfde was als die van de landgoedeigenaar van het bos bij mijn geboortedorp en of hij soms familie was.

'Ik heb geen familie,' zei hij toen.

'Iedereen heeft familie,' zei ik en dat dat maar goed was ook, want dat het zoon of dochter zijn van je ouders nagenoeg de enige betekenis in het leven was die je gratis en voor niks kreeg, waarvoor je helemaal niets hoefde te doen en die je nooit kon verliezen.

Wat ik daar in vredesnaam mee bedoelde, vroeg hij, maar hij had mij wel voor het eerst voluit in de ogen gekeken en wat verbaasd geglimlacht.

Met de onstuitbaarheid van iemand die een jaar op een onbewoond eiland heeft gezeten, kisten met boeken heeft verslonden en zich uit een wirwar van gedachten een nog onverkondigd wereldbeeld heeft gevormd, legde ik hem uit wat ik bedoelde, wat ik de afgelopen jaren had geprobeerd op te schrijven. Hoe zachter zijn gezicht werd en hoe langer hij het aandurfde om naar mij te kijken, hoe verliefder ik werd. Het werd opeens voorstelbaar dat ik hem zou weerzien, dat het een man was die het mij misschien wel zou toestaan dat ik van hem zou gaan houden.

De theorieën van de psychologie, die over gedrag en gevoel, voeren je onverbiddelijk terug naar je familie, naar je jongste tijd, toen je een kind was, de kaarten geschud werden voor een spel dat je niet kende en jij, zonder het te weten, begon met het schrijven van de spelregels voor jouw eigen leven. De liefste opmerking die je als psycholoog tegen iemand kunt maken, is dat jij er zelf niks aan kon doen, dat er een tijd was dat jij nog niks te willen had en onschuldig was en dat de enigen die beter hadden moeten weten, de anderen waren, de mensen die het spel met jou speelden.

Schuldige ouders baren onschuldige kinderen, maar als dat waar is, dan zijn zij ook ooit gebaard als de onschuldige kinderen van schuldige ouders. Ad infinitum. Eeuwige verbondenheid van schuld en onschuld. De mensheid tekent zich af als een keten van schuldigen met geldige verontschuldigingen, totdat je belandt bij het begin van de keten en Eva haar vrijheid verliest op het moment dat ze zich laat verleiden door voedsel en daarmee van de man een hyperonschuldige maakt, omdat hij vanaf het begin der tijden degene was die nooit als eerste begonnen is, maar schuldig werd omdat hij verleid werd door een vrouw.

Het moet wel een sterk verhaal zijn, als het al zo lang opgeld doet.

De twintigste eeuw is de eeuw van de vrijspraak, van het slachtoffer, van het taboe op de schuld. De kerk en de kamer van de psycholoog zijn niet langer de enige vrijplaatsen voor de volwassenen, de zeldzame ruimtes waarin hij kan terugkeren tot de zalige staat van schuldeloosheid en onvoorwaardelijke vergeving, want sedert een halve eeuw is de hele wereld die ruimte geworden.

Zelfs de moordenaar is een slachtoffer. Vraag hem en hij noemt je zijn verontschuldigingen.

In de tweede helft van deze eeuw zijn de gemeenschappen die geloof, moraal, wetten, normen en rituelen deelden, vervangen door gemeenschappen die zich door onrecht, ziekte, minachting en vernedering onderling verbonden weten; gemeenschappen van slachtoffers.

De daders zijn de anderen.

Dit is de denkfout, want het spijtige van een schuldeloze wereld is, dat daarin geen daders en geen slachtoffers kunnen bestaan. Maar slachtoffers hebben noodgedwongen daders nodig en zijn daarvan afhankelijk. Dat er steeds weer opnieuw daders geschapen worden, is een van de inconsequenties van een eeuw waarin iedereen schuldeloos geacht wordt te zijn.

Ik denk dat mensen hier ziek van worden, van dit dubbele, ambiguë en onlogische.

In plaats van op zoek te gaan naar een middel om zich door persoonlijke inzet te onderscheiden, lijkt iedereen meer en meer op zoek naar een gezamenlijke kwetsuur en vernedering, naar het privilege van de publieke, gedeelde discriminatie en zo naar een religie, naar de binding met een gemeenschap. Je staat in deze eeuw wel erg op jezelf als je niet lijdt aan een groepsmankement en daardoor zielig bent of gediscrimineerd wordt. Er is ongetwijfeld een heel bijzonder moment in de geschiedenis aangebroken, waarop vrouwen zich wanhopig het hoofd gaan afpijnigen om erachter te komen of ze het niet toch verdrongen hebben dat ze vroeger door hun vader mishandeld of misbruikt zijn. Het lijkt op een hysterische jaloezie, op het verlangen naar een gedeeld lot, dat jou betekenis verleent.

Misschien is dat ook zo.

Misschien wordt de tweede helft van de twintigste eeuw gekleurd door een verschrikkelijke jaloezie op de enige gemeenschap van slachtoffers die onze eeuw heeft voortgebracht, op een lot van een massa, dat daardoor verbonden is, of het dat nu wil of niet.

Het zou wel afschuwelijk zijn als het zo was.

Wat er ook de oorzaak van is, ik kan de ophemeling van de schuldeloosheid niet anders zien dan een laffe poging om te ontsnappen aan verantwoordelijkheid, ook verantwoordelijkheid om zelf te zorgen voor de manier waarop je je onderscheidt van anderen en dus betekenis geeft aan een uniek bestaan.

Discriminatie is een voorwaarde voor betekenis.

Als je geen verschil maakt tussen de ene persoon en de andere, dan bestaan ze niet op zichzelf en geen verschil kunnen maken leidt tot onverschilligheid.

Het is niet de haat die aan de liefde is tegengesteld, want haat moet je altijd nog verdienen, maar het is deze onverschilligheid.

De betekenis die je krijgt door slachtoffer te zijn is gratis. Daar hoef je niets voor te doen en daar ben je niet verantwoordelijk voor.

De enige die schuld zo gek nog niet vindt is de filosoof. Dat gedrag begrijpelijk is, betekent voor een filosoof nog niet dat het daarom niet slecht kan zijn.

We zijn goed en slecht gaan schuwen als begrippen, als manieren om te oordelen.

De filosoof is een aanklager. Daarom is de filosofie er niet voor de onschuldige kinderen. Alle theorieën over het denken en het zelfinzicht zijn theorieën voor volwassenen. De filosofie begint op het moment dat je wel degelijk in staat bent om te weten, te kiezen, om je wil door te zetten, macht te hebben, slaaf of heer te worden, om verantwoordelijk te zijn, je te laten beproeven en beoordelen door anderen en daardoor het risico te lopen dat je schuldig kunt zijn.

Ik hou van de lankmoedigheid van de psychologie, maar ik kan geen zin geven aan het leven zonder de genadeloosheid van de filosofie. Als je niet schuldig bent aan je eigen leven is er niks aan, vind ik.

Het enige lot dat de filosofie erkent is het bestaan van God of van een andere almacht zonder hoofdletter, zoals taal, geest, produktieverhoudingen, de dood of de ideeën. Ze is een leermeesteres die alleen vergeving schenkt als ze toegeeft dat je menselijk bent, een dier met een God en ideeën, en niet anders kunt denken dan je denkt, omdat God de wereld zo geschapen heeft of omdat je verstand nu eenmaal zo werkt. Nooit omdat je klappen kreeg, je moeder schizofreen was of je vader fout in de oorlog. Daar gaat ze aan voorbij.

Ik zei Thomas dat ik alles het beste kon begrijpen door de mensheid te beschouwen als een taal. In een taal kan een woord nooit op zichzelf staan. Om betekenis en zin te kunnen hebben is het afhankelijk van andere woorden, waarmee het verbonden wordt en waaraan het zijn betekenis ontleent.

Zo vergaat het mensen ook. We krijgen betekenis door onze verbintenissen met iets of iemand, met je familie, je vrienden, je geliefde en met de wereld door je werk. Ik denk dat, of iemand zijn leven als zinvol of zinloos beschouwt, afhangt van de persoonlijke verhoudingen die iemand aan kan gaan. Je bent een moeder door je kind, zo zit dat. Je bent een geliefde door je geliefde, een vriend door je vriend, een schrijver door je lezer. Het is het drama van de afhankelijkheid en er is niks tegen te doen.

'Dat je het daarover hebt,' zei hij.

'Hoezo?'

'Het klinkt zo ouderwets, alsof je het over iets hebt wat uit de mode is, iets van vroeger, iets motteballerigs.'

Zo'n woord zou van Ara kunnen zijn, schoot het door mij heen. Ik zei hem dat het dan wel ouderwets mocht zijn, maar dat het een verklaring bood voor alles wat aan mode onderhevig was en ook voor eeuwig moderne dingen, zoals verslaving en zo, dat ik onder meer verklaringen zocht om dat goed te begrijpen, wat dat was, verslaving, en dat die volgens mij alles te maken had met dat drama van de afhankelijkheid en het verlangen naar betekenis.

Op dat moment kwam Hendrik langs met een schaal hapjes. Roggetjes met nieuwe haring, osseworst, toostjes met Hollandse garnalen.

Thomas draaide zijn hoofd weg toen Hendrik hem de schaal aanbood en wuifde met een hand voor zijn gezicht. Ik nam een toostje met garnalen.

'Ik ben op dieet,' zei Thomas onwillig.

'Alle dikke mensen zijn op dieet,' zei ik, terwijl ik het toostje in mijn mond stak.

Naarmate de avond vorderde en ik meer dronk, verloor ik de kijk op mijn eigen gedrag. Er was niets wat mij nog kon beschermen tegen het schaamteloos volgen van mijn intuïtie, namelijk dat ik Thomas geen groter plezier kon doen dan hem de verhalen aan te bieden waarin hij zin had, verhalen over betekenis en geluk en liefde, over eten en drinken en wat dat met de verstoorde verhouding tot zijn familie van doen kon hebben. Ik was daar onuitputtelijk in en ik lette niet meer goed genoeg op zijn blik, die hij vanaf een bepaald moment op mij richtte en niet meer had laten verslappen, maar die moe was geworden, verzadigd, zonder dat ik het in de gaten had gehad.

Daarom schrok ik ook toen hij zei dat we nu maar eens moesten gaan dansen.

Tijdens het dansen had ik niks te vertellen. Hij leidde me met vaste hand, draaide me rond, tilde me op en hij lachte. Pas toen hij zijn handen erop legde, wist ik weer dat ik heupen had en door zijn manier van dansen wist ik ook wat voor soort minnaar het was, zo'n woeste, ruwe, wat onoplettende minnaar en ik bedacht dat dat net was wat ik kon hebben.

Van de aanraking met zijn lichaam en de slinkse zoenen die zo nu en dan in mijn nek belandden, raakte ik erg opgewonden en ik wist nu dat er geen sprake zou zijn van weerzien, maar dat hij die avond al met mij mee zou gaan en dat wij samen iets zouden beginnen waarvoor wij allebei niet in de wieg waren gelegd.

4

In het jaar dat het duurde, dat het er vierentwintig uur per dag was, dit heftige en verschrikkelijke tussen Thomas Herstael en mij, in dat jaar zou ik, op hetzelfde moment dat ik mij tot hem bekende, ook het verbond sluiten met mijn liefste vijand.

Die twee hoorden bij elkaar, die drank en die liefde, die ik maar liefde noem, omdat ik mij er anders ook geen raad mee weet.

Vanaf de eerste dag dat ik met Thomas was en mijzelf bezag, hoe ik veranderd was in iemand die ervoor thuisbleef om op een telefoontje te wachten, wist ik met een helderheid die mij angst aanjoeg, dat er geen weg terug was. Het verbond dat ik had gesloten met een man en met de drank zou alleen met geweld verbroken kunnen worden, dat was, door mijzelf geweld aan te doen.

Het begint al snel, in de eerste week. Ik ken mijzelf niet meer en ik begroet die nieuwe vrouw met een zeker plezier, een beetje minachtend, maar ook geamuseerd, door het cliché, denk ik. Er is geen enkel verschil meer tussen mij en al die andere vrouwen, die ik niet meer kon begrijpen zodra ze een man hadden, omdat ze zich dan plotseling gedroegen als imbeciele trutten die zich om niks anders meer bekommerden dan om zijn geluk en zijn aandacht.

Nu begrijp ik het.

Ik ben niet anders.

Ik ben ook zo.

Voor het eerst haal ik wijn in huis zonder die avond gasten te verwachten. Ik koop hem voor mijzelf. Voor het eerst drink ik alleen. Al na een week zit ik 's ochtends om halfelf aan mijn tafel, achter een glas wijn en een vel papier, waarop ik wanhopige zinnen kras, voor Ara. Zelfs mijn handschrift is mij onbekend. Iedere ronding is eruit verdwenen en wat er overblijft is een minieme, puntige letter, die Ara vanaf nu moeilijk leesbaar zal vinden.

Ook dat zal nooit meer veranderen.

Ara klaagt erover, bezorgd. Ze zegt dat ze soms urenlang zit te puzzelen, omdat ze ieder woord wil begrijpen en razend wordt wanneer ze een woord moet achterlaten in een niet te achterhalen betekenis.

Op dagen dat ik me te krachteloos voel om goed op te letten, om aandacht te besteden aan dit handschrift, typ ik de brieven aan haar. Ik typ ze woest en snel. Ze is verbijsterd als ze haar eerste brief met tikfouten ontvangt. Ze belt mij daarover op en klinkt gealarmeerd.

'Dat je dat doet,' zegt ze. 'Dat je dat durft.'

Ik was degene van de foutloze brieven, zo iemand die een brief eerst in het klad oefent en hem daarna in het net overschrijft, onberispelijk, zonder fouten en zonder doorhalingen.

Zo was ik.

Ook voorbij.

's Nachts, in mijn dromen, trekken carnavaleske stoeten opengesneden varkens langs. Overdag heb ik nog last van de groteske beelden uit de nacht, die mij bijblijven en als realistische schilderijen voor mijn ogen opduiken, zonder dat ik daarom vraag, zonder dat ik er plezier aan beleef. Overdag jagen ze mij angst aan.

Ik begrijp die dromen niet.

Ik ben geboren in de slachtmaand. Ieder jaar schonk de vader van mijn vader al zijn twaalf kinderen een half varken. Mijn vader deelde een varken met zijn broer. In mijn herinnering werd het elk jaar op mijn verjaardag geslacht, bij ons thuis, op de binnenplaats. Dat is ongetwijfeld een onjuiste herinnering.

Vanachter het raam zag ik hoe het gillende varken naar het midden van de binnenplaats werd gesleept en hoe de slager het met een schot in zijn kop doodde. Rondom hem stond iedereen klaar. Met een lang, scherp mes werd de slagader in de nek opengesneden. Een van de vrouwen ving het schuimende bloed in een emmer op en ging er direct mee aan de slag. Van het bloed werd balkenbrij en bloedworst gemaakt, dat wist ik.

Want dat at ik niet.

Van bloed moest je geen vlees maken, dacht ik, want als God zijn eigen bloed gegeven had in de vorm van wijn en zijn lichaam in de vorm van brood, dan klopte er iets niet als je bloed veranderde in iets waarin je moest bijten. Volgens mij was het zo niet bedoeld en ik wilde mij aan de oude, vertrouwde verdeling houden.

Ik had geprobeerd het aan mijn moeder uit te leggen, want ik wist dat ze het vervelend vond dat ik mijn neus ophaalde voor balkenbrij en bloedworst, omdat het een geschenk was van grootvader en wij daar dankbaar voor moesten zijn. Ze had geantwoord dat ik God toch niet met een varken mocht vergelijken, dat varkensbloed iets heel anders was dan de wijn die de pastoor dronk in de kerk, dat je van bloed geen drank kon brouwen en dat ik mij te veel in het hoofd haalde.

Van theologische discussies werd mijn moeder altijd nerveus, dus ik kaartte de ongehoorde transsubstantiatie van bloed in worst nooit meer aan en at pas mijn eerste plakje gebakken balkenbrij, toen ik ver in de twintig was en op een heel andere voet stond met God dan toen ik een kind was.

Voordat de slager het varken opensneed werden er emmers kokend water overheen gegoten, het vel kaalgeschrapt en deed hij iets engs met een haak en de poten.

Naar het opensnijden durfde ik niet te kijken. Ik zag het varken pas weer als het opengeklapt aan de ladder hing en plotseling veranderd was in twee zich spiegelende helften.

Vreemd genoeg leek het daardoor meer op een mens dan toen het varken nog een geheel was en duidelijk niks anders dan een beest.

In mijn dromen komt dit beeld terug, van opengeklapte varkens, vastgebonden op ladders, die boven op praalwagens zijn neergezet en worden rondgereden door het dorp.

Thomas vertel ik niets van dit alles. Ook niet dat ik hele dagen huil, dat zich een verdriet heeft losgewoeld waarmee ik mij geen raad weet, maar dat heel groot is en oud en zwaar. Het enige dat ik over dat verdriet denk, is dat ik het niet bij hem kan neerleggen, dat dat onrechtvaardig zou zijn.

Het hoort helemaal bij mij.

Mijn ontmoeting met hem was hoogstens de aanleiding om dat luik open te schuiven waarachter het zich verborgen hield. Mijn verliefdheid, mijn verlangen naar de liefde was gevormd door een verlangen om te weten.

Het gaat niet om Thomas, dat is nog het ergste wat ik over hem kan zeggen.

Achteraf bezien had Thomas iedere man kunnen zijn die, net als hij, wel wilde, en ook niet. Dat was de enige voorwaarde voor de liefde en de pijn, dat het zo iemand was.

De telefoon wordt een terreurmachine. Iedere dag wacht ik tot hij belt en mij een voorstel voor de avond doet, of ik bij hem kom eten. Thomas houdt van koken. Het is prachtig om hem achter het fornuis te zien staan, groente te zien wassen en snijden, sla te zien plukken, vlees te zien braden. Zijn lichaam oogt te groot voor alles. De keuken lijkt op speelgoed als hij erin bezig is. Als ik hem zie tekenen is het bijna onvoorstelbaar dat zulke enorme handen zulke fijne tekeningen kunnen maken, als hij knipt en plakt ziet hij eruit als een kleine jongen.

Iedere dag luister ik scherp naar het timbre van zijn stem, of hij er nog steeds voor mij is, of hij dit nog wil, zo'n liefde met mij.

Hij zegt dat hij een wankelmoedige man is. Hij wil niets liever dan deze liefde, zegt hij, maar hij wil haar ook niet. Hij is beter afgestemd op die andere bruid, zegt hij, zijn eenzaamheid, zijn dromen. Maar als ik hem vraag waarover hij droomt zegt hij dat hij nu alleen nog maar over mij kan dromen. Hij wil niets liever dan bij mij zijn, naast mij liggen, in mij zijn.

'Ik raak mijzelf kwijt bij jou,' zegt hij en hij voegt eraan toe dat hij dat heerlijk vindt, maar ook verschrikkelijk.

'Je moet jezelf ook niet kwijtraken,' zeg ik tegen hem, 'want dan heb ik niemand meer om van te houden.'

We liggen het liefst in bed, samen, verstrengeld. De zelfverzekerdheid die ik voel heb ik nooit eerder gevoeld. Het is alsof ik niks fout kan doen bij Thomas, alsof dit immense lichaam mij volkomen bekend is en ik precies weet hoe ik hem genot moet bezorgen.

Het komt voor dat hij zich abrupt van mij afkeert. Door rustig te blijven, door er niet van te schrikken, door hem te vragen wat dat betekent, dit vreemde gedrag, kom ik erachter dat hij sterft van jaloezie, dat hij zich afvraagt wanneer, waar en van wie ik geleerd heb een man genot te geven.

Ik ben argeloos. Ik kan mij niet voorstellen dat er iemand jaloers op mij kan zijn.

Ik vertel hem dat ik het geleerd heb van een vrouw.

Ara belt me iedere dag, soms ook 's nachts.

Dan voelt ze dat het niet goed met mij gaat, zegt ze. Het klopt altijd. Als ze mij belt treft ze mij huilend en angstig aan.

Vanaf het eerste moment dat ik haar over Thomas heb verteld, voelt ze dat het dit keer iets anders is, dat het dit keer anders moet.

'We moeten nu maar eens niet dezelfde fout maken,' zegt ze.

Zonder precies te kunnen zeggen waarop ze doelt, begrijp ik het toch. Ze zegt dat ze zich Thomas moeiteloos voor de geest kan halen, dat ze, vanaf de dag dat ik hem ontmoet heb, het gevoel heeft dat zij verwant is aan Thomas, dat ze op hem lijkt.

'Het is iets heel vreemds,' zegt ze.

Ik zeg tegen haar dat ik niet weet hoe het moet, een liefde hebben.

Zij zegt: 'Je moet met hem willen leven.'

Zij zegt: 'Je moet erbij blijven, ernaar blijven kijken. Niet weglopen.'

Zij zegt: 'Hij wil jou. Zoals jij is er niemand anders.'

Zij zegt: 'Dat jij dit wilt, zo'n liefde. Wie wil dat nog?'

Zij zegt: 'Ik weet toch hoe heerlijk het is om met jou te zijn.'

Soms moet ze zelf huilen om wat ze zegt.

Iedere zin van haar onthoud ik. Overdag dreunen ze door mijn hoofd en sommige zinnen schrijf ik op, met grote, dikke letters.

Je moet met hem willen leven.

Meer en meer krijg ik het gevoel dat zij mij veilig door deze liefde zal loodsen, dat ik het zonder haar niet red en dat de kans bestaat dat ik aan deze liefde dood zal gaan.

Dat komt ook door de drank.

De drank, de dood en die liefde hebben een verbond dat ik niet kan doorzien, dat ik waarschijnlijk niet wil doorzien en dat ik daarom drink, om het maar niet te hoeven ontrafelen, omdat ik vrees dat ik dan die liefde kwijt ben.

Sinds ik met Thomas was wist ik maar één ding zeker, dat ik vanaf nu nooit meer alleen kon zijn. Tegelijkertijd wist ik niet wat dit betekende, dit nooit van dit nieuwe onvermogen, van dit nooit meer alleen kunnen zijn. Ik dronk te veel om te beseffen dat ik niet bezig was om mij aan iemand te binden, maar om te breken, om oude verbintenissen teniet te doen.

Door de drank kom ik er voorlopig niet achter dat ik dat niet durf, dat het mijn idee van de hel is, om me weer een keer aan iemand te binden.

5

.

De hele dag denk ik aan Thomas, Ara en aan drank. Zolang ik niet dronken ben kan ik nog nadenken over drank en probeer ik erover te schrijven.

Er is iets wat ik boven alles stel en wil beschermen tegen wat mij, nadat ik het gewild heb, lijkt te overweldigen en dat is mijn werk. Zodra ik merk dat ik mij niet meer kan concentreren, omdat ik wacht op een bericht van Thomas en de geruststelling van de afspraak, word ik kwaad op mijzelf en dwing ik mij uit alle macht om rustig te worden en achter mijn tafel te gaan zitten. Het kost mij moeite. Ik spreek mijzelf urenlang toe om te kunnen doen wat ik wil doen en me even niet krachteloos en willoos te voelen.

De werkelijkheid en de onderwerpen waarover ik schrijf lopen steeds meer door elkaar. Soms verdenk ik mijzelf ervan dat ik een onderscheid tussen eten en drinken wil forceren, omdat ik er nog steeds mee bezig ben eerder het verschil dan de overeenkomst tussen Ara en mijzelf te omschrijven en zo het wezen van die vriendschap te doorgronden.

Het wil er bij mij nog niet in dat die vriendschap, haar eten, mijn drinken en die verliefdheid op Thomas verband houden met elkaar.

Hoe langer hoe minder lukt het mij de schrijver te zijn van mijn proefschrift zonder mijzelf in te voegen. Mijn verlangen

om er een volstrekt ander boek van te maken, een boek waarvoor nog geen genre bestaat, is het enige verlangen dat zich
kan meten met de begeerte naar het lichaam en de voortdu-
rende aanwezigheid van Thomas.

Ze belt mij nu soms meerdere malen per dag. Ze zegt dat het
voelt als iets gevaarlijks, dit bellen.

'Het is alsof ik mijn geheim verklap,' zegt ze. 'Ik vraag mij
steeds af of je ertegen kunt, of je je niet van mij af zult keren,
als je het allemaal weet.'

Het is waar dat wat ze mij vertelt, me volkomen verbijstert,
maar ik kan niet zonder.

De telefoongesprekken verlopen identiek. Eerst vertel ik
Ara wat Thomas zei of deed, iets onbegrijpelijks voor mij,
iets wat me angstig maakt en ziek. Daarna is het Ara die
aan het woord is en mij voedt met opmerkingen, verge-
lijkingen, adviezen, duidingen. Ik voel mij zwak en hulpeloos en ik kan niet lang genoeg naar haar luisteren, ook
al heb ik het onaangename gevoel dat er iets ongehoords
gebeurt.

Ara praat over Thomas alsof ze over haarzelf spreekt en het
valt me steeds moeilijker die twee uit elkaar te houden. Maar
er is iets anders wat mij nog veel meer verontrust en mijn gevoel versterkt dat ik verzeild ben geraakt in een onontwarbaar
net van verbintenissen.

Om mijzelf gerust te stellen houd ik me voor dat ik het
eerst maar eens allemaal moet laten gebeuren en dat ik het
later weleens zal gaan begrijpen.

Dit verontrustende is het enige dat ik tegenover Ara ver-
zwijg. Ik kan niet tegen haar zeggen dat ik mij steeds meer
haar voel als ik bij Thomas ben, hem liefheb en hem een

genot bezorg, waarvan ik weet dat het hem aan mij zal binden, zo groot is het.

Een maand nadat ik met Thomas was, stelde ik Ara aan hem voor. Toen hij de deur opende van mijn huis en de kamer betrad, was Ara al aanwezig en zat schijnbaar rustig op hem te wachten. De manier waarop ze opstond, toen Thomas binnenkwam, verried haar spanning. Ze schoot uit haar stoel, liep naar hem toe en stelde zichzelf voor als 'Thomas'.

'Die was ik toch,' zei Thomas daarop lachend.

Nadat ze Thomas had ontmoet sprak Ara aan de telefoon heel vaak over wij.

'Je bent zo onbereikbaar, Kit. Wij zijn altijd bang dat je verdwijnt. Je hebt iets met jezelf waar niemand bij kan en dat vinden we onverdraaglijk. Wij willen je helemaal. Wij willen alles van je weten. We zouden iedere letter die je schrijft willen lezen, in je tas willen wonen waarin al die schriften zitten, het woord willen zijn in je hoofd. Dat is toch vreselijk. Met zo iemand zou jij toch niet kunnen leven, die daaraan toegeeft, aan zo'n verlangen? Dat zou jij niet verdragen. Daarom trekken wij ons terug, beheersen ons. We willen de macht over onszelf blijven behouden.'

'Je hoeft niet bang te zijn, hij wil je, ik weet dat. Ik weet toch hoe het is met jou. Je kunt ons zo gelukkig maken. Van jou kom je toch niet af, al zou je dat nog zo graag willen.'

'Voor ons is dat zo geweest, vanaf het eerste moment, dat je weet dat het eenmatig is, begrijp je? De maat ben jij. Meer kan niet, meer is onvoorstelbaar. Je bent onontkoombaar en verslavend, anders waren we allang weggeweest. Maar het kan niet meer. Thomas kan ook niet meer, ook al ben je moeilijk, dwingend en absoluterig. Is verstorend een goed woord? Je bent verstorend en dat is heilzaam voor ons. Zolang we bij je zijn laten we dat gebeuren en voelen ons een geheeld iemand. Maar zodra je weg bent zijn we weer ont-heeld, dan is dat gevoel er ook niet meer. Daarom doen we zo. Daarom denk je dat we steeds anders zijn als we even weg waren en weer bij je terugkomen. We zijn dan op onszelf ge-weest en waren minder dan toen we bij jou vandaan gingen.

Thomas denkt er zelf ook veel over na, hoe het komt. Dat moet je bij jou wel, nadenken, en soms willen we dat niet. Dan willen we jou niet in ons hoofd en stoppen het liever vol met vet, zodat het log en verzadigd is en te lui om te werken.'

'Het is alsof ik je weggeef. Het is iets verschrikkelijks, maar het voelt alsof het moet.'

'Hij voelt mij in jou. Dat verdraagt hij niet.'

'Je zoekt altijd mensen als wij uit, Kit, van die dikhuiden. Je houdt niet van mensen die zich aan je overgeven. Daar kun jij helemaal niet tegen. Je wilt aan iemand kunnen werken en dat kun je aan ons, het is iets wat wij willen en wat we alleen van jou verdragen. Maar niet altijd. Soms is het te veel. Soms ben je ons te veel.'

'Ik wist dat ik nooit naar jou toe moest komen, uit mijzelf, om jou op te zoeken. Iedereen kwam al naar je toe en je werd de mensen die je kon bezitten, op den duur zat. Je bezocht mij omdat ik nooit naar jou toe kwam, omdat ik niet achter je aanliep en je vrij liet. Zo heb ik dat altijd gevoeld. Dat ik het zo moest doen met jou. Thomas voelt dat ook zo.'

'Eerlijk gezegd heb ik nooit gedacht dat jij dit verlangen had, Kit, dat je je tot iemand wilde bekennen. Ik dacht dat je altijd alleen zou zijn, met mij in je hoofd. Soms spijt me dat. Dan denk ik dat ik een kans gemist heb, dat het tussen ons anders had kunnen zijn, beter.'

Tot op de dag waarop Thomas en ik voor drie maanden naar Amerika vertrokken, laafde ik mij aan deze gesprekken, aan haar steun en ik kon geen dag zonder dat zij mij een hart onder de riem stak en mij vertelde over haar en Thomas, over hoe zij waren en waarom mij dat ziek maakte van onmacht.

Ik heb nog niks in de gaten.

Ik weet nog niet dat de herinnering aan deze gesprekken mij later zullen vervullen met een verschrikkelijke woede.

Zonder mij iets van de aarzelingen van Thomas aan te trekken, trof ik regelingen met de universiteit, zodat ik met hem mee kon naar Amerika. Hij had een opdracht gekregen van een groot reclamebureau, kon beschikken over een huis en atelier in New York, hij zei tegen mij dat hij wel en niet wilde dat ik met hem meeging. Ik luisterde naar Ara, die mij zei dat ik moest doen wat ik wilde, dat ik hem moest tonen dat ik bij hem wilde blijven, omdat hij er anders nooit op zou vertrouwen.

Ik bedacht dat ik het gewoon moest doen zoals ik het anders deed als hij mokte en kreunde en steunde of geen woord tegen mij zei en niet eens naar mij durfde te kijken. Dan merkte ik dat hij wilde dat ik uit zijn huis en zijn leven verdween, maar dan liep ik naar de slaapkamer en kroop vast onder de dekens. Het kon uren duren voordat hij zich bij mij voegde en tegen mij aankroop.

Iedere keer ging het op dezelfde manier.

Zijn immense gestalte duikt op in de slaapkamer. Hij staat naast het bed en kijkt op me neer. Ik kijk naar hem op. Dan lacht hij en ik zie dat het hem ontroert dat ik daar op hem lig te wachten. Hij zegt dan weleens dat het hem spijt dat hij zo is, zo'n man die nergens in kan geloven, en dat hij blij is dat ik eigenzinnig ben en met zo'n vreemde man als hij wil verkeren.

'Ik moet dit manna maar ontvangen,' zegt hij.

Hij zegt dat hij het nog nooit gekund heeft, zich overgeven aan iemand.

Ik weet precies wat hij bedoelt, ik ken dit verlangen, deze voorstelling, maar ik ben al bezig haar te vernietigen.

Aan dat woord *overgeven* heb ik langzamerhand een gloeiende hekel, vertel ik hem, en dat ik mij er ook ooit iets bij heb kunnen voorstellen, dat ik denk dat de mensen er iets lichamelijks mee bedoelen, iets moois en fantastisch wat ik niet in huis heb en dat mij daarom ergert. Ik zeg hem dat ik denk dat er woorden zijn die de liefde belasten en dat overgave daar een van is en dat er nog wel meer van dat soort tergende woorden zijn. Het woord dat mij door het hoofd spookt en nu al wekenlang plaagt is intimiteit, maar ik durf het niet uit te spreken, ik durf nauwelijks tegenover mijzelf te bekennen wat ik aan het ontdekken ben.

Het is te jammer.

Ik ben te veel gehecht aan het woord om het nu al te vernietigen. Ik drink liever mijn hersens naar de knoppen dan dat ik dit ga toegeven, dat intimiteit een kwellend twintigste-eeuws reclameprodukt is en helemaal niet bestaat zoals ik het mij had voorgesteld, als iets verschrikkelijk lichamelijks, als samenvloeien, als iets wat op sterven lijkt.

Die voorstelling zal ik pas kunnen verwoesten als ik minder drink, als ik ermee ophoud om mijzelf te straffen voor een onvermogen dat geen onvermogen is, maar een foute voorstelling.

Door Thomas te vertellen over de onzin van dat woord overgeven, praat ik mijzelf naar het slechten van dat andere beeld toe.

Je overgeven is een oorlogswoord uit indianenverhalen en schietfilms. De vijand geeft zich over als je hem het mes op de keel zet of een pistool tegen de borst drukt, maar een gelief-de hoeft dat niet. Waarom kleden geliefden zich mooi voor elkaar, als het grootste genot zou zijn om de kleren af te wer-pen en zich over te geven aan een blik op iets, waarop geen enkele invloed mogelijk is? En als de ervaring uitwijst dat er geen groter genot is dan dat van het kennen, waarom worden we dan opgeladen met sprookjes over overgave, over het tota-le verlies van besef, beheersing en weten? Wat is dat voor een heilloze staat waarin je niet meer zou weten wat er met je ge-beurt en je dus de voorwaarden voor het genot wegneemt?

Een geliefde wordt alleen maar meer door de liefde, het is een extra betekenis, die je pas ontvangt als je je kunt laten liefhebben en zelf liefhebt, als je dat talent manifesteert. Anders niet. Er is geen enkele andere manier om die beteke-nis te krijgen dan door van iemand te houden.

Het heeft minder met overgave te maken dan met afhan-kelijkheid, beheersing, keuze, kennis en vertrouwen, zeg ik, en dat dat voelt als dramatisch moeilijk en zwaar. Het is nog maar de vraag of we daar goed tegen kunnen, zeg ik.

Op een dag ligt er een ticket voor New York op de keukentafel. Het is de bedoeling dat ik dit zie, dat merk ik. Ik til een
krant op om te kijken of er nog een tweede ticket ligt, maar ik
weet al dat het tevergeefs is om daarnaar te zoeken. Ik wacht
niet af tot hij thuiskomt. Ik ga onmiddellijk naar het reisbu-
reau en bestel mijn eigen ticket. Er is geen vlucht meer vrij op
de dag van zijn vertrek. Het zal hem goed doen om een week
alleen te zijn, bedenk ik, dus ik neem een ticket voor een
week na zijn vertrekdag. Thuis vertel ik hem dat ik hem achterna zal vliegen, dat ik de hele Atlantische oversteek om bij
hem te kunnen zijn.
   'Als dat maar geen drama wordt,' zegt hij.
   'Wat kan het schelen,' zeg ik.
   Ik meen het.
   Het is juist het drama dat ik wil lezen.

6

De week voordat ik naar Amerika vertrek, breng ik door bij
Ara. Bing heeft het hok betrokken en we zien hem nauwelijks. Hij bekijkt me met zorg, als we elkaar op het erf tegen-
komen of als hij 's avonds met ons eet. Hij zegt dat ik er ont-
redderd uitzie en dat ik te mager geworden ben. Bing heeft
zich nooit zo met mij bemoeid en het maakt een diepe
indruk op me dat hij zoiets tegen mij durft te zeggen.
Daardoor denk ik ook dat het wel erg moet zijn, dat ik beter
op mezelf moet gaan passen.

'Bing is bang voor zo veel liefde,' zegt Ara.

Zowel Ara als ik houden het er voorlopig op dat mijn nervositeit vooral reiskoorts is en ze probeert me te kalmeren. Ze
streelt me en brouwt vreemde drankjes, van wortels en ander
natuurgoed.

Ze behandelt me als een zieke.

's Nachts slaap ik alleen nog als ik een fles wijn leegge-
dronken heb.

'Waarom drink je steeds, Kit?' vraagt ze.

'Om het allemaal niet te hoeven weten,' zeg ik, 'zoveel is zeker.'

'Wat niet?'

'Dat is het hem juist,' zeg ik, 'daar moet ik nog achter komen.'

Het was pas op die augustusnamiddag, drie dagen voor mijn vertrek, toen ik de hele dag in de zon gelegen had, door de drank in slaap viel en met een verbrande huid wakker werd, dat het mij begon te dagen. Ara schrok toen ze mijn knalrode huid zag. Ze stapte op haar fiets en reed naar de winkel in het dorp. Ze kwam terug met een tas vol komkommers.

Inmiddels was ik koortsig van de verbranding en ik klappertandde en trilde. Ara handelde rustig en trefzeker, zonder erbij te spreken. Ze maakte de open haard aan, schoof de bank ervoor en haalde een aantal dekens. Een ervan sloeg ze vast om me heen. Ik had nog steeds mijn bikini aan.

'Ga liggen,' zei ze.

Ze sloeg voorzichtig de dekens om mij heen, zette een klein tafeltje binnen handbereik en schonk een glas gekoelde witte wijn voor me in.

'Ik kom zo bij je, beest,' zei ze en ze lachte lief.

Ik had al haar handelingen op de voet gevolgd en moest daarbij mijn best doen om te blijven denken dat het Ara was die ik zag. Bij vlagen raakte ik die gedachte kwijt en dan was ze net een soort vreemde met vertrouwde trekken, iemand die ik voor het eerst in mijn leven zag, maar van wie ik mij afvroeg of ik haar al niet eens eerder had ontmoet. Het was juist het vreemde waarvan ik last had en dat mij met de ogen deed knipperen, omdat ik wilde dat dat beeld wegging en niet steeds over het beeld van de mij vertrouwde Ara heen schoof.

Ik kreeg een akelig gevoel, waar ik angstig van werd. Ik hoopte dat ze gauw weer de kamer binnenkwam en dat dan zou blijken dat het weg was, dat ik niet meer verbijsterd was over haar buitengewone lichaam, haar heupwiegende gang, haar gladde, strakke huid en over het mooiste gezicht dat ik kende. Dat ik dat niet meer raar en uitzonderlijk vond, maar dat ze in mijn ogen weer gewoon Ara zou zijn, iemand die ik niet hoefde te bekijken alsof ik haar nog nooit had gezien.

Bij haar binnenkomst was het weg.

Van pure opluchting vertelde ik haar dat ik haar even niet herkend had, dat ik naar haar gekeken had als naar iemand die niet meer klopte met een foto in mijn hersens.

'Het is de brand,' zei ze. 'Je moet veel drinken.'

Ze vroeg of ze nu weer zij was.

'Ja,' zei ik.

'Goed,' zei ze, 'anders kan ik dit heerlijke niet met je doen. Ik zou het niet toestaan als een vreemde aan je zat, ook al ben ik het zelf.'

Door het schuddebuikend lachen merkte ik pas goed hoe erg mijn voorkant verbrand was.

Naast de bank stond een ketel met komkommerschijfjes. Ara sloeg de dekens terug en maakte het bovenstukje van mijn bikini los. Zonder mijn huid te veel aan te raken schoof ze daarna mijn broek naar beneden.

'We moeten de brand eruit halen,' zei ze.

Ze legde me plat neer op de bank en begon mijn lichaam te bedekken met de koele komkommer.

Nog steeds verbaast het me dat ik dit zonder schaamte onderga dat ik al die aandacht verdraag en hoe groot het geluk is dat dit aanraken oplevert.

Ze sprak zacht tegen mij en zei, dat ze altijd weer verwonderd was over hoe klein dit lichaam was en dat ze zich soms afvroeg hoe iemand daarin kon wonen, hoe je het kon redden in de wereld met zo'n ukkig lichaam, dat eruitzag alsof het niks kon hebben, alsof het zo kon wegwaaien in de wind.

Daarna zong ze een liedje.

Ze zong *You were always on my mind.*

Omdat ze bezig was mijn benen te bedekken en haar rug naar mij toegekeerd had, zag ze niet dat ik was gaan huilen, maar ze voelde het.

Midden in het lied hield ze op met zingen, draaide zich om en ging naast de bank op de grond zitten. Zwijgend pakte ze mijn hand vast en bleef naar mij kijken, terwijl na een paar minuten de tranen over haar wangen stroomden, zonder dat er verder in haar gezicht iets vertrok.

'Je bent op,' zei ze.

Ik knikte.

Na een kwartier begon Ara te praten.

'Je huilt weer. Ik heb je tien jaar lang niet zien huilen. Ik had nooit gedacht dat ik dat nog eens zou gaan missen, maar dat deed ik wel. Ik miste het, terwijl ik vroeger regelmatig van mijn stoel viel dat je dat kon, dat je het zoveel deed, in het openbaar ook, zo uitbundig huilen.'

'Ik ook,' zei ik. 'Het was onbeheersbaar, sterker dan ik, toch nog iets lichamelijks, taal.'

'Je hebt tien jaar niet gehuild, Kit,' zei ze.

'Bijna niet. Je zag het niet,' zei ik. 'Ik was alleen. Ik heb twee keer buiten gehuild, geloof ik.'

'Wat was er dan?'

'De ene keer was toen ik voor het eerst een college volgde over Karl Marx en ze aan de hand van Hegels slaaf-meester-theorie het historisch materialisme uitlegden, en de tweede keer was, toen ik bij Hendrik een oude krant doorbladerde en zo pas dagen na dato ontdekte dat Michel Foucault dood-gegaan was. Zonder dat ik het wist.'

Ik had weer zin om te huilen, zachtjes.

'Waarom net toen?' vroeg ze. Ze hield nog steeds mijn handen vast en masseerde mijn palmen met haar vingers.

'Ik weet het niet,' zei ik. 'Die wreedheid van het niet-weten,' zei ik erachteraan. 'Bedrogen uitkomen, zoiets, omdat je iets niet geweten hebt. Ik weet het niet. Ara?'

'Kit.'

'Ik ben te triest om te praten.'

'Je hebt het zelf verknald,' zei ze om grappig te doen, 'je bent nu echt onaanraakbaar geworden.'

'Dat is het hem,' zei ik.

Ik durfde het andere niet goed te zeggen. Ik schaamde me ervoor. Ik zei het toch.

'Je bent nog steeds de enige die me kan aanraken,' zei ik.

'Thomas toch ook,' zei ze, maar ze wist het al.

'Nee,' zei ik, 'niet zo.'

Het was gaan schemeren. We zagen niks anders dan elkaars gezicht, dat verlicht werd door de gloed van open vuur. We aten niet en spraken niet over wat we zouden eten. Ara had de komkommerlaag bedekt met een handdoek en daarover weer een deken gedrapeerd. Ik klappertandde soms nog even. We hadden een keer de deur van de keuken open horen gaan, maar hadden Bing niet gezien. We wisten zeker dat hij de verdere avond niet binnen zou komen en ons alleen zou laten.

Zo nu en dan draaide Ara zich om en gooide een blok hout in de haard. Ze deed dit zonder mijn hand los te laten.

Na een poos gezwegen te hebben zei ik tegen Ara dat ik naar die metropool aan gene zijde van de Atlantische toe zou vliegen om het af te maken, om op een goede manier afscheid te nemen van Thomas. Ik zei haar dat ik dat sinds vanmiddag wist, dat dat het was wat ik ginder zou gaan doen.

'Ja,' zei Ara, 'doe dat maar.'

Even later verkrampte haar gezicht. Haar bovenlip begon te trillen.

'Hij zal je vreselijk missen,' zei ze en daarna: 'Nu maak je het met mij ook af.'

Het verdriet schoot in haar stem en vertrok haar gezicht.

Ik vond het zo pijnlijk om te zien, haar angst, haar paniek. Ik vond dat zij de laatste op de wereld was die dat verdiend had, zo veel angst, door mij, en ik had een zwaar en verscheurend verlangen om in haar op te gaan, om te verdwijnen in haar, zodat ik haar geen pijn meer zou doen, zodat ze van mij af zou zijn en mij toch precies had waar ze me wilde hebben, in haar en met haar en bij haar. En ik wist op dat moment ook zeker dat ik zelf niets liever wilde dan dat, opgaan in haar, versmelten, van de aardbodem verdwijnen en in haar zijn totdat haar lichaam stierf en ik met haar. Het enige dat ik wilde houden waren mijn eigen gedachten, dat was het enige en ik wist ook dat dat te veel gevraagd was, dat het daarom onmogelijk was.

Nadat ik had gezegd dat ik nee, nee, nooit ofte nimmer, bij haar weg zou gaan, dat ze me alles was, dat ik op een verschrikkelijke manier van haar hield en ik mij het leven zonder haar niet kon voorstellen, liet ze me los en sloeg haar handen voor haar gezicht.

Ik had Ara nog nooit zien huilen dat het schokte, dat het haar lichaam meesleurde in onbeheersbare krampen, waarvan ik wist dat die in de buik zaten en op de borst, dat ze het ademen bemoeilijkten en het bloed uit je hoofd zogen, zo sterk waren ze. Ik wist niet dat ze deze huilbuien in zich had, deze onmacht, en dat ze er zo uit kon zien. Tegelijkertijd begreep ik beter wat het betekende als ze zei dat het haar niet stond om zich te laten gaan, om droef en zwaar te zijn, dat het niet bij haar paste.

Het was waar.

Mensen als Ara uiten de zwaarmoedigheid al met hun vlees. Huilen is voor hen overbodig, dubbelop.

De komkommerschijven gleden van mij af toen ik haar vastgreep, op de bank hees, tegen mijn verbrande huid aantrok, haar in mijn armen hield en met kloppend hart wachtte tot het geweld van het verdriet bedaarde. Ik had het idee dat ik opeens alles begreep, alles van haar en mij, maar het was voor het eerst in mijn leven dat kennis mij niet alleen gelukkiger maakte. Terwijl ik meende dat ik doorzag hoe het was, hoe het al die jaren tussen haar en mij was geweest, werd ook die woede geboren, die verschrikkelijke woede, die ik nog helemaal over haar zou uitstorten.

Eén zin was voldoende. Ze sprak hem uit op de avond voor mijn vertrek. Ze zei: 'Ik heb altijd versteld gestaan van je trouw. Het was ongelooflijk, dat je bleef komen.'

'Je weet wel hoe je iemand moet raken,' zei ik nog vrij laconiek, maar met iedere zin die ik daarna sprak, vergrootte ik mijn kwaadheid en ik raakte vol van het grimmige verlangen om haar de schuld te geven van vernederingen, pijn, pesterijen en van het mislukken van mijn liefde met Thomas. Hoe meer ik sprak, hoe meer ik ging zweten, in mijn gezicht en onder mijn armen.

Het was ook zo moeilijk.

Ik wist niet hoe ik de geschiedenis moest ordenen en hoe ik haar duidelijk moest maken wat ze mij misdaan had.

Ara had mij zo vaak verweten dat ik iemand was met een plan, iemand die alles structureerde en altijd wist wat ze deed. Daar werd ze zenuwachtig van, zei ze, van de orde in mijn hoofd, van die organisatie en beheersing. Mijn tirade begon ik met het memoreren van deze herhaalde verdenking en veroordeling van een te groot bewustzijn, zodat ik het terug kon kaatsen, zodat ik haar op mijn beurt kon verwijten dat ik mij het afgelopen jaar gerealiseerd had dat alles, alles wat mij dertig jaar lang onzeker had gemaakt, ziek van angst en weerzin, ziek van een gebrek aan trots omdat zij mij kon laten kruipen, dat het nu tot mij was doorgedrongen dat hier een plan achter school, een instinctief plan voor mijn part, maar een plan, een strategie, een soort kennis waarvan ik geen weet had, namelijk de kennis om iemand te drillen, om een gewantrouwd, weerbarstig beest precies te krijgen waar je het wilt hebben, namelijk aan jouw voeten, en dat ik haar niet kon zeggen hoe vernederend en hoe beledigend ik het vond, om te horen hoeveel ze van mij gehouden had en hoe ze mij tegelijkertijd niet vertrouwd had, maar dertig jaar lang deze trouw op de proef had gesteld met testen, prikkels, uitprobeersels, met dat bespottelijke, krankzinnige, wrede tarten. Dat ik steeds dacht dat het een morele tactiek was, van haar, die te hoogstaand voor mij was om die te doorzien of te snappen, dat ik daar domweg te slecht voor was, en dat alles wat zij mij aandeed, voortkwam uit verhevenheid en goedheid, uit het inzicht in mijn zwakten, kwaad, zondigheid en onechtheid. Dat ik altijd, als ze mij op een afstand hield of om mij lachte, zonder dat ik begreep waarom, dat ik dan dacht dat het kwam omdat ze dwars door mij heen keek en als enige op de wereld niet in mijn bedrog trapte, zoals al die andere hufters deden, die ik daardoor wel moest gaan minachten, omdat zij mij niet zo goed kenden zoals zij, Ara, mij kende en dat zij daardoor superieur was, iemand die zich niet door mij liet misleiden en die, ondanks mijn grillige betrouwbaarheid, toch meer van mij hield dan wie ook ter wereld. En vooral op een betere manier van mij hield, moreel beter. En dat ik daar nog was ingetrapt ook, dat ik een logica, een moraal, vermoedde achter haar strategische wreedheid en dat ik deze onbekende logica aanzag voor liefde en de wreedheid zag als een uitvloeisel daarvan. Stom. Hartstikke stom. Al die testen. Al dat onvoorspelbare wegtrappen en weer aaien, schoppen en voeren. Ga weg, hond, kom hier! En maar mijn trouw en liefde in twijfel trekken, dertig jaar lang, wat wel logisch wordt als je bedenkt dat ze voortdurend bezig was geweest om met malle trucs, met voorbedachten rade, die liefde en trouw in mij te organiseren. Hoe had ze zichzelf in godsnaam zo kunnen bedriegen? Waarom had ze niet doorzien dat je, als je denkt dat je iemand voortdurend moet verleiden om jou lief te hebben, dat je die liefde met alle macht moet drillen, dat je dan alleen maar krijgt wat je zelf veroorzaakt hebt, het gevolg van iets wat je zelf organiseert. En dat je dan dus precies níet krijgt waarnaar je zo verlangt? Geen wonder dat ze mij niet vertrouwde. Heel mijn gedrag was alleen maar een perfect resultaat van haar eigen tactiek en had dus niets met mij te maken, maar alles met zichzelf, met de uitkomst van een berekening, van een plan.

Ik werd pas rustiger toen ik zei dat ik het opeens begrepen had, in bed, met Thomas, toen ik mij haar voelde, Ara, die zo kalm, schaamteloos en onverstoorbaar kon strelen en wist hoe je een lichaam genot moest geven, zonder angst en aarzelingen, zo, dat het als echte liefde voelde, als iets wat je weg te geven had. Dat ik langzamerhand, door het beminnen van Thomas, beseft had dat er inderdaad heel veel liefde voor nodig is om dat te kunnen doen, maar dat die liefde zich vanaf het moment dat ik mij haar gewaand had, onthulde als macht, over iemand, dat je jezelf onschendbaar voelde als je het effect van je strelingen registreerde, voelde hoe week en weerloos een lichaam onder jouw handen werd, onder jouw mond, in je mond, onder jouw lichaam, als je zag dat je die ander zover gekregen had, dat je maar met je heupen hoefde te wiegen om hem te laten hunkeren naar nog een keer, naar nooit zonder, naar jouw lichaam, jouw aanrakingen en dat het ongehoord simpel was, zo'n spel, zo'n machtig spel. Dat ik mij had afgevraagd waarom ik mij haar voelde, maar dat het hierom was, om het vermogen iemand naar jou te laten hunkeren en dat ik vanaf dat moment ook niet meer wilde dat het omgekeerde het geval was, dat ik niet wilde dat Thomas of wie dan ook, mij ooit nog zo naar hem kon laten hunkeren, dat ik niet meer wilde dat het ooit nog gebeurde op dezelfde manier, met dezelfde macht, met dezelfde dramatiek, door maar stelselmatig mijn vertrouwen in twijfel te trekken en mij te willen en niet te willen, jaar in jaar uit, dat ik dit drama spuugzat was en tot in detail zou ontrafelen, zodat ik het in het vervolg al op honderd kilometer afstand zou kunnen ruiken en mij dan kon omkeren en zo zou weigeren dat dit achterlijke plot opnieuw ook maar het geringste verloop van mijn geschiedenis zou bepalen.

Ara had onafgebroken naar me gekeken en ze had onafgebroken gehuild. Nu rechtte ze haar rug, haalde haar neus op en sloeg met twee handen op haar dijen.

Ik wilde nog iets zeggen, iets goeds.

'Weet je,' zei ik, om haar aandacht nog even te kunnen hebben, 'ik heb mij ook voor het eerst gerealiseerd hoeveel je van mij houdt, ook dat. Het ergste moet natuurlijk nog komen. Ik moet nog zien waarom je gelijk hebt gehad, waarom dit de ideale manier was om mij lief te hebben en door mij bemind te worden. Tot nu toe was het gemakkelijk. Van hetzelfde laken een pak te zijn, dat is moeilijk om onder ogen te zien.'

Ze glimlachte.

'Waarom heb je niet van mij gehouden zonder me te wantrouwen?' vroeg ik.

'Omdat je dan niet van mij gehouden zou hebben, beest,' zei ze.

7

Liefste Ara,

Hoe ik het precies zal gaan aanpakken weet ik nog niet, ik moet de toon nog vinden. Van die toon wil ik dat ze verschilt van wat gebruikelijk is in een wetenschappelijk essay, want die toon bevalt me niet meer. Wat ik bestudeer gaat iedereen aan, volgens mij, en ik vind het gruwelijk om steeds maar weer artikelen te schrijven die mijn moeder niet kan lezen, terwijl ze over van alles gaan waarin zij geïnteresseerd is. Die taaie, doffe lappen tekst, die door niemand anders gelezen worden dan door een handvol taaie, doffe heren en dames, die zijn me gaan tegenstaan.

Schrijven is een ander lichaam geven aan je geest.

Het lichaam waarmee ik het moet doen, dat van vlees en bloed, dat stel ik blijkbaar niet graag bloot aan het oog van anderen en daarom maak ik mij een lichaam van woorden, van papier.

Dat stuur ik naar buiten, de wereld in, en dat lichaam mogen de anderen beoordelen. Daar heb ik geen last van en geen moeite mee. Ik hou ervan om me te laten beproeven, maar niet waar ik bij ben. Door op deze manier naar buiten te gaan bescherm ik me voor te veel angst, schaamte, onzekerheid en verraad.

Er is niks wat ik zo onecht kan vinden als lichamen, zo leu-genachtig, vals en verzonnen, ook het mijne. Buiten kleeft de leugen me meer aan dan binnen. Zelfs een brood bestellen bij de bakker bezorgt me een gevoel van theatraliteit, oneer-lijkheid en verraad. Het kost me moeite duidelijk te maken wat ik hiermee bedoel of hoe die sensatie in elkaar steekt, wat haar veroorzaakt, of ze pathologisch is of niet, maar ik heb haar nu eenmaal. Ik ben mij er ook van bewust als ze uit-blijft, als ik me bevrijd voel van dit basale ongenoegen en ik ben dat intimiteit gaan noemen.

Met jou ben ik intiem.

Bij jou klop ik met mijzelf. Er is geen blik die ik beter ver-draag dan de jouwe en ze heeft mij gelukkig gemaakt. Het is prettig en geruststellend als je naar me kijkt en ik het idee heb dat je vol bent van kennis, over mij.

Ik probeer het zo min mogelijk laf te vinden van mijzelf dat ik gekozen heb voor het leven dat ik nu leid. God krijgen we tenslotte ook alleen maar binnen in de vorm van een stukje brood, een slok wijn en wat woorden. Wij noemen dat Zijn tekenen van liefde en dat we die ontvangen en consumeren, dat is ons teken van liefde.

Ik ben nu eenmaal niet op mijn gemak met mensen. Het is toch belachelijk dat het me nog steeds verbaast dat filmster-ren zo lang zo dicht met hun monden bij elkaar durven staan, tegen elkaar praten en dan elkaars adem kunnen rui-ken. En dan is het nog het vak van die mensen, dan spelen ze alleen nog maar dat ze intiem zijn.

Tot nu toe heb ik braaf gehoor gegeven aan de wetenschap en mij ermee verzoend dat zij haar dienaren er min of meer toe dwingt zich door hun geschriften een onaantrekkelijk lichaam te maken, dat ook nog eens voor eeuwig in grauwe tijdschriften moet wonen.

Het kan anders. Ik wil wel degelijk dat het lichaam dat ik maak bekoorlijk is en dat het woont in een gastvrij huis.

Er waren tijden dat mooi, goed en waar, echt bij elkaar hoorden.

Tot nu toe heb ik pas twee stijlen serieus overwogen. De ene is een soort *Libelle*-geneuzel over moeilijke dingen, de andere is een brief aan jou. Wat ze in de literatuur en in de wetenschap een genre noemen, dat is eigenlijk het geslacht van een tekst. Ze schrijven daarmee voor hoe een tekst zich moet gedragen, alsof ze een lot en een lichaam zou hebben en zou moeten gehoorzamen aan onveranderlijke natuurwetten.

Dat hoeft ze niet.

Genres kun je veranderen door eens andere teksten te schrijven.

Een essay in de vorm van een brief gieten lijkt mij een hele toer, maar telkens als ik erin slaag om jou uit te leggen waarmee ik bezig ben, en ik zie dat je het begrijpt, dan heb ik daarna een licht gevoel van spijt, alsof ik de stof al sprekend heb weggegeven en wat ik tegen je zei nooit zo zal kunnen opschrijven als ik het toen, die ene keer, aan jou vertelde. Er blijft voor mij niets anders over dan jouw geluk. En dat is te weinig.

Misschien was je ook daarom wel verontwaardigd. Als ik ga schrijven op de manier waarop ik wil schrijven, dan zeg ik eigenlijk dat jouw geluk me niet volstaat en dat ik anderen dan jou gelukkig wil maken, op dezelfde manier.

'Je maakt me inclusief,' zei je.

Zo schattig.

Ik begrijp jouw angst wel, voor wat jij mijn plotselinge ommezwaai noemt, maar ze is toch niet zo plotseling als jij doet voorkomen. Je hebt weleens tegen me gezegd dat jouw enige rivaal mijn notitieboekje was en in zekere zin is dat ook zo.

Jij bent altijd als de dood geweest voor mijn veranderingen, maar ik moet veranderen, het kan niet anders.

Denken ís van gedachten veranderen.

Meer niet.

Het lijkt op koken. Van het rauwe materiaal maak je iets wat verteerbaar is en je doet dat zo goed mogelijk, zo dat het smaakt.

Vroeger had je het weleens over mijn geestelijk voedsel en dat vond ik fraai gezegd. Gedachten zijn geestelijk voedsel en ze hebben dezelfde functie als echt voedsel. Je denkt na om te kunnen overleven, om pijn beter te kunnen verdragen en om gelukkiger te zijn. Je voelt je wel degelijk anders als je over iets je gedachten kunt veranderen en de betekenis van wat je voelt eens een keer wijzigt.

Het is nogal onmogelijk als je me aan de ene kant bewondert om mijn gedachten en mij aan de andere kant verbiedt om na te denken.

Je zegt dat je niet wilt dat ik over jou schrijf, over ons, dat je daarom niet met mij bevriend bent, om als onderwerp van een onderzoek behandeld te worden of aangesproken te worden in een brief die voor iedereen bedoeld is.

Ik weet dat ik je kwets als ik tegen je zeg dat je, als ik het over verslaving heb, bent als ieder ander. Ik durf het zo te zeggen, omdat ik mijzelf ook op geen enkele manier uniek maak of een uitzonderlijkheid toeschrijf die ik niet verdien.

Als ik te veel drink ben ik als iedereen die te veel drinkt en als jij te veel eet ben je als iedereen die te veel eet.

Verslaving heeft met maat te maken. Iemand die mateloos nadenkt heeft waarschijnlijk een grotere angst voor het leven dan iemand anders. De bescherming die het geestelijk voedsel moet bieden is een levensnoodzaak.

Jij eet mateloos. Jij hebt van je lichaam een buitenproportioneel lichaam gemaakt om je beter te kunnen wapenen tegen de wereld. Ook jij vindt die eng, enger dan ik ooit vermoedde.

Het spijt mij dat ik dat nooit eerder zo gezien heb, lieverd. Pas sinds ik bij Thomas ben weggegaan, kan ik zien wat we waren: drie zieke, bange mensen. Waarschijnlijk onderschatten we altijd de angst van anderen en willen we graag dat zij minder bang zijn dan wijzelf.

Herinner je je nog dat ik jou, om je uit te leggen hoe de filosofie in elkaar steekt, vertelde dat er eigenlijk maar twee manieren zijn waarop filosofen naar de wereld, zichzelf en ieder ander dan zichzelf (inclusief God) kijken?

Ik zei je dat voor de een de wereld binnen in zijn hoofd zat en dat voor de ander de wereld buiten zijn hoofd lag.

Wat ik als kind in mijn maag voelde, omdat ik geen woorden bezat waarmee ik van dat draaierige gevoel kon maken wat het was, namelijk een soort kennis, heb ik later uitgelegd als het gevoel voor dat verschil tussen jou en mij, dat jij de wereld beschouwde als iets dat buiten jou lag en dat ik de wereld in mijn hoofd had.

Jij en ik draaien oorzaak en gevolg om.

Laatst vroeg je me waarom ik zo bezig ben met schuld en onschuld. Het is hierom. In mijn visie ben ikzelf altijd schuldig of op zijn minst medeschuldig. Het is onuitstaanbaar om voortdurend te ontdekken dat anderen daar minder of geen last van hebben.

In tegenstelling tot jou, doe ik geen enkele poging om de wereld te veranderen. Ik dril geen honden en bescherm ze niet, blinden zie ik niet, boeren die hun vee slecht behandelen klaag ik niet aan en voor het behoud van de natuur heb ik nog nooit mijn nek uitgestoken.

Ik wied geen tuinen.

Ik zou jou geen enkel advies kunnen geven over hoe je Bing zou moeten beminnen.

Maar ik verander voortdurend van gedachten.

Dat wel.

Het is niet eens mijn bescheiden mening dat ik denk dat ik het enige ben dat werkelijk in mijn macht ligt. Wat voor mij geldt, geldt namelijk voor ieder ander. Van de anderen meen ik ook dat zijzelf het enige zijn dat werkelijk in hun macht ligt. Het zijn de gebieden van de machteloosheid, van de onschuld en de afhankelijkheid, die volgens mij het leven zo zwaar maken en die mij net zoveel interesseren als het gebied van de schuld. Wat ik bij verslaving zie is dat die gebieden met elkaar verknoopt raken, dat schuld en onschuld hier een complexiteit hebben waarvan ik hou.

Verslaving is een vriendschap zonder vriend.

Ik wil het graag goed begrijpen. Ik wil het jou ook graag goed uitleggen.

Zo ben ik wel, dat ik zou willen onderwijzen, dat ik iemand

wil worden die anderen leert hoe ze van gedachten kunnen veranderen. Denken kun je tot op zekere hoogte leren en daar zou ik invloed op willen hebben, materiaal voor willen aanreiken, maar dat materiaal ben ikzelf niet, dat zullen boeken zijn.

Na Thomas weet ik het zeker: ik wil geen werk als therapeut, ik wil geen vak dat mij ertoe noopt om onder de mensen te zijn. Ik wil veel alleen zijn, in een kamer, en ik wil boeken naar buiten sturen in plaats van mijzelf. En zoals iedere filosoof heb ik mijzelf, naast al die onmacht, ook een nobel motief toegeschreven en zeg ik dat ik dit wil om anderen gelukkiger te maken, onder meer.

Het is voor mij moeilijk voorstelbaar dat er mensen zijn die hun lichaam zien als een instrument voor het geluk. Woorden, ideeën en verhalen bepalen wat we zien en hoe we iets ervaren, meen ik, ook het lichaam.

Jij hebt je lichaam tot iets uitzonderlijks gemaakt, tot iets waarmee je je van anderen onderscheidt. Weet je nog dat je je zoveel minder voelde, toen je afgevallen was?

'Ik ben nu te weinig ik,' zei je.

Later begreep ik dat het niet met vlees van doen had, maar met betekenis. Je ging meer op gewone mensen lijken, legde minder gewicht in de schaal en was daardoor minder bijzonder. Wat er minder was, dat was je taal. Je hebt je lichaam altijd als een talig instrument behandeld, als iets waarmee je sprak en je van anderen wilde onderscheiden.

Dikke mensen doen dat.

Net als Thomas wil ook jij dat iedereen op het eerste oog ziet dat je anders bent dan anderen. Met je vlees zeg je dat je bang bent dat je niet gezien en erkend wordt. Het is de vraag waarvoor je erkenning zoekt. En het is pijnlijk om je die vraag zelf te stellen.

Waarvoor zoek je erkenning, Ara?

Van te veel eten word je dik.

Van te veel drinken word je dronken.

Denken is iets terugbrengen tot zijn meest eenvoudige staat. Verslaving kun je begrijpen aan de hand van wat je aan of in jezelf verandert door iets te consumeren. Iemand die te veel eet verandert het uiterlijk, de buitenkant, het ding, het lichaam. Iemand die te veel drinkt verandert het innerlijk, de binnenkant, de woorden, de geest.

Denk je dat ik het te simpel zie, met dit binnen- en buiten-gedoe?

Soms vrees ik zelf van wel.

Ik kan er behoorlijk de pest over in hebben dat zulke scherpe onderscheidingen nodig zijn om iets te kunnen begrijpen, lot en keuze, lichaam en geest, gevoel en verstand, dat werk. Iedere keer blijkt dan weer dat je die twee juist moet verbinden om er werkelijk achter te komen waar het hem nu precies in zit, wat het allemaal zo moeilijk maakt. Dit heb ik pas goed begrepen door die colleges bij de fysici, over Einstein. Kort gezegd komt het erop neer dat het verklaren van een heel complex verschijnsel, als licht bijvoorbeeld, erom vraagt dat je gebruik maakt van twee ideeën die elkaar tegenspreken en onmogelijk onderling te verbinden zijn.

Daar raakte ik weer helemaal opgewonden van, toen ik dat snapte.

Licht valt niet te begrijpen als je vasthoudt aan één enkele verklaring. Je hebt er twee nodig.

Mooi is dat, hè?

Je zou kunnen zeggen dat verbintenissen ons leven zin geven en dat het tevens de verbintenissen zijn die ons leven zwaar maken.

Grof gesteld denk ik dat het zo zit: mensen onderscheiden zich van dieren door hun verhoudingen. Mensen moeten zich tot meer verhouden dan dieren en alles wat in dit meer zit, maakt het leven van mensen moeilijk. Die meerwaarde is abstract, talig, het rijk van de betekenissen.

Geen dier verhoudt zich tot God, een zelf, de dood of tot de naam van de vader. Mensen wel. Mensen hebben weet van zichzelf en de dood, en het is niet gemakkelijk om met dit idee goed te leven.

Net als de familie, is de dood een lot.

Er is niks aan te doen. Beide zijn onontkoombaar. Ze zijn de voorwaarden voor het leven. Bij iedere geboorte wordt er ook een dood weggegeven.

Bijna dagelijks verlustig ik mij erin de woorden op te noemen waaruit de kluwen bestaat, ze nog een keer apart te laten klinken en jou vervolgens te beloven dat ik ze mooi met elkaar zal verbinden, zodat ze iets gaan betekenen.

De familie, het lichaam, de dood en het lot horen bij elkaar en hun spiegelbeeld wordt gevormd door de vriendschap, de geest, het leven en de keuze. Ze lijken elkaar uit te sluiten, maar om te begrijpen wat ik wil begrijpen, moet je ze bij elkaar brengen, net als dat binnen en buiten, van die filosofen.

Ik zal proberen je dat goed uit te leggen.

Ik weet toch hoe je daarvan houdt.

De woorden van de literatuur en de filosofie hebben voor mij een grotere bekoring dan de woorden van de psychologie. De moeite die ik heb met termen als frustratie, weerstand, overdracht, verdringing en projectie is zo groot, dat ik mij soms afvraag hoe ik die studie ooit heb kunnen voltooien.

Emotie niet.

Emotie heb ik altijd een goed woord gevonden. Daar zit tenminste beweging in. E-movere, dat is iets naar buiten brengen.

Waarschijnlijk heb ik vanaf het begin niets anders gedaan dan wat ik las te vertalen in een taal die mij kon bekoren, en er daarna een verhaal van te maken dat ik naar jou toe kon brengen.

Ik ben je er dankbaar voor dat je mijn eerste lezer was, lang voordat ik schreef.

'Door jou krijg ik de boeken binnen,' zei je.

Jij beschouwt jezelf als een woordmanke, maar ik heb altijd gevonden dat je goed kon zeggen wat je meende. Zelfs in de taal heb ik jou in al die jaren een zuiverheid toegeschreven die ik niet had. Jij had natuurlijke wijsheid, instinctieve kennis, een dierlijke, niet door theorieën gecorrumpeerde geest, een woordenschat van eigen maaksel. Jij had geen plan, geen opzet, geen angst, geen andere bedoelingen dan goede.

Nu denk ik dat niet meer, zoals je weet.

Dat vind ik soms jammer, maar meestal niet. Het heeft mij te veel veranderd om het alleen maar te betreuren.

Als jij mij niet verlaat zal ik jou ook niet verlaten, maar ik zal nooit meer toelaten dat je zo veel macht over mij hebt. Macht is wel het woord.

Er zijn dagen waarop ik mij afvraag waarom ik mij zo goed voel, zo onaantastbaar, en dat ik me dan herinner dat ik een coup gepleegd heb.

Ik kan je alleen maar je liefdevolle geweld vergeven door te bedenken dat wij hetzelfde zijn.

Sinds mijn jeugd heb ik mij vaak paniekerig afgevraagd waarom het mij toescheen dat ik de enige in de wereld was die zich zo verschrikkelijk graag aan iemand wilde hechten. Nu begrijp ik dat het heftige verlangen om je te binden, nog niet betekent dat je het dan ook kunt en dat iedereen die jou wegslaat en op een afstand houdt, daardoor niet zelfstandiger, onafhankelijker, onthechter is dan jij, en geen droom koestert van een verbond, maar er zelf ook domweg moeite mee heeft.

Jij kan het ook niet op de manier waarop je het zou willen, die je je gedroomd hebt.

Bij ons was die droom heel sterk. Jij en ik hebben samen iets bijzonders gewild. Het is gelukt, maar het is nooit genoeg. Gevoelens zijn ook idealen.

Sinds ik dat vermoed, ben ik opgehouden te denken dat ik verlangens heb die uit de mode zijn.

Ik vind dat het vaak lang duurt voordat ik iets snap.

Waarom ik regelmatig zo woedend word is mij nog niet helemaal duidelijk, maar ik ben het wel. Zoals altijd richt mijn woede zich niet in de eerste plaats op jou, Thomas, mijn familie of God, maar ben ik ziedend op een andere bedrieger, op die naamloze zwerver, die nergens woont en overal is, en die er weer eens in geslaagd is om bij mij slinks zo'n droom binnen te smokkelen die een verlangen veroorzaakt naar het bestaan van iets wat niet bestaat. Niet zoals in die droom.

Bedrogen uit komen, daar kan ik heel slecht tegen.

Jij noemde mij zo vaak een kamikazevrouwtje, maar het

enige dat ik om zeep wil helpen zijn wat dromen, mythen, woorden, beelden en een stel bedrieglijke, ziekmakende, te veelbelovende verhalen.

Als verslaving inderdaad een innerlijke of uiterlijke vervorming tot gevolg heeft, dan zal zij ongetwijfeld te maken hebben met die idealen en verhalen en waarschijnlijk zelfs met het vertellen ervan, of, globaler, met het uitdrukken, met het naar buiten brengen, met wat ik dus maar taal noem.

We talen naar betekenis, omdat we talig geboren zijn.

Ik denk dat wij onszelf verminken, omdat we ons onbruikbaar willen maken voor een verlangen, voor een ideaal, voor een verhaal. We ontzeggen ons het recht, en ontnemen ons bij voorbaat de kans, op een beloofd geluk, waarvan wij denken dat het niet voor ons is weggelegd. Door ons ongeschikt te maken, helpen wij het lot een handje en nemen het zelf op ons. We maken ons liever eigenhandig onaantrekkelijk, dan dat we dat oordeel over onze aantrekkingskracht, waarde en betekenis aan anderen overlaten. We worden liever dik, dronken, ontrouw en ongelukkig, dan dat we het angstaanjagend grotere aanpakken, een ideaal waarmaken dat we koesteren en daarvoor erkenning zoeken bij anderen.

Ik denk dat jij een onmiddellijke erkenning afdwingt met je lichaam, omdat je het niet aandurft die op een geestelijk gebied te eisen.

Dan zou ik drinken, omdat ik allerlei dromen die met lichamelijke verlangens te maken hebben, niet durf waar te maken. Zichtbaar te zijn geeft me een ongemakkelijk gevoel.

Verslavingen binden je aan je gemis en dat maakt ze zo tragisch. Het is een vriendschap met je eigen tekort.

Bij het beminnen van Thomas verwachtte ik een natuur-
geweld, een overweldigend genot, dat mij en hem volkomen
weerloos zou maken, maar het minnen is macht, kunst, cultuur, een verfijnd werk, waarin je je kunt bekwamen of niet.
Dat intimiteit alleen met natuur en sex te maken heeft, dat
was de mythe die ik moest laten sneuvelen. Er wordt nergens
zoveel over gelogen als over sex en genot, door mannen en
door vrouwen. Dat weet ik nu.

Tegelijkertijd is verslaving ook anarchie, verzet tegen dit
ideaal, tegen het gemis en tegen de afhankelijkheid van het
oordeel van anderen.

De eerste glazen wijn geven mij onherroepelijk een zalig
gevoel van onafhankelijkheid, van een prettige, haast vrolijke
vernietigingszucht, de lust dat ik het mij kan permitteren
om dit leven in eigen handen te nemen, het te verwoesten, ermee te doen wat ik wil, zonder dat iemand zich daarmee be-
moeit.

Maar het is een misplaatste anarchie. Het is ook mogelijk
om het verhaal dat het verlangen heeft opgewekt, te verminken in plaats van jezelf. Sedert ik de mythe van de intimiteit
en de leugen van het geslacht op het spoor ben, kan ik het
drinken beter matigen.

Van het opsporen, analyseren en vervormen van rond-
dolende verhalen heb ik mijn beroep gemaakt, Ara.

Thomas was loodzwaar en jij ook. Ik hou ervan. Ik denk dat ik
het bewonder, dat iemand zo veel lichaam durft bloot te stellen aan de ogen van anderen en al die ruimte durft in te
nemen, omdat ik dat zelf niet kan.

Om iets ingewikkelds te begrijpen moet je het terugbrengen tot iets wat eenvoudig is. In dat boek wil ik de verschillende vormen van verslaving terugbrengen tot een gedrag, tot een object en tot een effect. Wat alle verslavingen onderling gemeen hebben, noem ik honger.

Ieder obsessief en verslaafd gedrag is een vorm van mateloos consumptiegedrag. Consumeren is iets van buiten naar binnen halen, iets tot je nemen en verbruiken. Datgene wat je verbruikt noem ik voedsel.

Het kunnen alcohol, drugs, geld, sigaretten, vrouwen of mannen zijn, die geconsumeerd worden, maar bij mij heet het allemaal voedsel.

Anders valt het niet te begrijpen.

Het gaat mij vooral om deze beweging van buiten naar binnen. Die is tegengesteld aan de emotie, aan de uitdrukking, aan het vertellen, aan het van binnen naar buiten brengen. En dat is verslaving ook. Ze is gericht op de vernietiging van een emotie, van kennis en van een ware zin.

Wat ik de honger noem, dat is het verlangen naar uitdrukking en wat er misgaat is het slagen van die uitdrukking, tenminste, ze slaagt op een ander terrein dan waarop ze zou moeten slagen.

Jouw lichaam is vlees geworden taal, de verboden taal van je verdriet of van andere emoties. Wat een woord zou kunnen zijn is vlees geworden.

Bij drinken gebeurt hetzelfde, maar dan omgekeerd. Dronkaards falen erin om met hun lichaam eerlijk uit te drukken wat ze bezielt en ze beroven zichzelf van hun uitdrukkingsmiddel bij uitstek, van hun spreektaal.

Ze gaan lallen. Ze kunnen die woorden en dat lichaam niet zonder een gevoel van verraad met elkaar laten samenvallen, net als zwaarlijvigen. Mijn verboden taal is de taal van het lichaam. Ik wil niet dat er iets aan mij te zien is. Eigenlijk vind ik het al een schande om gezien te worden.

Verslaafden vinden zich dubbelhartig en voelen dat ze altijd een kant van zichzelf verraden, dat ze stiekem een verhaal verborgen houden voor de wereld, het echte verhaal, het ware.

Helaas.

Waren we maar wat we zijn, enkelvoudig, in zekere zin. Zonder lichaam geen geest en geen geest zonder lichaam.

De vriendschap tussen lichaam en geest gaat mij aan het hart. Ik zou willen dat jij en ik altijd bij elkaar blijven, zolang wij leven.

Het verhaal dat mij kwelde en dat ik najoeg als een ideaal, is een verhaal over een lichamelijk verbond, een intimiteit die zo groot is dat je je geest ervoor kunt offeren.

Het verhaal dat jou kwelt en dat jij najaagt als een ideaal, is een verhaal over een geestelijk verbond, een intimiteit die zo groot is dat je je lichaam ervoor kunt offeren.

Je verslaving toont feilloos welk offer je verlangt te brengen, want dat is namelijk precies wat je in je slaafsheid verloochent.

Jij verraadt de honger van je geest en ik verraad de honger van mijn lichaam.

Wat steeds op het spel staat is het verlangen naar betekenis, naar waarheid voor mijn part. Ik kan het nog het best vergelijken met wat een geslaagde zin is en met het geluk dat die teweegbrengt. Een goede zin is waar. Dan is het je eindelijk gelukt om de enige goede verbintenis tot stand te brengen tussen die zo lichamelijke dingen die woorden zijn, en die onzichtbare, geestachtige betekenis. Het is je gelukt om je uit te drukken, zonder gevoel van verraad, zonder schaamte.

Ik weet hoe gelukkig je hierdoor kunt zijn.

Van een beetje waarheid word je al behoorlijk gelukkig, Ara. Dan geeft het ook niet als het maar even duurt. Echt geluk kun je niet op.

Het effect van een verslaving splits ik op in de winst en in de tol, ook al blijken die elkaar op een vreemde manier te overlappen. De tol die je voor je verslaving betaalt, wordt gezien als winst.

Het zal mij niet zo veel moeite gaan kosten om de verslaving op een filosofisch plan te tillen en haar te beschouwen als een probleem dat te maken heeft met de paradox, de keuze en andere hersentoeren waarin je kunt slagen of mislukken.

Als het denken genot kan bezorgen, kan het ook verdriet en problemen veroorzaken. Het liefst zie ik het beestachtig. Ik wil zeker weten dat je van het achterwege laten van denken, van het niet kiezen of beslissingen nemen, dat je daar ziek en ongelukkig van kunt worden.

De familie en de dood noem ik een lot, omdat het verbintenissen en dus betekenissen zijn die je gratis krijgt. Je hoeft er niks voor te doen. Het zijn betekenissen die je niet hoeft te verwerven. Je wordt geboren, bent de dochter van die vader en die moeder, de zus van die zussen en die broers en je bent sterfelijk. Dat is allemaal zeker en dat is allemaal betekenisvol. Het zijn verbintenissen die niet verbroken kunnen worden.

De familie duurt eeuwig.

Niet iedereen ziet dat zo, maar dat is haar grootste schoonheid en haar hoogste waarde.

Je kunt nooit geen dochter, zus of een sterfelijk lichaam zijn.

Tot op zekere hoogte is dit een comfortabel en gemakkelijk lot, net als het slachtofferschap. Wat onontkoombaar is gaat buiten je verantwoordelijkheid om. Je hebt er niet voor gekozen om geboren te worden en in het verlengde daarvan heb je er niet voor gekozen om de eerste jaren van je leven op een bepaalde manier bemind te worden. Liefde kan de vorm hebben van friet met knakworsten en van een pak slaag, een kind neemt het zoals het komt.

Vroeger sloop mijn vader zachtjes de trap op, als hij laat thuiskwam van zijn werk, en mijn broers en ik al uren in ons bed lagen. Van dat sluipen werd ik toch wakker, want ik sluimerde en wachtte op hem. Hij opende de deur van mijn slaapkamer en fluisterde bezorgd dat het al heel laat was, dat ik allang in een diepe slaap had moeten liggen.

'Kom maar,' zei hij, 'dan maak ik even een lekker huisje voor je.'

Zonder mijn gezicht te beroeren, nam hij de zijkanten van het kussen vast en drukte die omhoog, zodat ze tegen mijn oren aan gevlijd lagen.

'Zo, nu kun je lekker slapen,' zei hij.

Dat was nu net wat ik niet meer kon.

Ik was zo bang dat ik het huisje zou vernietigen dat hij met zo veel liefde voor mij gemaakt had, dat ik het eerste uur de slaap niet kon vatten, omdat ik mijn hoofd niet durfde te bewegen en kramp kreeg in mijn nek.

Ik meen dat verslavingen zich aan de kant van het lot en aan de andere kant, die van de vrije wil, kunnen bevinden en dat ze zich daarin onderscheiden.

Wat ik maar schrijven met je lichaam noem, hoort aan de kant van de familie en de dood. Het is een behoudende verslaving. Ze belooft een lichamelijk, zintuiglijk plezier; eten, sex, ruiken, voelen, verzadiging. Dik of dun worden, tatoeages, kapsel en kleding, verleiding, sex, het zijn allemaal pogingen om te sleutelen aan het lot van de familie en dat van de dood. Behoudende verslavingen zijn, volgens mij, altijd een boodschap aan je familie.

Vriendschap, het voeden van de geest, de manier waarop je je leven gestalte geeft, liggen aan gene zijde. Het zijn verkozen verbintenissen en daarom verkozen betekenissen. Je bent er niet minder afhankelijk van, maar deze afhankelijkheid staat bloot aan een andere bedreiging dan de afhankelijkheid die je hebt door het lot van de familie en de dood.

De verslavingen die zich op het vlak van de vrije wil bevinden zijn destructief, geestelijk en ze beloven een invloed op het denken. Destructieve verslavingen zijn een boodschap aan de verkozen geliefden.

Ouders kunnen kinderen mishandelen en in de steek laten, maar daarmee kunnen ze je nog niet beroven van het lichaam dat je kreeg en de betekenis die daaraan gehecht is: je bent en blijft de dochter van die vader en moeder.

Op het terrein van de vrije wil sta je wel bloot aan dit gruwelijke gevaar: als je bij mij weggaat, verlies ik aan betekenis, dan ben ik niet langer de vriendin van Ara Callenbach.

Daarom noem ik verbintenissen het drama van de afhankelijkheid.

Eigenlijk wil niemand dit.

We hebben een dierlijk verlangen naar autonomie, maar als je wilt leven als een mens, dan zit je opgescheept met een noodzakelijk verlangen naar binding en betekenis. Het is je verlangen om menselijk te zijn.

Alleen dieren zijn autonoom, mensen niet.

Nu ben ik bang dat je afhaakt, dat het een te lange brief is geworden, eentje waarvoor ik je aandacht niet verdien, die je onvoldoende raakt om bij me te blijven en me op de voet te volgen. Zal ik je verwennen en je iets moois vertellen over jou, helemaal voor jou alleen?

Op die avond dat ik naar je toe kwam, na mijn terugkeer uit New York, toen ik bij Thomas was weggegaan, ben ik bij je in bed gekropen.

Ik kon niet huilen.

Heel traag sloop dat gevoel binnen, dat ik niet anders kan omschrijven dan het gevoel van de dood. Het was alsof hij tegen me opkroop, zich tegen mij aan vlijde en mij verleidde om de liefde met hem te bedrijven. Ik voelde het vooral met mijn huid, als een prikkeling, die almaar erger werd, erger en beangstigend spannend.

Het andere gevoel zat in mijn hoofd, een ijzige kou in mijn hersens. Ook niet eens onaangenaam, maar net als die prikkeling, bijna te spannend.

Je zei dat ik opeens zulke holle ogen had, dat het leek of ik authentitisch werd. Ik hoorde niet eens dat je het woord weer eens naar je hand gezet had. Ik geloof dat ik je gezegd heb, dat ik dacht dat ik doodging. En dat ik mijn lichaam niet meer kon bewegen. Je hebt me toen in je armen genomen. Ik voel het nog. Pas toen je me oppakte, met me sjorde en mij op je schoot trok, voelde ik hoe willoos mijn lichaam was, alsof het al was meegenomen naar een andere plaats en niet meer bij mij hoorde. Je hebt mij toen urenlang gewiegd en mijn naam gezegd, Catherina, Kit, en je zei ook schatje, lieveling, kleintje, beest. Je zei blijf bij me, ga niet weg, ga nooit dood.

Toen niet, Ara, maar nu, behoort het tot het beste wat ik mij herinner uit mijn leven.

Ik heb het uitgemaakt met Thomas in een restaurant op de 24ste Straat. We aten steak met friet. Thomas staarde onafgebroken naar zijn bord en meed mijn blik. Hij at gretig, alsof hij uitgehongerd was. Zijn bord raakte snel leeg en opeens zag ik dat hij er alleen nog mee bezig was die groeiende leegte te controleren en dat ze hem in paniek bracht, dat hij met angst het moment tegemoet zag waarop er niets meer lag op dat bord, en hij niet meer bezig kon zijn met eten. Ik zag hoe bang hij was voor het aanbreken van dat onvermijdelijke tijdstip, waarop alles op was en hij verstoten werd uit die veilige geborgenheid en er geen andere vluchtweg meer overbleef, om te ontsnappen, aan mij.

Zonder mij aan te kijken richtte hij zich op, riep de ober en bestelde een tweede portie, van hetzelfde. Nog voordat het volle bord gebracht werd, vertelde ik hem dat ik deze verhouding niet meer wilde, met hem, dat ik niet met hem wilde leven.

Alle verslavingen zijn pogingen om het verlangen naar vriendschap zelf te vervullen, dus zonder afhankelijk te zijn van iemand anders. Verslaving is honger naar zin, maar zonder daarvoor het personage te hoeven zijn in het drama van de afhankelijkheid van een ander levend wezen en te lijden onder de verschrikkelijke angst dat de verbinding verbroken kan worden.

Wie te veel eet of drinkt maakt zich afhankelijk van iets wat altijd binnen bereik is en wat hem niet in de steek kan laten. Het is verkozen gezelschap, met de belofte van eeuwigheid. In een verslaving schuilt het verlangen naar het lot van de familie, naar het ontkomen aan de opdracht die een leven in vrijheid aan je stelt.

Een verslaafde wil het onmogelijke, namelijk binding en onafhankelijkheid tegelijk en het gekke is dat dat nog lukt ook.

Het kost alleen wat.

En het levert niks op, aan waarheid, aan betekenis, aan liefde. Erger nog, dat stel je juist allemaal bloot aan het gevaar van het gevreesde verlies, aan de dood.

Op de dag dat ik wegging uit het dorp had ik maar één verlangen: me zover mogelijk te verwijderen van het punt waarop mijn leven op dat moment beland was. Weg, van dat punt af geraken en nooit terugkeren. Op diezelfde dag werd waarschijnlijk ook dat andere verlangen geboren, om hetzelfde nog een keer mee te maken, om ooit opnieuw, in dezelfde wirwar van grenzeloze goedheid en gekte terecht te komen, om nog een keer en dan vrijwillig, mijn lot te verbinden met het geluk van iemand anders, weer met iemand zo vreselijk mee te leven en er zo machteloos veel van te houden als ik van mijn ouders en broers houd, met alle risico's van dien.

Vriendschap sluiten, trouwen, dat is familie worden uit vrije wil. En daarvoor moet je je woord geven.

Jong zijn vond ik pijnlijk, volwassen zijn niet. Het enige houvast, die het leven in het onafzienlijke domein van de vrijheid biedt, is dat je je bindt door je woord te geven en de wetenschap hebt dat goede mensen zich aan hun woord houden. Je aan je woord houden is de enige manier om een menselijk en goed leven te leiden.

Dat hoofdstuk over de tol wordt het grootste waagstuk van mijn proefschrift.

Voor een verslaving betaal je een prijs. Het gaat me nog het minste om geld, om wat een verslaving letterlijk kost. De zwaarste tol die betaald wordt weegt natuurlijk weer niks. Hoe moet ik nu aantonen dat het gaat om het verliezen van zoiets ongrijpbaars als betekenis, waarde, zin en geluk?

Hoe moet ik aantonen dat verslaving bij wijze van spreken het verlangen naar waarheid is, naar het oplossen van een paradox of tweeslachtigheid, en dat de manier waarop dit verlangen vervuld wordt, louter paradoxen, dubbelzinnigheid, leugens en verdriet met zich meebrengt?

En hoe moet ik vertellen dat wat door een verslaving wordt verminkt, dat dat juist het gebied is waar de grootste dromen liggen, dat iedere verslaafde zijn eigen middel van de verleiding aantast, omdat hij er zelf door verleid is?

Wat je opeet is er niet meer. Het kan niet langer macht over je uitoefenen en jou verleiden, maar je kunt er ook niet meer van houden.

Dat is allemaal moeilijk op papier te krijgen.

Een verslaafde vergist zich in het produkt. Hij wil zichzelf iets toedienen, wat je jezelf niet kunt toedienen. Je kunt geen verhouding hebben met jezelf, noch liefde, respect, bewondering, betekenis hebben voor jezelf. Sommige, de meest menselijke, zaken spelen zich alleen maar tussen mensen af, niet in mensen afzonderlijk. Liefde, respect, bewondering, betekenis, hebben alleen maar plaats in een tussenruimte, in dat onzichtbare iets wat door een verbintenis geschapen wordt. Ergens anders bestaan ze niet.

Het meest menselijke kun je alleen maar weggeven en ontvangen.

Net als voor het geld, bepalen anderen de koers van wat je waard bent, voor hen.

De grootste tol van de verslaving is dat je deze betekenisvolle verbintenissen ontrouw wordt, iedere keer als je verdwijnt in die waan van autonomie.

Ik ben er nog lang niet, maar ik weet zeker dat ik in de komende jaren niks beters kan doen, dan het allemaal op te schrijven en maar af te wachten of de toga's het zullen slikken. Het kan mij ook niet zoveel schelen. Als jij er maar wat aan hebt.

Wat mijn boek betreft, zou ik willen dat je van gedachte veranderde. Ik kan je niet beroven van iets wat jij niet bezit. Míjn geschiedenis van ons behoort jou niet toe. Het is als de brieven die ik je stuurde: al die vellen papier zijn van jou, de inhoud blijft van mij. Over deze wonderlijke verbintenissen wil ik schrijven, meer niet.

Het is weer laat geworden.

Ík ga slapen, Ara.

Ik hou van je.

Zonder jou ben ik minder waard.

Als ik nu mijn wijsvinger in de lucht steek, doe jij dan ginder hetzelfde?